독도를 사수하라

-강치의 설욕-

독도를 사수하라

-강치의 설욕-

송기준 장편소설

도서출판 동인

차례

수상한 함정과 선박

20XX년 5월 어느 날 아침

동해의 물결은 솟구치는 아침 해를 아무런 의심 없이 받아주고 있다. 선홍빛 둥근 해는 물결을 발판 삼아 힘차게 도약하며 붉은 기운을 사방에 흩뿌린다. 간간이 부는 바람이 잔잔한 물결을 어루만져주고 거울처럼 햇빛을 반사시키어 수정구슬 같이 반짝거리게 만든다. 5월의 동해는 7월부터 불어올 태풍을 맞이하려 한참 준비 중이다. 뭉게구름을 만들어 하늘 높이 올려 보내고 때로는 회오리바람을 일으켜 물여울을 만들기도 한다. 그렇지만 동이 터오는 바다는 아직 은은한 숨결을 고르고 있다. 붉은 해가 오르자 일장기를 단 큰 배 두 척이 그 모습을 슬며시 드러낸다.

두 배의 위치는 독도를 중심으로 12마일(20킬로미터) 남동쪽 영해 밖이다. 배 후미의 물 흐름으로 보아 아주 저속이거나 조류에 떠다니며 제자리에 멈춰 있는 듯 보인다. 한 척은 일반 군함과 달리 육중하지만 날렵하게 보이는 최신 전투함인 이지스함이며, 뱃머리 앞에 일장기가 힘차게 펄럭이고 있다. 다른 한 척은 배 양쪽 옆구리에 길고 둥그렇고 민첩한 형태의 또 다른 물체를 매달고 있어 군함이 아닌 특수 목적의 탐사선으로 추정된다. 배 옆구리 좌우에 매달린 물체는 잠수정으로, 원통형이고 앞뒤가 유선형으로 되어 있어 탐사선으로 금방 추정할 수 있다.

일본은 한국보다 30퍼센트 정도 크고 더 정밀한 이지스함 수십 대와 항공모함 십여 척을 건조하여, 동북에서 서남방향으로 길게 늘어진 일본 연안과 수백 개의 태평양상에 점점이 흩어져 있는 일본 섬들을 방호하고 있다. 오늘 그중의 한 이지스함이 탐사선을 호위, 엄호하기 위하여 이곳에 있던 것이다.

탐사선 안에는 여러 명의 과학자들이 휴게실에서 잡담하며 앉아있다. 그들은 해저에서 탐사선이 건져 올린 물질들을 확인하고 선별하는 임무를 맡고 있다. 통제실에는 이마에 깊은 주름살이 지고 수염과 구레나룻을 기른 늙수그레한, 탐사선 선장으로 보이는 사람이 앉아 무전기로 누군가와 통화하고 있다.

"모시모시! 여기는 쿠지라(고래). 이토 선장이다."

"하이! 여기는 무시(이지스 호위함 암호). 감도 좋다. 말해라."

"하이! 지금 바람이 잔잔하여 물결이 거의 없고 바다 상황이 대단히 좋다. 오토세(물개)를 진수하여 작업을 정상 진행하겠다."

"알았다. 참고하겠다. 나중에 끝날 때 보고하고, 그동안 무슨 일이 있을 때는 즉각 보고하라. 오야붕이 허락했다. 작업을 진행해도 좋다."

"알았다. 곧 작업을 수행하겠다."

호위함, 탐사선, 잠수정은 극도의 보안을 유지하기 위해 암구호를 쓴다. 탐사선 선장은 선실 통제실에 둘러서 있는 여러 반장에게 수행할 작업을 지시한다. 그는 시계를 들여다보며 말한다.

"지금 시각은 5시 30분이다. 오늘 날씨는 화창하고 파도도 적어 작업하기에 최적이다. 앞으로 20분 후에 물개들을 진수하여 잠항하라. 이미 말하였듯이 해저 50미터까지 내려가도록 하고, 해저 50미터에서 로봇을 가동시키도록 해라. 이상! 즉각 수행하라."

대원 모두가 조금은 긴장한 듯 일제히 대답하며 각자 맡은바 작업과 임무 수행에 들어간다. 우선 각 잠수정 조작사 두 명과 로봇 조작사 한 명, 총 여섯 명은 해저 500미터까지 잠수할 때 견딜 수 있는 특수 잠수복을 입었다.

해저가 해면과 가장 두드러지게 다른 물리적 현상은 기압의 변화이다. 대략 10미터를 내려가면 1기압 상태가 된다. 그러니까 실제 10미터 물 밑에서 인간이 받는 기압은 대기의 무게 1기압을 더하여 2기압이 되는 것이다. 50미터를 내려가면 자신의 몸무게의 다섯 배나 되는 5기압의 무거운 압력을 받으면서 활동해야 한다.

잠수정으로 들어간 세 사람은 각자의 조종 위치에 앉아 잠수정이 진수되기를 기다린다. 잠시 후 모선에서 분리되어 내려지면서 바닷속으로 천천히 잠수한다. 물속에 들어가자 잠수정은 자체 추진력으로 수직강하보다 목표지역으로 향하면서 서서히 강하한다. 잠수정 안의 조종자가 조종을 하고 옆에 앉은 항해사가 GPS를 이용하여 위치를 확인하면서 목적지로 향한다. 잠수정 선임 조종자가 인터폰을 통하여 다른 두 사람에게 지시한다.

"자, 지금 우리의 목표지역으로 출발한다. 목표지역까지는 한 시간 반 정도 걸릴 것이다."

이윽고 두 잠수정은 나란히 목표지점에 도착한다. 두 잠수정은 일정한 간격과 거리를 유지하며 작업을 수행, 착수하고 보고한다.

"모시모시! 여기는 오토세(물개)! 지금 목표지점에 도착하였다. 계획된 작업을 수행하겠다."

"알았다. 작업 종료 시 다시 보고해라."

"하이! 알았다. 그리고 중간에 변화가 있으면 바로 보고하겠다."

잠수정 선임 조종자는 보고 후 로봇 조종자에게 작업을 지시한다. 로봇 조종자는 로봇을 잠수정에서 해저 밑바닥으로 신중히 진수시킨다. 별도로 마련된 블록(방)에 있는 로봇을 진수시키기 위하여 실행 스위치를 누르니 블록에 물이 서서히 들어찬다. 영상화면으로 바라다 보이는 격실에 바닷물이 다 들어차자 옆에 있는 스위치를 누르니 잠수정의 옆문이 열리기 시작한다. 문이 완전히 열리자 자동차 절반만한 로봇이 서서히 미끄러지듯 해저로 내려간다. 로봇 조종자에 의해 원격 조종할 수 있는 이 로봇은 마치 물고기처럼 유유히 헤엄치듯 순탄하게 깊은 해저로 내려간다. 해발 2,000미터가 되었을 때 로봇에 전조등이 켜지니 주변이 훤해지니 옆으로 조용히 헤엄치며 지나던 이름 모를 심해 물고기들이 갑작스러운 불빛에 당황하며 달아난다. 이곳 해저 지형은 평균 2,000미터가 넘고 최고로 깊은 곳은 거의 3,000미터에 달하는 협곡이다.

드디어 목적지 해저에 가볍게 내려앉은 로봇은 전조등으로 강한 불빛을 쏘아대며 해저 이곳저곳을 비추면서 목표 원석을 찾는다. 작업은 크게 어렵지 않다. 해저에는 시냇가의 조약돌처럼 수없이 많은 돌이 널려 있다. 물론 그 돌들이 전부 다 그들이 찾고자 하는 원석은 아니다.

로봇 조종자는 돌덩어리를 불빛으로 비추어 살펴본 다음 적당하다고 생각되는 돌을 로봇의 팔을 이용하여 집어 올리고 다시 자신들이 생각하는 원석이 맞는지 확인한 후 원하는 원석일 때만 집어 올려 싣는다. 이런 방식으로 로봇 조종자는 로봇이 전송하는 영상을 보면서 적절한 원석을 로봇 팔을 이용하여 집어 움켜잡고서 로봇 안 저장고에 들어 올려 차곡차곡 쌓아 올린다.

원석은 보통사람 머리보다 큰 돌로 오랜 세월 동안 해저에 가라 앉아 흐름에 이리저리 쓸려 다닌 듯 마치 몽돌처럼 모서리가 닳아 없어진 둥근 형상을 하고 있다.

이렇게 작업을 시작한 지 두어 시간이 지나자 로봇의 보관 창고에는 채집된 원석이 가득 들어찬다. 로봇 창고에 원석이 가득차면 로봇을 잠수정으로 끌어올려 비워야 한다. 로봇 조종자가 인터폰으로 잠수정 조종자에게 보고한다.

"하이! 채취한 물건을 지금 끌어올려 비우고 계속 반복 작업을 수행하겠다."

"알았다. 보고 없이 계속 작업을 수행하라!"

일본인들이 채취하고 있는 돌덩어리는 울릉도와 독도 주변 해저에 지천으로 깔려있다. 이 돌이 얼마나 어떻게 분포하고 있는지 아직 모르며, 10개월 전 쯤 일본 정부가 주체가 되어 한국 몰래 메탄 하이드레이트*처럼 독도 주변 해저에 분포하는 여러 광물을 탐색하던 중 우연히 이 원석이 발견되었다. 처음에는 흔히 접할 수 있는 돌덩어리라고 별반 관심 없이 분류하였으나, 한 과학자가 예사 광석이 아니라고 판단하여 최초로 광석을 분석해보았다. 그 결과 어느 한 이름 모를 광물질이 많이 함유된 것은 알게 되었지만 소량의 시료로는 명확하게 분석을 할 수 없어 정밀한 분석을 위하여 더 많은 원석을 요구하였다. 그래서 지금 일단의 일본인 해저 작업자들이 한국의 영해로 몰래 들어와 미지의 원석을 불법으로 채취하고 있는 것이다. 이들은 대한민국 독도 영해인 12해리(20킬로미터) 밖에 배를 정지시켜 작업하고 있으므로 겉으로는 영해를 침범하지 않고 있지만 실상은 고성능의 잠수정을 이용하여 비밀리에 독도 영해 반경 내에서뿐만 아니라 울릉도 근처까지 접근하여 작업하고 있다.

---

* 메탄 하이드레이트: 1990년대 일본에 의하여 독도와 울릉도 해저에서 발견된 메탄가스의 일종으로 얼음 형태로 존재한다. 얼어 있지만 불을 붙이면 공해 없이 잘 타기 때문에 일명 무공해 얼음 가스라 부른다.

원석 채취 로봇은 이런 방식으로 몇 번을 오르락내리락하더니 정오가 훨씬 넘어 작업을 완료하고 철수, 보고한다.

"여기는 오토세(물개) 쿠지라(고래) 작업 임무 완수! 지금부터 철수한다."

잠수정은 작업이 끝난 지 거의 두 시간이 지나자 처음 잠수했던 물 위로 서서히 그 모습을 나타낸다. 갑작스럽게 물 위로 올라오면 아무리 잠수정이 잘 설계되었다고 하더라도 감압증에 의한 이상 증상이 나타날 수 있기 때문에 아주 천천히 수면 위로 떠오르는 것이다. 잠수정이 떠오르고 모선인 탐사선에 가까이 접근하자 탐사선 옆에서 기중기가 튀어나와 두 잠수정을 들어 올려 배 양옆에 고정시킨다. 잠수정이 이상 없이 고정되자 잠시 후에 해치가 열리며 여섯 명의 작업자가 올라온다.

그들은 서로 악수하며 작업 완료에 대하여 축하하고 약속이나 한 듯이 일제히 잰걸음으로 선실 안에 들어간다. 선실 안에는 함장과 여러 선원이 이들을 환영하면서 작업을 성공적으로 마친 것에 대하여 칭찬한다. 남의 해역에 불법으로 들어가 수천 미터 해저에서 작업을 한다는 것은 결코 쉬운 일이 아니다.

"오늘 대단히 수고 많았다. 이제 다리 쭉 펴고 잠을 잘 수 있을 것이다."

"하이! 정말 그렇습니다. 그동안 몇 차례 실패한 것을 오늘 이 한 번으로 만회한 것입니다. 아마 수상각하께서도 만족해하실 것입니다."

"자, 그러면 올린 원석을 여기 계신 전문가들이 감정과 분석을 해야 하니 다들 작업실로 내려갑시다."

선장의 말에 그동안 선실 안 휴게실에서 대기하고 있던 원석 감정 전문가 네 명이 우르르 선장을 따라간다. 선장이 안내하는 방으로 들어가니 잠수정에서 하역한 원석 돌무더기가 수북이 쌓여 있다.

"자, 이것들이 해저에서 올린 특수 광물을 함유한 원석입니다. 전문가들께서 잘 선별하여주시기 바랍니다."

"하이! 잘 알겠습니다."

지질학자이며 원석에 관한 전문가 네 명이 채취한 돌 하나하나를 일일이 가져온 솔로 닦아보며 돋보기로 확인한 다음 자신들이 원하는 원석인지 어떤지 감별하고 선별한다. 과학자들은 돌 표면에 나타나 있는 색깔과 농도에 따라 선별 기준을 정하여 원석의 경중을 판단한다. 짙은 유황색을 띠면서 푸른빛이 감도는 돌이 이들이 찾고 있는 최상의 원석이다. 그들은 두 시간 정도 공들여 채집된 원석을 선별하고 분석하여 쓸만한 원석을 한쪽에 쌓아놓는다. 작업이 종료되자 선장이 과학자 중에 리더 격이라 생각되는 사람에게 묻는다.

"이 정도면 몇 개 연구소에서 연구할 수 있는 충분한 양이 되는지요?"

"하이, 이 정도면 충분합니다."

황혼의 바다색채는 아름답기 그지없다. 구름 한 점 없을 때는 파랗다 못해 검푸른 색으로 변하는, 수평선이 쫙 그어진 세상 밑 어딘가로 이글거리던 태양은 어둠 속으로 풍덩 빠져 사라져간다. 주변에 구름이 있을 때는 구름의 형상에 따라 무지개가 아롱대듯이 여러 가지 색채가 어우러져 한 폭의 상상화를 만들어내고, 주황색 둥근 불덩이가 바다 밑으로 가라앉을 때는 활화산의 진하고 강렬한 화염이 용암을 휩쓸어가듯 바닷물을 물들이다가 어느 한 순간 검게 변하여 흩어진다. 그렇게 작업은 주황색의 둥근 해가 서쪽 바다에 쏙 빠지고 어둠이 완전히 내려 사방을 분간하지 못할 즈음에 종료된다.

두 척의 큰 배는 만선을 이룬 어선처럼 흥얼거리며 독도를 동회(東廻)하여 그들이 출발한 일본 서해상에 있는 교토현 마이즈루 군항(軍港)으로 나침반을 돌린다. 마이즈루 항구에는 일본 5개 해군 기지의 하나인 마이즈루 지방대(地方隊: 해역사령부)가 있다. 마이즈루 군항에는 항공모함과 수 척의 이지스함, 십여 척의 구축함, 그리고 수십 척의 함정과 잠수함이 주둔하여 우리의 동해, 일본이 주장하는 일본해의 방호를 담당하는 곳이다.

일본 잠수정이 불법 암석채취를 하는 동안 한국 전투기나 함정의 출현에 대비하여 이지스함의 호위뿐만 아니라 독도와 인접한 공군기지에서 제5세대 항공기인 스텔스 항공기가 일부 이륙하여 독도와 본섬 사이 서해상에서 초계비행을 하였으며 일부 전력은 출격대기를 하고 있다.

울릉도 정보 수집소

같은 시각 일본의 움직임을 이미 감지하고 있던 한국의 실 상황 모니터 첩·정보 수집소에서는 범상치 않은 일이 있을 것으로 생각하고 가용 수단을 총동원하여 감시하고 있다. 정보 수집소에서는 정지 인공위성과 이미 비밀리에 독도와 울릉도 주변에 설치한 수십 개의 전파탐색 송수신기를 통하여 이들의 위치를 파악하고 통신을 분석하면서 무엇을 하고 있는지 철저히 감시한다. 특히 그들은 두 척의 잠수정에 대하여 주의 깊게 위치를 추적한다.

한국 정부는 그동안 독도와 울릉도 근해 해저를 계속 조사해왔다. 무인 로봇을 이용하여 상당한 수준의 깊이를 탐색하였지만 아직 로봇의 잠수 수준이 일본에 못 미쳐 심해저 구석구석까지는 탐색을 못하고 있다. 그리하여 정부와 민간은 심해를 완벽하게 탐색하기 위해 진보된 로봇 개발에 박차를 가했다. 최근에야 심해 3,500미터까지 탐색이 가능한 심해 탐사선을 개발, 완료하였다. 탐사 결과 여러 중요한 지하자원이 발견되자 울릉도와 독도에 군사기지를 건설하기 시작했다. 울릉도에 최신 함정이 임시 정박할 수 있는 군항시설을 갖추고 헬리콥터 착륙장 그리고 수상 비행기가 착륙할 수 있는 착륙대를 만들어 파도가 높지 않는 날에는 여러 대가 착륙하여 주기할 수 있는 시설도 갖추었다.

특기할 사항은 군사기지를 지하화, 요새화하고 지하터널식으로 만들어진 요새에 강력한 지대함 미사일, 지대공 미사일, 대공포, 최대 사거리가 평균 100킬로미터에 달하는 레일건과 레이저건을 배치하고 있다. 그리고 적기와 적 함정을 탐지할 수 있는 최신형 레이더를 설치하였다. 이들 최신 무기들을 발사하는 데 필수적인 레이더는 사면팔방에서 동시에 전파를 발사하고 수신할 수 있어 여러 방면의 적을 동시에 잡아서 처리하고 무기를 발사할 수 있는 능력을 가졌다. 또한 아주 미미하고 약한 신호도 포착, 감지할 수 있고 동시에 전 방향으로 전파를 발사할 수 있는 6차원의 레이더 장비가 배치되어 있다.

또 하나 주목해야 할 사안은 한국 정부가 독도를 수호하기 위하여 비밀리에 영구시설을 만들기로 작정한 것이다. 그리하여 몇 년 전부터 이곳에는 극비에 울릉도 요새와 버금가는 군 시설 지하화 작업이 동시에 진행되고 있다.

정부는 이승만평화선이 무력화된 1965년, 한미비밀협약의 제3항 "현재 대한민국이 '점거'한 현상을 유지한다. 그러나 경비원을 증강하거나 새로운 시설의 건축이나 증축은 하지 않는다"에는 저촉되지만 과거 일본의 협약 이행 작태와 힘으로 모든 것을 굴복시킨 그들의 행동에 비하면 이번 요새화 조치는 자국의 영토를 지키려는 정당한 조치라고 생각하여 그렇게 하고 있는 것이다.

석양이 지평선으로 사라지고 하루해가 완전히 끝나면서 일본 배 두 척이 철수하자 관측소 총 지휘자 김승규 소령은 휘하의 모든 장병을 소집하여 새벽부터 있었던 일본 선박의 작업에 대한 감청 자료와 무전기 통화 내용, 그리고 위성영상 정보를 취합하고 분석해본다. 그리고 분석된 정보를 상부에 보고하기 위하여 일목요연하게 정리해나간다. 보고하기 위하여 간추린 내용 중 주요사항은 다음과 같다.

1. 두 척의 잠수정이 로봇을 이용, 해저에서 무엇인가 채취함.
2. 잠수정이 최종으로 머문 지점은 우리 영해였고, 독도와 울릉도 사이로 접근하였으며, 작업을 하루 종일 여러 차례 수행함.
3. 로봇이 채취한 물질은 해저이기 때문에 광물이거나 동식물로 추측이 되나, 심해 동식물 채취의 목적은 아닌 것으로 판단됨.
4. 현재 채취 중인 메탄 하이드레이트를 채광하려는 목적은 아닌 것으로 판단됨.
5. 10개월 전에도 한국 영해까지 비밀리에 침범하여 작업을 수행하고, 이번에는 전투기를 체공시키며 이지스함까지 동원하여 채취를 한 행위로 보건대 아주 중대한 사유가 있을 것으로 판단함.

따라서 차후 모든 가용 수단을 이용하여 일본의 최종 목적을 확인하고 조치를 취해야 할 것임.

김승규 소령은 밤늦게까지 위의 다섯 가지 내용을 포함한 두 쪽의 첩보를 만든다. 그리고 과거 독도에서 일어난 역사적 사건과 여러 가지 관련 내용을 정리해본다. 보고 과정에서 질문이나 여담이 진행될 수 있어 정보장교로서 독도에 관한 사건을 알고 있는 것도 업무 수행에 많은 도움이 되고 중요하기 때문이다.

김승규 소령은 날이 밝아오자마자 헬기에 오른다. 어제처럼 오늘 아침도 맑게 개어 헬기가 이륙하는 데 전혀 문제가 없다. 헬기에 몸을 실은 김 소령은 자신의 경험과 상식으로 생각할 때 작금 일본이 뭔가 큰 꿍꿍이수를 벌이고 있는 것이 선하게 보인다. 김 소령은 이곳에서만 벌써 2년 가까이 첩·정보를 수집해왔으며 그 결과를 여러 번 직접 국방부에 가서 보고하였다. 헬기는 해와 함께 하늘로 솟아오른다. 헬기 조종사 옆에 탄

김승규 소령이 고개를 돌려 멀어져가는 울릉도를 뒤로하고 바라본다.

옅은 새벽안개와 물결 속에 어른거리는 섬이 피어오르는 동살에 신비한 서운을 일으킨다. 마치 독도와 울릉도가 한반도의 수호신이 될 것을 손을 들어 다짐하는 것처럼 보인다. 그는 비행을 하면서 내내 일본 선박의 행동에 대하여 생각하고 과연 무엇 때문에 그랬을까 추측해본다. 그리고 과거 그것과 연관되어 있는 메탄 하이드레이트에 대해서도 생각한다. 그는 바다를 횡단하고 태백산을 넘어 곧바로 서울에 있는 국방부 합동참모본부로 향한다. 국방부 연병장에 인접한 헬기 착륙장에 내린 김 소령은 가방을 들고 빠른 걸음으로 합동참모부에 들어선다. 정보부차장과 과장이 동행하여 정보참모부장에게 특별 대면보고를 한다. 정보참모부장은 잠자코 모든 보고 내용을 듣더니,

"김 소령의 첩보 잘 들었네. 이 사항은 군사적인 내용 이외의 사항이니 내가 생각하기에는 국가정보원에서 파악하고 있는 첩·정보를 취합하여 이것이 사실인지를 확인하고 특별 대책을 수립하여야 할 국가적 문제라고 판단되네. 차장과 과장은 김 소령이 파악하여 만든 첩보내용과 우리가 별도로 독도와 울릉도에 대하여 획득한 여러 첩·정보를 종합하여 특별 정보를 만들어 보시오."

"네 알겠습니다."

정보차장이 간단히 답변한다.

"김 소령도 정보를 생산할 때 같이 작업을 거들어라."

"넷! 그렇게 하겠습니다."

"그리고 김 소령은 모레 합참의장님과 장관님께 긴급 수시 보고를 할 테니 이때 동행해라."

"네 잘 알겠습니다."

"차장은 그동안의 여러 정보를 재정리하여 내일 오후 나에게 보고하도

록 하고 모레는 의장께 보고할 수 있도록 준비하시게나."

"예, 잘 알겠습니다."

"모레 보고는 정보과장이 하시오. 그리고 의장실과 장관실에 연락하여 보고 시간을 잡도록 하시오. 아침 아홉 시와 열 시 반에 잡도록 하시오. 만약 중요한 접견이 있다면 시간을 잘 조정하여 오전 내에 끝내도록 하시오."

"네, 알겠습니다."

정보차장 외 두 사람은 내일 보고할 문서를 작성하러 정보차장 사무실에 모여 보고서 방향을 설정하고, 그동안 수집하여 정리해놓은 첩·정보를 파악한다. 그리고 모든 정보참모부 내의 과장을 차장 사무실로 모이게 한다. 정보차장은 모여든 여러 분야의 각 과장들에게 간단한 취지를 말해준다. 특별 정보를 생산하기 위하여 각과에서 현재까지 파악하고 있는 독도와 울릉도 그리고 일본 함정과 선박에 대한 첩·정보를 종합하도록 한다. 정보차장 외 모든 실무자들이 모두 힘을 합하여 보고서의 골자를 선정하고 보조 자료를 취합하여 보고서를 완성한다.

이틀 후 정보부장은 먼저 합참의장에게 보고한다. 합참의장은 국방부장관에게 보고하는 자료에 서명하고 자신의 의견을 적어 넣는다.

"헌법 제89조 국무회의 심의사항 2항 선전·강화 기타 중요한 대외정책, 6항 군사에 관한 중요사항에 해당되기 때문에 수시 국무회의 안건으로 상정할 것을 건의 드립니다."

정보참모부장은 합참의장에게 보고한 후 곧바로 국방부장관에게 보고한다. 국방부장관은 합참의장의 건의를 받아들여 국정원과 협조하여 국무회의 수시안건으로 만든다. 그리고 비서실에 지시하여 국무회의 안건으로 상정되도록 청와대 외교안보수석과 협조하도록 하고, 국무총리와 대통령에게 보고가 되도록 국무총리실과 대통령비서실장에게 직접 통화한다.

국방부 정보참모부장은 국가정보원 대외실무국장과 만나 국방부의 보고서를 브리핑하고 국가정보원에서 파악한 첩·정보를 종합하여 별도의 국무회의 안건을 작성한다. 이 문건에는 일본의 독도 침략에 대비한 한국의 극비 정책방향이 설정되어 있다.

일주일 후 청와대에서는 긴급 비밀 국가안전보장회의 겸 임시 국무회의를 소집한다. 이날 회의는 대통령, 국무총리, 기재부장관, 통일부장관, 외교부장관, 국방부장관, 국정원장 등이 참석한다. 대통령이 직접 주재한 극비로 진행된 국무회의에서 국방부가 보고하고 국가정보원에서 대책을 설명한다. 이때 국방부 보고 과정에서 실무자의 통신 감청과 레이더 포착 상황, 그리고 일본 측의 작업 진행에 대하여 정보참모부장이 일목요연하게 보고한다. 이어서 국가정보원에서 향후 정책 방향을 설명하며 첩·정보 수집과 각 부처의 임무수행 그리고 협조사항에 대하여 브리핑한다.

1. 일본 정부의 탐사 및 채광 의도를 파악한다.
2. 채취된 것이 원석인지, 원석이라면 종류가 무엇인지, 어디로 갔는지, 어떻게 사용되는지 파악한다.
3. 독도의 요새 시설을 가능한 한 조기 완공하고 최신형 무기로 배치한다.
4. 울릉도와 독도 영해를 중심으로 일본군의 침입에 대비하고 작전계획을 수립한다.
5. 일본의 불법 침입 사실에 대하여 강력히 항의하고 재발 방지를 요구한다.

브리핑이 끝나자 먼저 국방부장관이 참석한 국무위원들을 향하여 현 상황에 대하여 자신의 의견을 말한다.

"에―, 국방부장관입니다. 오늘 보고해드린 내용 중에 일본 함정이나 탐사선의 활동이 이번이 처음이 아니란 것을 밝혀드립니다. 그동안 저희 국방부 정보본부에서는 일본 함정의 행선지와 활동에 관하여 쭉 관찰해왔습니다. 특별히 이지스함에 관한 활동 영역과 활동 사항에 대하여 비밀리에 위성과 최신 레이더 그리고 통신 감청을 통하여, 우리 영해 가까이 접근하여 무엇을 하고 있는지 수년 전부터 계속 내사하여 파악하고 있었습니다. 여러 첩보와 정보를 중첩하여 결론을 내린 결과 지금 보고 드린 내용을 파악할 수 있었던 것입니다. 따라서 각 해당 부처에서는 위에 나열한 다섯 가지 사항에 대하여 구체적인 실천방안을 설정하여야 할 것입니다."

국방부장관의 말이 끝나자 외교부장관이 손을 들고 의견을 말한다.

"5번 항에 대하여 말씀드릴 내용이 있습니다. 제가 생각할 때 보고서에 나열된 다섯 가지의 실행 사항 중에 「일본의 불법 침입 사실에 대하여 강력히 항의하고 재발 방지를 요구한다.」라는 항은 재고해야 할 것 같습니다. 왜냐하면요, 일본에 항의를 한다는 것은 우리가 그들의 행동을 알고 있다는 것을 스스로 증명하고 있기 때문입니다. 즉 위의 네 가지 사항은 극비에 실천되어야 할 군사적 조치이거나, 국가정보원이나 외교부에서 파악하고 실천할 내용이며, 이 사항은 극비로 이루어져야 할 사안들입니다.

따라서 5번 항은 삭제하고 대신 허허실실(一攻一守 虛虛實實) 작전을 전개하도록 권하고 싶습니다. 일본 정부의 정보력은 세계에서 손꼽힌다고 들었습니다. 우선 레이더와 첩보위성으로 파악된 일본군 함정과 탐사선에 대하여 일상적으로 보고를 하는 것입니다. 일본의 통신감청도 역시 세계적 수준으로, 아마도 울릉도에서 무선으로 보고 시 모든 것을 다 감청할 것입니다. 그것을 이용하여 역 정보를 흘려보내는 것입니다.

즉 울릉도 정보 수집소에서는 국방부에 무전으로 일본의 함정과 선박의 활동은 일상적인 순시였고 탐색 위치도 오차가 있도록 만들어 무선 보고를 하면, 이것을 감청한 일본군은 우리의 정보 수집능력이 형편이 없다는 것으로 생각할 것입니다. 그리고 주일본 한국대사에게는 공식적인 훈령으로 독도 영토 분쟁에 대한 종래의 우리의 입장을 다시 한 번 밝혀 두라 하고, 일본 대사관에는 일본 정부가 비록 영해 밖이더라도 독도 해수면 가까이에서 순시활동을 하지 말도록 할 것이며, 만약 순시 활동 중 영토 침범 시 벌어질 수 있는 사건의 후속 감당은 일본 측의 몫임을 강조하는 항의 문서를 보내게 되면, 일본의 외교부나 정보조직 그리고 일본군은 자신들의 군사보호하에 활동하고 있는 선박의 비밀을 우리가 알지 못하고 있는 것으로 해석할 수 있도록 하여, 일본 정보 감시망으로부터 모든 경계를 풀어지게 만드는 것입니다."

"지금 말씀하신 방안이 꽤 좋은 생각입니다. 허나 일본 함정에 대하여 정보활동 결과를 보고하지 않다가 갑자기 무선으로 보고하는 것도 이상합니다. 지금까지 일본 함정의 감시활동 결과는 비밀리에 직접 구두 보고를 해왔습니다. 그래서 5번 항이 우리가 일본을 감시해왔다고 생각되게 만드는 조항이라면, 이 조항은 그냥 없는 것으로 하고 일본에 대하여 지금까지 해왔던 방식인 침묵으로 일관되게 유지하는 것이 좋을듯합니다."

국방부장관이 결론적으로 말을 받는다. 국방부장관 맞은편에 앉아 있는 기재부장관이 자신의 메모 수첩을 들여다보며 국방부장관에게 예산에 관하여 질문한다.

"예, 국방부장관님! 지금까지 설명해주신 대로 진행된다면 상당한 예산이 추가로 편성되어야 할 것 같은데 혹시 어느 정도 소요될 것이라고 생각해보신 적은 있는가요?"

"예, 추가적인 예산은 별도로 산정해보아야 할 것 같습니다. 추가로 편성해야 할 예산 중 하나는 신무기를 대량으로 배치하는 일입니다. 특히 최신 만리안과 탐지 레이더, 레이저건, 레일건과 아이언맨 등을 추가적으로 배치하고, 첩보 수집을 위한 활동비, 요새를 조기에 끝내야 하기 때문에 여기에 소요되는 건설비용은 추가로 소요될 것입니다. 제 생각에는 10조 원의 예산이 이번 추경에 반영되어야 할 것입니다. 실무자가 세부적으로 산정을 해보아야 정확한 소요 예산을 말할 수 있을 것입니다."

"지금 우리가 추경예산으로 이미 20조 원 정도를 집행하려고 편성하고 있습니다. 여기에 또다시 10조 원을 더 추가하게 되면 세입과 세출이 맞지 않아 예산 편성에 많은 애로가 있을 것이고, 만약 이번의 예산을 그대로 추가하더라도 외부의 의심을 사게 될 것입니다. 따라서 추경 예산편성을 위하여 최대 25조 원으로 잡아 내년으로 미룰 수 있는 사업을 파악하고, 국방에 들어갈 예산을 이 사업으로 바꾸려고 고려하고 있습니다. 그래서 실제 사업 집행은 예산 편성 항목과 맞지 않을 것임을 여러 국무위원님께 미리 말씀드립니다. 곧 나와 관계있는 부처의 예산이었더라도 다른 용도로 전용될 것임을 말씀드리고자 합니다."

지금까지 듣고만 있던 대통령은 다음과 같이 결론 겸 지시를 내린다.

"내가 생각해도 이번 일은 우리 영토를 침범하고 도발한 중대한 사안입니다. 마지막 다섯 번째 항목은 일단 보류하고 일본이 어떻게 나오느냐에 따라 대응하여야 할 것입니다. 즉 대일 협상 카드로 쓰고, 우리가 우리 영토 침범에 대하여 항의를 한다면, 그들은 우리가 자신들의 행동 전체를 파악하고 있음을 알고 더욱 보안에 중점을 두기 때문에, 우리가 파악하려는 정보를 얻기 어려워질 것입니다. 따라서 마지막 항목은 보류하고, 각 부처는 국정원과 국방부와 유기적으로 협조하여 최우선 임무 수행 과제로 조속히 진행하고 해결하기 바랍니다. 예산 편성도 기재부장관의 계획에 의거하여 시행하기 바랍니다."

국무회의는 극비리에 몇 명의 관계자와 국무위원들이 참여하였고, 국무총리는 국가정보원의 계획에 따라 각 부처별로 일을 진행시키기로 한다. 국방부, 국토부, 해양부 등의 주요 진행 사항은 다음과 같고 특급비밀로 분류된다.

1. 독도를 최우선하여 지하 요새화를 가능한 한 조기에 종료하도록 자금과 건설 요원을 추가 투입하며 별도 방호계획을 수립한다.
2. 울릉도와 독도, 그리고 해역에 최신형 무기(레일건, 레이저건, 6차원 레이더, 스텔스 드론 전투기, 아이언맨, 원격 공중 통제기 등)를 우선 증강 배치하고 병력을 증원한다.
3. 울릉도와 독도 방호를 위한 무인 스텔스 드론 전투기가 탑재된 항공모함 전단을 동해상에 편성한다. 또한 1개 스텔스 드론 전투 비행단과 4개 유인 스텔스 전투기 비행단을 울릉도 · 독도 방어를 위하여 전담시킨다.
4. 일본에서 채취한 원석의 이동 경로와 채취 목적을 파악한다.
5. 일본의 연구실, 실험실에서 이루어지는 해양에 관한 최신 실험 동향을 파악한다.
6. 첩 · 정보 파악 후 울릉도와 독도의 해저 탐색을 수행하여 가용 자원을 확인한다. 탐색 시기는 첩 · 정보를 파악한 후 정한다.
7. 일본의 영토 침범에 대한 가능한 법적제재 방안을 파악하고, 불법 행위를 국제기구를 활용하여 고발 준비를 한다. 또한 독도에서 벌어질 수 있는 국지전에 대한 관련 국제법을 검토한다.
8. 일본 과학계의 최근 동향과 과학 예산지출에 대한 세목, 증액된 항목을 파악한다.
9. 국지전 발발에 대비하여 외교통상대책을 수립 시행하고, 부처별 소요 예산 확보 및 조기 집행을 한다.
10. 가용 자원을 총동원하여 일본의 해저 작업에 대한 실상을 파악한다.

교토 마이즈루시 (20XX년 5월 일본의 독도 불법 침투작업 2주일 후)

마이즈루시는 교토부(京都府) 북부 해안에 위치하여 해군의 지방대사령부 군항이 있는 항구도시이다. 이 항구는 일본섬 서쪽 지방의 중부에 있으면서 반원처럼 움푹 들어간 리아스식 해안으로, 깊숙이 파인 H자 만

(灣)의 끝에 위치하고 있는 천연의 요새이다. 메이지시대부터 만(灣) 동쪽에 있는 항구를 중심으로 조선업, 유리공업 같은 중공업이 발전하였다.

마이즈루 군항이 내려다보이는 구시가지의 언덕에 위치한 음식점 거리는 군항의 후문과는 200미터도 떨어져 있지 않은 가까운 거리에 있다. 따라서 퇴근 후 많은 군무원, 하사관, 장교들이 단체회식이나 개인적인 모임을 가진다. 이곳의 음식 값은 시내의 다른 지역보다 싸서 호주머니가 두둑하지 않은 군인과 서민들이 즐겨 찾아와 좁은 길은 항상 인파로 넘쳐난다.

가벼운 여름 옷차림을 한 중년 남자가 한 손에 서류가방을 들고 '향연'(饗宴)이라 써진 음식점의 늘어진 발을 살짝 올리며 들어선다. 점심이 되기까지는 아직 한참 시간이 더 가야 한다. 밤늦게까지 장사를 하기 때문에 음식점으로는 이른 아침이라 생각되는 열 시가 조금 지난 시간이다. 그는 식당에 들어서면서 가볍게 인사를 하며 주인을 찾는다.

"하이! 안녕하세요! 아버지 계세요?"

의자를 올려놓고 바닥을 쓸고 있던 처자가 하던 것을 멈추고 그를 쳐다보며,

"하이! 안녕하십니까! 어서 오십시오. 그동안 안녕하셨습니까? 어쩐 일이십니까? 아버님은 시장에 나가셔서 아직 돌아오지 않았습니다만..."

두 사람의 말투가 처음 만나는 것이 아닌 안면이 많이 있는 것처럼 처자는 연속적으로 질문을 하면서 인사를 주고받는다.

"아하! 그래요? 여기서 기다리다가 만나면 되겠지요."

"하이! 그러시겠습니까? 그럼 이 의자에 좀 앉아 계시지요."

"하이! 그러지요. 이거 이렇게 여기 앉아 있어도 실례가 되지 않는다면 좀 앉겠습니다."

"개의치 마시고 편히 앉아 계세요."

이 여성은 음식점 주인 오카상의 딸로 음식점의 영업을 도와주고 있다. 부인까지 세 사람이 착 달라붙어 인건비가 비싼 일본에서 일부 가족경영을 한다. 식당이 제법 커서 몇 명의 종업원도 고용하고 있다.

"저... 차 한 잔 드실래요?"

"아니 조금 있다가 아버님이 오시면 함께 마시겠습니다."

"아, 하이! 예, 그렇게 하시지요."

오카상 딸은 하던 청소를 계속한다. 중년의 남자는 청소가 끝난 한쪽 의자에 앉아서 기다린다. 청소가 거의 끝날 무렵 작업복 차림의 남자가 대나무로 만들어진 발을 젖히면서 식당 안으로 들어온다.

"아버지, 빨리 오시네요!"

딸은 하던 일을 멈추고 웃으면서 아버지를 맞이하며, 의자에서 일어서는 중년 신사가 온 것을 알린다.

"어? 어! 안녕하십니까. 오래간만입니다."

"하이! 별고 없으시지요?"

두 사람은 이전에 알고 지낸 듯 악수를 나누며 인사한다.

"자, 이리로 들어오시지요."

오카상은 중년 남자에게 식당 옆에 이어진 문을 통하여 옆집으로 이동할 것을 제의한다.

"예, 그러지요."

두 사람은 낮은 탁자가 놓인 응접실에 방석을 깔고 마주 앉는다. 오카상은 탁자 옆에 놓인 전기포트에 물을 붓고 끓이기 시작한다. 딱 두 사람이 한 잔씩 먹을 수 있는 물을 끓이기 때문에 포트의 물은 금방 '쇠-에' 소리를 내면서 끓는다. 그는 국화가 수놓아진 사기로 된 찻잔에 끓는 물을 가득 채운다. 그리고 찬장을 열고 종이봉투에서 말린 국화꽃을 꺼내어 끓는 물 잔에 가볍게 얹어 넣는다. 얼마간의 시간이 지나자 말린 국화꽃은 뜨거운 물에 녹아 들어가며 향기를 내뿜기 시작한다. 국화의 진한 향기가 말없이 앉아 있던 두 사람 사이에 퍼져나간다.

"자, 드시지요."

"에— 그러지요. 음! 향기가 참 좋습니다그려."

"에— 이 국화꽃은 작년 가을에 서리를 한 번 맞은 후에 거둬 잘 말린 것이랍니다. 제가 직접 따서 좋은 햇볕에 말렸으니까 다른 어느 국화차보다 향이 더 진할 것입니다."

"아하! 직접 만드셨다니 더 향기가 진한듯하고 감칠맛이 납니다그려."

"그래, 그동안 별고 없으시고 사업은 잘 되십니까?"

"나야 항시 바쁘고 할 일도 많습니다."

"이렇게 직접 오신 것을 보니 경중을 생각해야 할 사안이라고 생각됩니다......"

"그렇지요. 국가의 장래가 걸린 일이라고 할 정도입니다."

"예, 최선을 다해야겠지요."

중년 신사는 오카상에게 얼굴을 들이밀면서 나직이 말만다.

"대략 한 달 전에 일본 이지스함 한 대와 잠수정을 실은 탐사선이 독도 영해 밖에서 뭔가 모를 작업을 하였답니다. 문제는 잠수정이 한국의 영토인 울릉도 근처와 독도 사이 심해에서 알 수 없는 무엇인가를 하루 종일 끄집어 올린 일입니다."

그는 잠시 국화차를 홀짝 한 모금 마시며 계속 나직이 이어간다.

"왜 무엇 때문에 일본 잠수정이 한국 영토에서 작업을 하였을까? 잠수정이 무엇을 건져 올렸을까? 그들의 궁극적 목적이 무엇일까? 이러한 의문점이 이번에 해소해야 할 사안입니다."

"참 포착하기 어려운 문제입니다그려."

"그렇지요. 그런데 그 무엇, 즉 잠수정이 로봇을 이용하여 건져 올린 그 무엇이 바로 여기 항구에 들어왔다는 것입니다."

"알겠습니다. 그들이 건져 올린 무엇을 알아내야겠군요."

"그렇지요. 그게 무엇인지가 대단히 중요한 것이지요. 그런데 아마 오카상은 그것을 파악하기 어려울 것입니다. 왜냐면 일본 정부가 철저히 비밀로 부치고 모든 작업을 진행하였기 때문입니다. 그래서 오카상은 건져 올린 그것이 무슨 종류인지, 해산물인지 광물인지 아니면 돌인지 산호초인지 등등 개략적인 것만 알아내야 하고, 그것이 어디로 실려 나갔는지 추적해주시면 되겠습니다."

"아하! 예, 참으로 어려운 문제라고 생각됩니다만 해보는 데까지 해보겠습니다."

"이 문제는 어쩌면 단기간에 끝날 사안도 아니고 한 국가의 사활이 걸릴 수도 있는 중대한 문제 중의 하나입니다. 수단 방법을 가리지 마시고 조속한 시일 내에 해결해주십시오."

"예, 잘 알겠습니다."

"이것은 특별활동비이니 잘 활용하시기 바랍니다."

그는 들고 온 가방을 탁자에 올리면서 열어 보인다. 가방 가득히 빳빳한 고액의 신권 엔화가 들어 있다.

"자, 나는 이만 가겠습니다."

"예, 안녕히 가십시오. 걱정하지 마시고 제가 진행 사항을 제3자의 전화로 종전처럼 보고하겠습니다. 전화번호는 동일하지요?"

"하이! 그렇습니다. 예전대로 하시면 됩니다."

오카상은 들어온 식당 문이 아닌 다른 뒷문을 통하여 중년 신사가 나가도록 안내한다.

오카상은 제일교포도 아니고 더더구나 한국인도 아니다. 일본인들이 자랑으로 말하는 혼슈(本州) 출신의 순수한 일본인이다. 그런데 그가 한국을 위하여 일하게 된 동기는 제2차 고베 대지진 때문이었다. 2XXX년 진도 9.7의 지진 발생으로 200만 명이 살고 있는 중간 크기의 고베시(오사카시 인접)는 1995년도 대지진에 이어 또다시 큰 지진을 맞는다. 7,000여 명이 죽고 30,000여 명이 부상당했으며 12만 채 이상의 집이 부서졌다. 내륙에서 발생했기 때문에 항구보다 시가지가 아수라장이 되어버렸다. 항구 바닷가에서 발생한 진도 7.2의 제1차 대지진보다 훨씬 강력한 진도 때문에 피해가 막심하였다. 1차 대지진 이후 일본 정부는 막대한 자금을 들여 복구하였고 새로운 지진에 대비하였지만, 진도 9.7의 초강력 지진에는 어찌할 도리가 없었다. 다행인 것은 진앙 중심이 내륙으로, 쓰나미는 발생하지 않았다.

당시 오카상은 고베에서 음식점을 운영하고 있었다. 그때 그는 세 살 된 딸과 한 살배기 아들을 두고 열심히 일하며 나름 행복하게 살고 있었다. 집은 나무로 만든 전통적인 이층집으로 다다미방이 세 개인 집에 전세 들어 살고 있었다. 출근시간이 되기 전에 일어난 지진으로 집은 순식간에 무너지고 주저앉으면서 이층 방 침대에 머물고 있던 오카상을 비롯해 아내와 아이들이 찌그러진 공간에 갇혔다. 집은 무너졌지만 다행히 무너진 더미가 네 식구를 덮치지 않고, 큰 나무 기둥과 서까래가 공간을 만들어 보호 역할을 하고 있는 상황이었다. 하지만 문제는 불이었다. 무너진 집의 1층 부엌에서부터 일어난 불길은 서서히 온 가족이 갇힌 곳으로 번져 들어가면서 불보다 연기로 질식사할 것 같았다. 오카상과 아내는 벌어진 틈으로 밖을 향하여 죽기 살기로 고함쳤다.

"살려줘요! 살려줘!"

그러나 어느 누구도 그들에게 다가갈 수 없는 상황이었다. 그들의 집뿐만 아니라 주변의 많은 집들이 부서져 내렸고, 사람들은 죽거나 다치고 무너진 집에 갇혀 있었기 때문에 누구를 구해낸다는 것은 어림도 없는 상황이었다. 그런데 기적은 일어났다. 기진맥진하여 포기하려는 상태에서 이제는 모든 것이 끝났다고 단념할 즈음 한 청년이 무너진 집 더미와 나무들을 제치면서 불꽃과 연기가 가득한 가족이 있는 곳으로 다가왔다. 다행히 무너진 곳에 걸쳐 있던 여러 나무나 벽 조각들을 비교적 수월하게 제칠 수 있었다. 마침내 그 청년은 네 식구를 구했다. 네 식구가 연기 속에서 나온 직후 불길은 번져 금세 모든 것을 까만색으로 만들어버리고, 대부분 목재로 얽어 만든 집이라서 힘없이 우르르 쏟아지며 무너져 내렸다. 오카상은 무너져 까맣게 불타버린 집을 보니 허탈해졌다. 가족이 연기를 많이 들이마셨기 때문에 길 옆 도로에 주저앉아서 숨을 헐떡거렸다.

온 가족이 한 사람의 구조 활동으로 모두 생존하게 되었으니 참으로 천행이고 다행한 일이며 고마운 일이라고 생각한다.

"아노- 저희 가족을 구해주셔서 정말 고맙고 감사합니다. 이 은혜를 어떻게 갚아야 할지......"

"그런 말씀은 나중에 하시고 일단 선생님 가족들을 잘 보살펴서 후유증이 발생하지 않도록 해야겠습니다. 가족 모두 지금은 별 문제가 없겠지만 나중에 어떤 이상한 점이 발견될 수 있으니 계속 관찰을 잘하시고, 그 전에 이곳이 정리가 되면 종합검진을 받아보시는 것도 좋겠습니다. "

"아! 예, 고언 명심하겠습니다. 그런데 선생님 성함이라도..."

"뭐, 이름까지는 알 필요 없고 현재 당신들의 길 건너 집에 세 들어 살고 있는 '박'이라고 합니다."

"바아그? 바그 선생님?"

"아니, 박이요. 바악, 선생님도 아니요 학생입니다."

"아노- 그러하면 우리 일본인이 아니란 말인가요?"

"예, 그렇소. 난 한국에서 유학 온 학생입니다."

"아, 예! 그렇군요. 일본인도 아닌 한국 사람이 우리 가족을 살려주셔서 정말 감사합니다."

오카상은 진정으로 고개가 숙여졌다. 과거에 한국인들 몇 명이 살신성인 정신으로 일본인을 구했다는 이야기가 언뜻 생각났다. 그런 이야기를 들었을 때는 별로 대단하지도 않은 남의 이야기로만 치부하였는데 내가 그들로부터 구원을 받다니 한국인들이 정말 대단하다고 여겨졌다.

오카상은 그 후부터 한국인에 대한 막연한 적개심이 사라지고 있다는 것을 내심 느낀다. 따지고 보면 자신들의 조상도 한국인 즉 도래인과 깊은 관계가 있다고 들어왔다. 임진왜란 때 풍신수길이 쇠를 다룰 줄 아는 철공들과 석공, 도공을 납치하여 강제로 이주시켰는데, 그 중 한 할아버지 조상이 이곳에 이미 도래하였던 여자와 혼인하여 자신의 집안 가계가 형성되었다고 전해진다. 그렇게 생각하면 자신도 조선인의 피가 흐르고 있는 것이다.

그런데 이상하게도 일본인들 사이에는 한국인에 대한 알 수 없는 근저에 적대감이 만연해 있다. 왜 그럴까? 그가 최근에 알게 된 역사적 사실은 한·중·일 삼국 모두 동이족의 후손들로 원조인 환국에서부터 환(桓) → 한(汗) → 한(韓) → 한(漢)이 모두 같은 의미로 바뀌면서 역사가 진행되었으며, 특히 진(晉)에서 갈라져 나온 세 형제 국가인 한(韓), 조(趙), 위(魏) 삼국에서 유래되었다고 한다. 한(韓)은 한반도로 이주하여 기존의 삼진(마한, 진한, 변한)과 함께 한국이 되었으며, 위(魏)나라 민족도 전란을 피하여 이동하면서 한반도를 거쳐 일본으로, 그리고 일부는 남쪽 지역인 상해 방면에서 직접 건너가 한반도에서 이미 건너가거나 후에 지속적으로 건너간 사람들과 함께 왜(倭)가 되었다고 한다.

위(魏)자에서 귀신 귀(鬼)자를 생략하고 위(委)자에다가 위나라 사람임을 나타내기 위하여 사람인(人)을 더하여 왜(倭)라 불렀다. 마침 이 위나라 사람들은 키가 작아 왜소할 왜(倭)자로 동시에 같은 의미로 쓰이게 되었으며, 일본으로 건너간 모든 사람들과 이들이 세운 나라까지 왜(倭)라고 부르게 되었다. 이후에 백제인과 고구려, 신라, 가야 유민이 이주하여 근간을 이루다가 정통 한(韓)인 백제의 유민이 최종으로 건너가 나라를 건설하였고, 나중에는 '한반도보다 해가 먼저 뜨는 곳'이라는 의미로 '일본'(日=해, 本=먼저 근본)이라는 국호를 정하였다고 한다. 이 왜(倭)는 일본이라는 국호를 가지는 서기 700년대까지 계속 사용되었고, 광개토왕비에도 왜(倭)라고 불렀던 공식 명칭이 나온다.

그렇다면 왜 그렇게 일본인들이 한반도를 적대시하게 되었고 왜 그렇게 정벌하려고 했을까? 오카상은 두 가지 관점으로 생각해본다. 하나는 동물이란 늘 투쟁을 통하여 발전하게 되고, 두 번째는 투쟁에서 밀려나온 사람들이 와신상담하여 자신들의 지위를 재탈환하는 역사적인 과정이라 생각한다. 형제끼리 싸우고 원수가 되는 숱한 과정이 역사 속에 있지 않은가? 예를 들어 아직도 종교를 빙자하여 싸우고 있지만 이슬람과 기독교 간의 쟁투는 적자와 서자와의 삶의 투쟁과 깊은 관계가 있다고 나름대로 정리한다.

어찌하든 오카상은 한국인에 의하여 자신과 가족의 귀한 생명을 다시 얻게 된 데 대하여 지금까지 내면에 가졌던 차별과 불신의 씨앗을 깡그리 없애버리게 되었다. 더군다나 그는 한국인들의 고베 지진 돕기 성금을 일부 지원받게 되었고, 유학생 '바아그'의 알선으로 현 지부장의 도움을 크게 받아 고향에 지금의 음식점을 경영하여, 어느덧 십수 년째 두 아들딸을 키우고 교육시켰으며, 가족의 건강도 지킬 수 있게 되었다. 대신 오카상은 진정으로 한국에 대하여 크게 빚을 졌다고 생각하여 지부장이 요구하는 어떠한 일이라도 하게 되었다.

오카상은 조금 늘어진 한숨을 쉬면서 식당으로 들어간다. 그가 수십 년 동안 암약하면서 여러 가지 문제를 해결한 경험으로 보아 이번 과제는 그렇게 호락호락한 사안이 아니라는 것이 얼른 머리에 떠오른다. 그렇지만 특유의 첩자로서의 감각으로 몇 가지 해결방법을 머릿속에 그려낸다. 즉 앞으로의 활동 방향이다.

일본 잠수정이 해저에서 무엇인가를 채취하였다면 그것을 하역하여 차량에 탑재했을 것이고, 어디론가 싣고 갔을 것이다. 그렇다면 분명히 하역작업을 한 항만의 노동자가 있을 것이다. 운반도 단순히 트럭이나 승용차로 실어 나르지 않고 외부인에게 노출되지 않기 위하여 반드시 특장차를 이용하였을 것이고, 아마도 장거리 운항계약을 했을 것이다. 그래서 이 두 가지에 초점을 맞추어 다음과 같이 진행하리라 생각한다.

첫째, 부두의 잡역 노동자들을 접선하여 잠수정에서 짐이나 물건을 하역하고 차량에 탑재한 노동자를 수소문한다. 그러려면 자신이 직접 노동자 속에 파고 들어가야 한다.

둘째, 물건을 실어 나른 특장차를 수소문하여 알아낸다. 두 명의 심복으로 하여금 항구 출입문의 경비원을 매수하든지 혹은 경찰로 변신하여 수사관인 척하고 출입문 차량 출입 현황을 파악하는 방법이다. 항구의 외곽경비는 민간용역이 맡고 있기 때문에 군에서 직접 담당하고 있는 경우보다는 접근이 한결 쉬울 것이라 생각이 든다. 또한 항구 주변의 특장차 회사를 확인하여 물건을 나른 차량과 운전자를 찾아내는 것이다.

오카상은 인접 도시에서 사설탐정 일을 하고 있는 심복을 불러 지금까지의 상황과 일의 중대성에 대하여 말하고 활동지침을 준다. 심복 한 명의 이름은 '아베 가츠오'로 일찍이 오카상과 더불어 간사이(關西)지역에서 활동해온 특수대원 중 한 명이다. 오카상은 아베 가츠오에게 비교적 상세히 자신의 계획을 설명해준다.

“이번 일은 아주 세밀한 계획을 수립한 뒤에 행동해야 하겠네. 무슨 말이냐 하면, 이번 일을 진행한 사람들이 극도의 보안 유지 상태에서 수행한 중대한 비밀 사업이기 때문에 그만큼 정보를 수집하는 데 어려움이 있다는 것을 인식하고, 모든 행동계획을 면밀히 수립해서 암암리에 조심스럽게 진행해야 한다는 말이네.”

“예, 잘 알겠습니다.”

“먼저 특장차 회사를 살펴보게. 그들은 비밀을 유지하기 위하여 멀리 떨어져 있지 않은 부대 즉 항구 후문 근처에 있는 회사를 찾아 이용할 가능성이 농후하다네.”

“예, 저도 그렇게 생각하고 있습니다.”

“내가 생각할 때 해저에서 무엇을 건져 올렸다면 반드시 그것을 감정할 필요가 있다는 것이네. 그것이 단지 보물선에 실린 보물이나 혹은 도자기 정도라면 정부에서 이다지도 비밀리에 부산을 떨지는 않을 것이라네. 아마도 옛날에 일본과 러시아가 비밀리에 그리고 교묘히 독도 주변을 탐색하여 밝혀낸 메탄 하이드레이트보다 더 중대한 것일 수도 있다는 것이지.”

“예, 그게 정말 그렇겠네요. 그렇게 비밀리에 일을 추진하였다는 것은 거기에 뭣인가가 있다는 반증이 될 수 있겠지요. 철저히 계산적이고 미래지향적인 사람들이 그렇게 행동하였다는 것은 그만큼 가치가 있다는 것을 역설적으로 말하고 있는 것입니다.”

“바로 그것이네. 역시 자네는 내가 생각하는 그 이상의 머리가 있어. 그리고 행동도 마치 나의 수족과 같은 사람이고... 그래서 나는 번번이 자네를 믿고 일을 맡기는 것이라네.”

오카상은 그를 일단 칭찬하여 자신의 머리 안에 머물도록 한다.

“또... 그리고 말이야... 저기 그 특장차가 움직인 시간은 잠수정이 도착한 다음날부터 그 다음날까지 하루의 시간을 두고 파악해보게나. 아마 적어도 석 대 내지 다섯 대는 동원되었을 것이라고 추정하네."

"중요한 일이라면 아마도 차량 출입 기록이 정문이나 후문의 경비소에 있을 것입니다. 어떠한 차량이라도 군항이나 주요 항구 정·후문 출입 시에는 반드시 차량 번호와 행선지를 기록할 것이기 때문에 그 근무일지를 확보하면 쉽게 알 수 있을 것 같습니다. 그리고 아까 이 지역의 특장차 회사를 살펴보라고 하셨는데 저도 처음에는 그렇게 생각하였지만, 다시 생각해보니 확인해볼 필요는 없다고 생각합니다. 왜냐하면 만약 특정 연구소가 연관되어 있다면 대부분 연구소 자체에서 운영하는 차가 있고 그 차를 직접 몰고 와서 싣고 갈 테니까요."

"음 자네! 참 머리가 잘 돌아가는군... 그럼 내가 더 이상 말할 필요가 없겠네. 그렇다면 근무일지만을 보고 자료를 확보한다는 것은 상당히 어려운 일일 걸세. 그것을 실행하는 것이 자네가 이번에 해야 할 주된 일이겠지."

"사람 죽이는 일이 아니니 크게 어렵지는 않을 것 같습니다."

"자네의 큰소리 마음에 드네. 어찌 되었든 잘해보자고. 그리고 여기 이 가방에 자네가 임무를 수행할 시 필요한 자금이 들어 있네. 중간보고는 별도의 대포폰으로 암구호를 이용하여 하게나."

"예, 잘 알겠습니다."

아베 가츠오는 무표정한 얼굴로 가방을 열어보다가 이내 환한 미소로 바꾸면서 다시 닫는다. 그리고는 가볍게 자신한다는 태도로 인사하며 집을 나선다.

비밀의 문 열쇠

열쇠의 행방

오카상은 늘 그러하였듯이 식당을 운영하면서도 일정한 시간을 할애하여 그가 받은 특명을 해결하고자 한다. 그는 이번에도 도우미로 여자와 남자를 추가로 고용하여 부인이 담당하는 역할을 하도록 한다. 그리고 지금까지 자신이 하였던 시장을 본다든가 경리와 감독활동을 부인에게 대행하도록 한다. 이렇게 함으로써 자신은 아침부터 저녁까지 별도의 시간을 만들어 특수 활동을 할 수 있다.

새벽 어스름한 날, 아직 동이 트지 않았는데도 이곳 노동시장은 분주하다. 노동자들은 오늘 하루를 열심히 일하여 그 대가를 받아 부모와 처자식을 부양하러 이곳으로 새벽 일찍부터 몰려들었다. 같은 기술자라도 먼저 오는 사람이 우선 채용되기 때문에 단지 1분이라도 빨리 나와서 번호표를 받아 기다려야 한다. 오카상은 고베 지진 피해 이후 생계를 위하여 노동시장에 몇 번 온 경험이 있어 낯설지 않다. 자연스럽게 번호표를 받고 그들과 합석한다. 집에서 그리 멀지 않은 곳에 인력시장이 있기 때문에 문이 열리자마자 단순 노동자로 등록하여 다섯 손가락 안의 순번을 받는다. 아주 일찍 왔다고 생각했는데도 벌써 십여 명의 노동자들이 가방을 짊어지거나 옆 의자에 내려놓고 앉아 있다. 젊은 사람, 늙은 사람, 뚱뚱한 사람, 키 큰 사람 등 별별 사람들이 속속 몰려 들어와 등록을 하고 기다린다. 개중에는 서로 아는 사람이 있어 가볍게 인사말을 주고받는다. 인력시장에서는 특수 기술 있는 사람이 제일 먼저 부름을 받는다. 그리고 등록한 순서로 고용된다. 운이 좋을 경우에는 공사가 종료될 때까지 몇 달씩 고용되기도 한다.

그런데 이곳에 모인 모든 노동자가 다 그날 고용이 되는 것은 아니다. 예를 들어 100명이 일을 한다고 자원하였다면 그중에서 절반이나 60명 정도밖에 고용되지 않기 때문에 나머지 노동자는 그날 허탕을 친다. 그는 이렇게 많은 사람들이 고정된 일자리 없이 하루하루를 노동시장에서 단순노동력을 제공하며 보내야만 하는 실상이 현 사회의 커다란 모순점 중의 하나라고 생각한다. 그리고 자동기계화, 컴퓨터화, 로봇화, 기업 이익 극대화가 수십 년 전부터 노동자들을 서서히 일터에서 몰아내 오늘에 이르렀다고 생각한다. 오카상도 한때 지진으로 모든 것을 잃었을 때 고베에서 이런 노동판에 나온 적이 있어 이곳의 생리를 누구보다 잘 알고 있다.

일을 하여야겠다는 사람들에게 일자리를 못주는 현실, 이것은 수십 년 전부터 자본주의 사회를 맹타한 커다란 결점이었지만 아직도 고치지 못하고 인간을 더욱 말살하는 신 독점 자동 로봇 시대로 바뀌는 중이라 노동자들의 입지는 더욱 줄어들고 있다.

이러한 현상은 여러 가지 요인이 있지만 그중에서도 전적으로 다음 두 가지 사유로 귀결되고 있다고 오카상은 생각한다. 먼저 고용주나 사업주 그리고 경영주의 몫을 늘리기 위하여 고용을 줄이고 고용된 노동자의 근로를 더 요구한 점. 그리고 두 번째는 자동화 시설을 갖추고 로봇을 만들어 고용을 줄이고 인건비와 생산비를 절감하려는 점이다.

이렇게 됨으로써 기업의 하부구조는 현격히 사라지고 상부구조 몇 명이 기업 이익을 독점하는 악순환이 되어, 인간 중심의 기업이 점차 소멸하고 경영의 주체인 인간이 기업에서 점차 멀어지게 된 것이다. 그리하여 잉여의 인간을 노예화하는 신 독점 자동 인공지능화 경영주의가 대세를 이루어 수많은 노동자들이 한정적인 분야에서만 일하고 직장에서 퇴출된다.

오늘 수백 명의 노동자들이 바로 그렇게 자동화, 무인화 정책에 밀려 직장을 갖지 못하고 이곳에 모여 있는 사람들이다. 이러한 현상은 비단 일본만이 그런 것이 아니라 산업화된 대부분의 국가에서 인간 근본주의가 죽어가고 있어 실업률이 20퍼센트 이상을 상회하고 있다. 10여 년 전부터 모든 중진국, 선진국에서 실업률이 급속도로 올라갔다. 위정자들은 그들의 폭발을 막으려 겨우 생계비 일부를 지원하고 있는 실정이다. 그리고 정부와 정치인들은 독점 자본주의자들이 기업을 유지하여 사람을 고용하고 있다는 사회 공헌도를 생각하여 자본주와 기업가, 사업주를 보호해야 한다고 역설하는 중이다.

특히 요즈음의 특정 부자들은 자본을 독점하고 기계화, 로봇화로 막대한 부를 쌓아놓고 그를 따르는 사람들도 마다하며 인공지능화 된 로봇인간을 들여놓고 부리고 있는 중이다. 사람을 고용하면 여러 가지 고려할 사항이 너무 많아 골치가 아프다는 핑계였다. 대신 로봇은 배터리를 충전만 해주면 하루 24시간 자신이 원하는 일을 불평 없이 해주기 때문에 인간 혐오증에 걸린 돈 많은 사람들은 인공로봇을 선호한다. 그들은 아예 자신만을 위로해주고 자신의 사상과 일치되는 경향성을 지닌 지능로봇을 선정하여 비서로 부리고 인간을 대신하여 일을 시킨다. 또한 단순하고 교활하지 않다는 이유로 인공로봇과 시시콜콜한 대화까지 하는 상황에 이르렀다. 이렇게 인간을 근본적으로 기피하고 부정하는 사조는 돈 많은 부자들을 중심으로 현 사회의 주류를 형성하고 있으며 대세를 이루고 있다.

돈 많은 특수층은 자신들은 엄청난 세금을 내고 있고 그 돈으로 실업자들을 먹여 살리고 있다고 주장한다. 이에 반하여 상당수 국민들은 극단적으로 생각한다. 그들의 주장은 지금 이 기계화되고 고도의 인공지능화된 로봇을 때려 엎어버려야 인간이 살아남을 수 있다는 것이다. 인간이 로봇을 부리면서 자신이 마음먹은 대로 추구하고자 하는 방향으로 살아가는 것만이 결코 행복한 삶이 될 수 없으며, 인간끼리 더불어 살아가면서 부딪히며 느끼는 행복이 진정 인간미가 넘치는 삶의 방향이라고 말하고 있으나, 이것을 가진 자들은 '못 가진 자들의 변명'이라 치부하고 무시해버리며 더 많은 종류의 로봇을 부릴 것을 생각한다.

한편 특수층에 있는 사람들은 자손을 얻는 것도 마치 양계장이나 동물농장에서 생산하듯 인간도 대량 기계화 생산을 하여 키워야 한다고 주장한다. 그들은 여자가 임신을 하여 젊음이 망가져서는 안 되고, 아름다움을 계속 간직하면서 여자로서 매력을 유지하려면 섹스는 하되 임신은 하지 않아야 된다는 괴상한 논리를 편다. 그들은 여자의 배란일에 난자를 채취하여 모았다가 자신들의 특정한 우성 정자로 아이들을 대량 생산하여 고도의 지능을 가진 자식을 만들어 이들을 단체로 키워야 한다고 주장한다. 이때 보육도 로봇이 담당하면 틀에 맞는 미래의 인물이 만들어진다고 본다. 그래서 정작 당사자들은 남녀 간의 관계를 즐거움의 대상으로만 이해되어야 한다고 말한다.

그리하여 그들은 마침내 아기공장을 건설한다. 아기공장에서는 여자나 남자가 원하는 난자와 정자를 수정한 수정란을 여자의 자궁과 유사하게 만든 특수한 인공자궁 기계에서 10개월 동안 키워 아기를 생산한다. 10개월이 되어 어머니의 자궁에서 나온 것처럼 생산된 아기는 생일을 맞이하고 곧바로 인큐베이터에 들어가며 여기서 걸어 다닐 수 있을 정도로 키워진 후에 의뢰인에게 인도된다. 걸어 다닐 수 있을 정도의 나이가 될 때까지 아가들은 마치 벌이나 개미처럼 생산되고 별도의 보모가 이들을 키운다. 보모는 감정적인 영역에는 인간이, 단순한 분야는 로봇이 거들고 보살펴주었다. 필요 시 특수한 로봇 돌보미를 고용하여 특정 분야를 담당한다. 예를 들어 아기를 바둑 천재로 키우고 싶다면 바둑에 관한 모든 정보가 입력된 컴퓨터 바둑 로봇을 선생님 혹은 친구 혹은 하인으로 배정하여 가르치게 하는 것이다. 사람과 사람이 상호간에 뒤엉켜 그 속에서 발생하는 여러 가지 사건과 관계를 맛보면서 살아가야 인생의 참맛을 느낄 수 있다는 주장은 이젠 고전(古典)이 되어버린 것이다.

오카상은 이른 새벽부터 줄지어 늘어선 인간들을 보면서 사회의 여러 문제점을 생각하고 꼬집어내 보았지만 자신이 어찌할 수 없는 현 사회의 사조라는 것을 자각한다. 그리고 문득 이곳에 출입하는 노동자들이 불쌍하게 보이기도 한다. 그래도 자신은 지부장 덕분에 형편이 나아 큰 고생은 하지 않고 살고 있다 생각하며 자신의 임무를 완수하겠다고 다짐한다.

일찍 온 덕분에 오카상은 단순 노동 분야에 오늘 하루 고용된다. 그를 포함하여 한 업체에 여섯 명이 고용된다. 오늘 여기 온 노동자는 200여 명에 가까웠으나 그 절반인 100명 정도만 일하게 되는 것이다. 나머지 사람은 집으로 가야 하거나 다른 일을 찾아야 한다. 그가 고용된 분야는 배에서 물건을 하역하여 트럭에 옮겨 싣는 일이다. 하역작업은 아침 일곱 시부터 오후 네 시까지이며 한 시간 동안 점심시간이 주어진다. 단순한 작업이지만 물건의 크기, 상태, 무게 등을 고려하여 트럭에 올려야 하기 때문에 로봇을 쓰지 않고 사람을 쓰는 것이다. 로봇을 쓸 수도 있지만 사용 비용이 더 들기 때문에 값싼 노동자들을 쓰기로 한 것이다.

여섯 명의 노동자들이 고용주가 운전하는 차를 타고 부두 안으로 들어간다. 들어가기 전에 신원 확인을 위하여 이름과 주소를 적고 사진과 지문을 찍어 보안 출입 통제소에 등록을 해야 출입이 가능하다. 그리고 이때 반드시 출입증이 있는 작업반장의 인솔이 있어야만 한다. 작업반장이 인솔해간 곳은 우연히도 잠수정이 정박해 있는 지역이다. 잠수정 여섯 대가 옹기종기 정박해 있고 주변에는 군함과 큰 배 여러 척이 위용을 자랑하고 있다. 오카상은 정말 제대로 잘되었다고 생각한다.

뭔가 단서를 잡을 수 있을 것 같은 예감이 든다. 작업반장은 잠수정에서 근 100미터 떨어진 도크에 정박해 있는 중간 정도의 화물선으로 그들을 인솔하여 간다. 오늘 할 일은 화물선에서 기계로 내린 화물을 창고에 쌓아 넣고 부두에 쌓아 있는 다른 화물을 화물 운반기에 올려주는 것이다. 일행 여섯 명은 오전 내내 주어진 일을 하고 점심을 먹는다. 점심은 일괄적으로 작업반장이 주문한 덮밥 종류인 가츠동을 먹는다. 가츠동은 밥 위에 계란과 약간의 채소와 돈가스를 올린 것으로 노동자들의 배고픔을 잊게 해주는 그런 대로 양이 많고 배가 부른 일본 음식 중의 하나다. 오카상은 점심을 들면서 옆 동료들에게 자신을 간단히 소개한다. 가족 상황과 자신에 대하여 설명하고 자신이 가족을 부양해야 하기 때문에 부지런히 일해야 한다고 말한다. 이곳에 모인 노동자들은 같은 처지라서 무의식중에 이심전심으로 서로 이해한다는 표정을 짓는다. 점심시간에 오카상은 잠수정에 대하여 옆 노동자에게 슬쩍 말을 건넨다.

"아노! 저기 까맣게 보이는 저것이 무엇이지요? 배 같은데 배는 아닌 것 같고..."

"어? 뭐 뭐요?"

"저기 검게 보이는 이상한 것 말이요!"

오카상은 잠수정을 손으로 가리키면서 이상하다는 듯 처음 본다는 듯 다시 말한다. 옆 노동자는 오카상에게 그것도 모르느냐는 약간 비웃음이 섞인 웃음을 내보이며,

"저거는 말이오, 잠수정이라는 배요!"

"그래요? 세상에 저런 배가 있나요? 그것 참 신기하네."

"저 잠수정은 물속으로 다니는 배라오. 아마도 바다 밑 수백 미터까지 내려간다고 들었소. 거 잠수함이라고 있지 않소. 잠수함은 싸우기 위하여 잠수하는 것이지만, 이 잠수정은 바다 밑에서 여러 가지를 채취하고 실험하는 데 사용된다고 들었소."

노동자는 오카상을 애송이처럼 생각하며 자신이 알고 있는 잠수정에 관하여 자세히 이야기해준다.

"아하! 그래요? 그렇게 깊게 들어가요?"

"그럼요. 나도 정확한 것은 모르지만 깊은 바다로 들어가서 로봇을 이용하여 작업을 한다고 들었소."

"나도 저것 한번 타보고 아득히 바다 밑으로 들어가서 바다 밑에 뭐가 있는지 들여다보았으면 좋겠네그려!"

"허허. 꿈 깨세요, 꿈 깨! 우리 같은 하루 벌어 하루 먹고 사는 사람들이 어찌 그런 고상한 일을 할 수 있으리오."

"우리라고 못하라는 법은 없지 않소? 그렇지 않소?"

"그건 그렇지요. 하지만 대부분 우리 같은 사람들은 잠수정에서 채취한 물건이나 하역하는 일을 하게 되지요."

"아하! 그런 일도 합니까?"

"하이! 가끔씩 가다 일이 있지요. 얼마 전에도 하역작업을 했다는데 나나 여기 있는 사람들은 한 명도 참가를 못하였을 것이오."

그러면서 그는 주변에 앉아 있는 다른 동료를 휘 둘러보고 확인해본다.

"그럼 혹시 하역작업을 하면서 잠수정 내부도 좀 볼 수 있었나요?"

"나도 수개월 전에 딱 한 번 작업에 참가한 적이 있는데 뭐 특별한 것은 없습디다. 우리는 그 내부로 들어가지는 못하고 잠수정 옆 외부에서 물건을 하역하는 작업만 했으니까 내부를 볼 수는 없었지요. 그런데 나나 우리 모두가 상상하기에 그 속에는 별다른 것이 있을 것으로 생각하지만 그저 자동차 같이 운전석이 있거나 해저를 볼 수 있고, 로봇을 조종할 수 있는 장치가 있을 것으로 추정됩디다그려!"

"하아... 그렇군요. 그런데 거기서 무엇을 하역하였습니까?"

"별다른 것은 아니고 돌멩이만 가득 내려서 운반하였다오."

"아— 예! 돌멩이요? 돌덩어리? 아니 기껏 그 깊다는 바닷속을 돌아다니며 뒤지면서 돌덩이를 걷어 올렸다는 것이요?

"글쎄 우리가 뭐 알겠냐마는 그게 필요하고 뭔가 있으니까 그런 것이 아닐까?"

"그렇겠지요? 금이나 될까? 아니면 다이아몬드 원석일까?"

"그래, 그런 것일지도 몰라! 알 사람만 알겠지."

어느덧 이 사람의 말투가 아랫사람 대하듯이 변하여있다.

"그런데 돌덩어리 양이 많았어요?"

"많지는 않았지. 무거워서 대여섯 번 나누어 내렸으니까 한 이만큼 되었을 거야. 어떻든 작업이 금방 끝났으니까."

그는 두 손을 크게 그리며 돌덩이 양을 표시한다.

"다음에 나도 그런 작업이 있으면 참가해서 잠수정을 좀 만져보거나 그 내부를 좀 보았으면 좋겠네요."

"그러구려... 크게 어렵지는 않을 것이오. 왜냐하면 작업이 금방 끝나니 돈도 얼마 주지 않으니까 그 작업을 하려는 사람이 별로 없지요. 그러니까 지원자도 별로 없으니 아마 다음에 지원하면 반드시 될 것이요. 한 번 해보시구려..."

"저 혹시 지난번 작업에 참가한 사람을 좀 알 수 있을까요?"

"뭐 어려운 일은 아니지만 당신이 그 일에 대하여 왜 꼬치꼬치 물어보는지 알 수가 없네. 혹시 당신 첩자 아니요? 허허허"

"아, 아니 첩자라니요. 하하하... 첩자라면 그렇게 대놓고 물어 보겠소? 차라리 내가 그 영화나 텔레비전에서 볼 수 있는 그런 멋진 첩자라면 좋겠네."

"허긴 그렇지. 당신 같은 사람이 무슨 첩자가 되겠소?"

그는 오카상을 슬쩍 곁눈으로 보면서 비아냥거리는 말투로 계속 이어간다.

"그야 뭐 별일도 아니지요. 내일 아침에 인력시장에 일찍 오면 내가 알려드리리다."

"하이! 감사합니다."

다음날 새벽 오카상은 어제와 같이 일찍 인력시장에 나간다. 어제 만났던 노동자들도 역시 나와 있었다. 그중에서 처음 대화를 나눈 사람이 반갑게 오카상을 맞이한다. 오카상은 가볍게 인사를 하고 어제와 동일하게 단순 노동에 등록하고 그의 옆에 앉는다. 그는 어제 약속한 것을 잊지 않았는지 오카상이 소개해달라던 한 노동자를 부르고 그를 오카상과 인사시킨다.

"오카상! 이 사람이 어제 말한 잠수정 하역 일을 최근에 하였던 그 젊은 사람입니다. 이름은 다나카라고 합니다."

"안녕하세요. 제 이름은 오카상이라 합니다. 만나서 반갑습니다."

"하이! 안녕하세요. 다나카라고 합니다."

인사를 하는 다나카는 몸이 야리야리한 젊은 사람이다. 나이는 갓 서른을 넘었음직한 앳되고 곱상한 얼굴을 하고 있다. 힘든 노동일은 할 수 없게 보이는 체격과 얼굴이다.

"예, 오늘 무슨 일을 신청하셨습니까?"

"아, 예! 오늘은 단순 노역에 신청하였습니다."

"하이! 예, 그럼 나하고 같이 갈 수 있겠군요. 나도 그쪽인데, 뭐 특별한 기술도 없고 해서 그냥 단순 노동에 신청하였지요. 그런데 젊은 사람이 기술 좀 익혀서 이왕 일을 할 바에 좀 더 일당이 센 일을 하면 좋을텐데……"

"예, 알지요. 그래서 요즈음은 일이 끝난 후 전기 수리 기술을 익히고 있습니다."

"아, 예. 그것 좋은 생각입니다. 그래야지요."

"그런데 아저씨는 무엇을 알고 싶으신가요?"

"하이고— 뭐 무엇을 알고자 하는 것이 아니고, 그저 잠수정이 신기해서요... 혹시 잠수정 속을 보셨는가요?"

"하이! 보기는 보았지요. 그런데 자세히는 못 보았습니다. 얼핏 보니 복잡하고 폐쇄된 좁은 공간이었습니다. 그 좁은 곳에서 근무하는 사람들이 대단하지만 불쌍해 보였습니다."

"왜요? 왜 불쌍하게 보여요?"

"생각해보세요. 꽉 막힌 막장에서, 오도 가도 못하는 밀폐된 공간에서 일한다고 상상해보세요. 만약에 그 속에서 사고가 난다고 한다면... 난 돈을 아무리 많이 준다고 하더라도 그런 곳에서 일은 못하겠소이다."

"그렇겠네요. 그런데 잠수정이란 것은 원래 그런 곳이 아닐까요? 으레 그런 곳이다 하고 각오를 하고 일을 해야지..."

"그러니깐 이 입이 문제가 아닙니까? 호구지책! 약자가 둘러야 할 멍에지요."

"그런데 잠수정은 많은 짐을 싣지 못할 것이라고 생각되는데 얼마 전에 많은 돌덩어리 하역작업을 하였다면서요?"

"하이! 아주 무거운 돌덩어리를 두어 시간 천천히 날랐지요."

"돌덩어리요? 바다 밑에서 주워온 돌덩어리를 잠수정으로 하역하였다고요?"

"돌덩어리도 사람머리만한 것들이 수만 년 바다 밑에 있었는지 이상한 색채를 띠고 별 쓸모없을 듯하던데...... 나는 처음에 금이나 은이라도 나오는 보석돌인 줄 알았지요."

"아하! 그런데요?"

"내가 보기엔 꼭 수만 년 묵은 해저 유물을 찾아 올리는 것 같았소이다."

"아니 그 돌덩어리 속에 금이나 은이라도 함유되었을지도 모르겠군요."

"글쎄요. 나 같은 사람은 통 모르겠던데. 아마 과학자나 광물을 전공한 사람들은 잘 알겠지요. 석유가 나오는 것도 아니고... 무엇에 쓰려고 그러는지 도통 모르겠던데요."

"그 많은 돌을 한 군데로 실어갔던가요?"

"아니요... 차량 넉 대였던가. 하여튼 돌을 네 군데로 나누어서 실었지요."

"혹시 차가 어디 차인가 기억나는가요?"

"어디 차인지는 모르겠고, 아무튼 사방이 완전히 꽉 막힌 마치 우체국차 같이 뒷문만 열고 뒤쪽에서 돌을 조심스레 실었지요."

"차가 보통 화물차하고 다르지요? 혹시 그림이라도 그려지지 않나요?"

"그런데 아저씨는 왜 그런 것을 자꾸만 물어보시는가요?"

"아, 예... 사실은 나도 로봇 조종을 좀 배워볼까 해서요... 그래서 어느 정도 크기와 무게를 지닌 물건을 집어 올리는가를 알고 싶어 물어본 것이지요."

"하이! 그래요? 아저씨 늦기는 늦었지만 지금이라도 배워도 되겠지요. 참! 차 색깔이 생각나네요. 노란색 바탕에 검은색으로 무슨 그림인가가 그려져 있었지요."

"아, 예. 무슨 그림일까요?

"사람그림은 아니고 무슨 부호 같았는데 잘 기억이 안 나요."

"아하, 그래요? 고맙습니다."

오카상은 귀중한 정보를 획득하였다고 생각한다. 노란색 바탕에 검은색으로 그려진 그림이 무엇일까 생각해본다. 그는 여러 가지로 궁리하였지만 뾰족한 뭐가 나오지 않는다. 오카상은 단 이틀도 되지 않아 중대한 정보를 갖게 되었다고 생각하여 이제 오늘 하루만 막노동을 하고 내일부터는 차량추적에 나서기로 한다. 지금 당장 그만두어도 되겠지만 자신이 만난 사람들이 그를 의심할 여지를 없애버리려 오늘까지는 그들과 어울려 일하고 차량에 대하여 더 알아보기로 한다.

한편, 아베 가츠오는 오카상으로부터 특장차를 찾도록 지시받는다. 그가 앞서 생각한 근처의 특장차 회사를 찾아보는 것은 무의미하다고 판단한다. 오카상이 알아낸 작업을 수행한 날 전후로 항만에 출입한 차량을 조사하도록 지시받고 어떻게 하면 차량에 대한 정보를 파악할까 생각한다. 여러 가지 궁리 끝에 지금까지 어려운 일이 있을 때마다 형사로 행세하여 정보를 확보한 경험을 되살리기로 한다.

특별히 항만의 경비업체에 대한 경찰의 우월적 지위를 내세워 업무일지를 확보하는 방법이 제일 안전하고 효과가 있을 것이라고 생각하여 자신의 도우미인 마츠시타와 함께 행동하기로 한다. 그들이 비록 사설탐정으로 활동하고 있지만 경찰 신분증과 마크를 이미 확보하고 있고, 이전에도 여러 번 제복경찰과 사복형사로 행세한 경험이 있어 이번에도 크게 문제가 없을 것으로 생각한다.

두 사람은 오전에 경비업체를 찾아가서 실무자를 찾는다. 그들이 소지하고 있는 경찰 신분증은 실제 현역 경찰의 신분증을 복사하고 사진도 자신의 것을 부착하였기 때문에, 경찰 컴퓨터 망 어디를 조회해보아도 현역 근무 요원으로 개인 프로필이 뜨게 되어 있다. 사진속의 실제 경찰 얼굴과 자신들의 얼굴이 약간 다르지만 경찰 중에서 가장 닮은 사람을 선택하여 만들었기에 특별히 감정하지 않으면 구별하기 힘들 정도다. 또한 지문과 생체 인식에 관한 사항도 컴퓨터를 해킹하여 완전히 자신의 것으로 입력해놓았기 때문에 원래의 경찰과 동시에 조회한다고 하더라도 누구 것이 진짜인지 구별할 수 없는 상황이다.

두 사람은 경비업체로 들어가기 전 먼저 거쳐야 하는 후문을 방문하여 두 명의 경비원에게 먼저 인사한다.

"안녕하세요?"

"하이! 에... 아, 안녕하하십니까... 어 어 어떻게 오셨습니까?"

경비원 중 고참인 듯한 자가 선글라스를 쓰고 풍채가 있는 두 사람이 갑자기 들어오자 약간 당황하며 머뭇거린다. 두 사람은 경찰 신분증을 안주머니에서 꺼내어 얼핏 보여주고 이내 다시 주머니에 집어넣는다.

"우리는 밀수사건을 수사하러 교토에서 왔습니다. 이곳 경비를 담당하는 총괄부서를 방문하고 싶습니다. 안내 좀 해주시지요."

"하이! 그... 그러지요. 저기 그 경비상황실은 이리 들어가서 한 300미터 죽 가면 큰 창고 옆에 있습니다. 저희들은 지금 이곳을 지켜야 하므로 같이 동행할 수 없고 상황실에 연락해놓겠습니다."

"아하, 그래요? 그럼 직접 갈 테니 상황실에 연락해두시지요."

"하이! 알겠습니다. 저 그런데 신분증을 다시 한 번 보여주시겠습니까?"

"아니, 왜 그러지요?"

"예, 저희들은 모든 출입자에 대하여 기록하여야 합니다."

"그래요? 자, 여기 있어요."

신분증을 내보이자 경비원은 인적사항을 출입부에 기록한다.

"자, 신분증 여기 있습니다. 이제 들어가셔도 됩니다."

경비원은 큰 출입구 옆에 만든 자그마한 출입문을 열어주며 사무실 방향을 가리킨다.

"저기 저 창고 옆에 빨간색 지붕이 경비사무실입니다."

"하이! 알겠습니다."

두 사람은 당당히 뒤도 돌아보지 않고 사무실을 향하여 걸어간다. 경비상황실 밖에는 무장 경비차가 출동대기하고 있다. 두 사람은 후문의 경비실에서처럼 행동한다. 상황실에는 세 명의 경비요원이 항구의 전 울타리를 CCTV 망으로 감시하고 있다. 세 명 중 책임자로 보이는 한 사람이 나와서 그들을 마주한다.

"어서 오세요. 후문 경비실의 연락을 받았습니다. 무엇을 도와드리면 되겠습니까?"

"하이! 감사합니다. 5월 00일과 그 다음날 후문과 정문을 통과한 차량 번호와 행선지, 통행목적이 기록된 일지를 복사해주시면 됩니다."

"하이! 그것이면 됩니까? 더 도와드릴 일이 있습니까?"

"하이! 수사상 그것이면 족합니다. 나중에 다른 협조 사항이 있으면 전화로 말씀드린 후 다시 오겠습니다."

"그럼 잠깐만 기다려 주십시오. 일지를 복사해야 하니 조금 시간이 걸릴 겁니다."

"그러지요. 아참! 그리고 그 시간대 출입 차량들의 확실한 CCTV 영상이 필요하니 이 USB에 복사를 좀 해주십시오."

"하이! 그러지요. 전혀 문제없습니다. 그럼 먼저 이 서류를 좀 작성해 주십시오."

책임자가 내미는 서류는 '출입기록 신청서'이다. 양식에 신청자 인적사항을 깨알 같이 적어야 한다. 소속, 계급, 성명, 신청 사유, 연락처 등이다. 아베 가츠오는 신분증에 명시된 신분을 대충 기록하고 책임자에게 넘겨준다. 책임자는 신청서를 확인하더니 별다른 의심 없이 서류철에 끼워 넣고 전화로 어딘가에 연락한다.

20여 분을 기다리니 스테이플러로 찍어 합철한 차량 출입이 복사된 십여 장의 복사지 뭉치와 CCTV 복사 지료도 같이 들고서 책임 경비요원이 다가온다.

"여기 있습니다. 여기서부터 이곳까지는 정문이고 나머지는 후문 출입 기록입니다."

그는 복사지 뭉치를 들춰가면서 설명해준다. 그가 내민 복사본을 죽 훑어보니 출입 일시와 차량 이름, 그리고 출입 목적이 일목요연하게 적혀 있다.

"그리고 이것은 CCTV 녹화자료입니다."

"감사합니다. 자! 수고하십시오."

두 사람은 경비요원을 칭찬한 뒤 당당하게 후문을 통하여 나온다. 경비원은 사무실 밖까지 따라 나서며 배웅한다. 아베 가즈오는 자신의 사무실에 들어와 복사된 출입일지를 분석한다. 먼저 잠수정이 활동한 날의 일지를 죽 훑어보니 동일한 시간에 차량 몇 대가 동시에 나간 기록은 없고 흩어져 나간 기록뿐이다. 그런데 다음날 기록을 상세히 하나하나 살펴보니 넉 대의 차량이 같은 시간대에 후문을 빠져 나간 기록이 있다. 만면에 웃음이 가득해진다.

"하하하하! 이거다. 이거 찾았다. 하하하"

"어디, 뭐를 찾았다는 거요?"

"보시오! 이 차량 넉 대가 동시간대에 항구 후문을 나갔고, 모두 특수 차량입니다. 또한 차량 소속이 연구소로 되어 있으니 우리가 찾는 차량이 틀림없습니다."

"그렇군요."

차량 번호도 일반 차량과 조금 달랐다. 즉 공공기관에서 사용하는 번호판을 부착한 넉 대의 특수차량이 각각 도쿄로 한 대, 나고야로 한 대, 오사카로 두 대, 총 넉 대의 차량 행방이 기록되어 있다. 그리고 비고란에는 다음과 같은 내용이 간단히 기록되어 있다.

특장차 1번: 도쿄 핵물리 연구소, 특장차 2번: 오사카 XX 대학 핵 연구소,
특장차 3번: 나고야 핵물리 연구소, 특장차 4번: 오사카 핵물리 연구소

이번에는 CCTV 녹화물이 담긴 USB를 컴퓨터에 넣고 확인해본다. 노란 차 넉 대가 찍혀있다. 옆에서 찍은 화면이라 번호판은 나오지 않았으나 영상에 찍힌 시간을 보니 같은 시간에 나간 차가 틀림없다. 두 사람은 쾌재를 부른다. 이렇게 단숨에 간단히 임무를 완벽히 수행할 수 있다니 믿어지지 않는다. 그들이 차량 번호와 연구소 이름을 적어 보고하려는 중에 전화가 온다.

"하이! 가츠오입니다."

"아, 나 오카상이요. 그래 일 추진 계획은 어떻게 세웠소?"

"하하하하. 오야붕! 이번엔 보너스를 두둑이 주실 생각을 하셔야겠습니다!"

"아하! 당연히 일의 성과에 따라 한몫 챙겨줄 수 있지!"

"지금이라도 당장 뵙고 말씀드릴 사항이 있습니다."

"좋아요. 내일 오전 한가할 때 오시게나."

"알겠습니다."

다음날 아베 가츠오는 혼자 오카상의 집으로 발걸음 가볍게 들어간다. 그는 출입문에 늘어진 발을 젖히고 인사를 하며 들어선다.

오카상이 반기며 옆에 난 출입문을 통하여 그를 내실로 안내한다. 아

베 가츠오는 의자에 앉으며 자신 있는 듯 오카상을 바라보며,

"오카상! 가츠오가 임무 완수하였습니다."

그는 지갑에서 어제 메모한 종이를 꺼내어 오카상 앞에 내밀고, USB에 찍힌 차의 모습을 컴퓨터로 보여주며 자초지종을 설명한다. 설명이 끝나자 오카상은 가츠오에게 다가와 어깨를 두드려주며,

"자네는 역시 믿음직스럽네. 앞으로도 많은 활약을 기대하겠네. 내가 생각하기에 자네는 중앙무대로 근무지를 옮겨야 되겠네."

"하이! 별 말씀을..."

오카상은 메모지를 들여다보며 잠시 생각에 잠긴다. 며칠 전 도저히 알 수 없었던 노란 차량의 색깔과 그림에 관한 퍼즐이 맞추어지고 있다. 여러 핵 연구소라는 종착지를 보니 그림이 모두 방사선에 관계된 차량이란 것이 연상된다. 그는 보고를 어떻게 하고 어떻게 후속 조치를 할 것인가를 그려보지만, 후속 조치는 자신의 소관이 아님을 깨닫고 단순한 결과 보고만 해야겠다고 생각한다. 그러다 그는 다시 한 번 영상을 확인한다. 영상을 확인한 그는

"헤이! 아베 가츠오 씨! 이 영상에 약간의 하자가 있네. 차량 넉 대의 일련번호가 명확히 나오지 않았네."

가츠오도 화면을 다시 들여다보며 오카상의 지적을 확인한다.

"정말 그렇네요. 일련번호가 나오면 확실할 텐데..."

"어때? 내일 다시 한 번 가서 확실한 자료를 확보하게나."

"하이! 그렇게 하겠습니다."

다음날 그는 지난번처럼 도우미 마츠시타와 함께 다시 항구 내의 경비상황실에 다시 들어간다.

"하이! 안녕들 하십니까? 여전히 바쁘게 일들 하시는군요."

"아하! 지난번 오셨던 그 형사님들 오늘 또 오셨네? 오늘은 어쩐 일이십니까?"

일이 복잡하게 꼬이지 않으려고 그러는지 먼저 말을 받는 사람은 선임경비라고 여겼던 엊그제 그 사람이다.

"하이! 지난번 자료가 수사하는 데 많은 도움을 주었습니다만 결정적인 영상을 확보하라는 상부의 지시가 내려와 부득불 다시 왔습니다."

"하이! 그러면 어떤 자료가 필요하십니까?"

"예. 이번에는 출입문을 빠져나가는 차 사진이 필요합니다. 그러니까 차량출입 일지와 CCTV 영상의 차량번호하고 일치되어야 한다니 우리는 그것이 필요합니다."

"그럼 며칠간의 자료를 드릴까요?"

"간단히… 에 또 그러니까 XX일 오전 중에 정·후문을 빠져나간 차들의 자료만 있으면 됩니다. 그리고 사진에는 반드시 뒤 번호판 숫자가 선명해야 되겠지요."

"하이! 무슨 말인지 잘 알겠습니다. 지난번처럼 이번에는 이 양식을 작성해주십시오. 그리고 혹시 칩을 가져 오셨는지요?"

"물론이지요. 여기 있습니다."

아베 가츠오는 얼른 지갑 속에서 USB를 꺼내어 상황실 요원에게 내어준다. 그는 그것을 받아 잠깐 기다리라고 하면서 특수 방호된 사무실로 들어가더니 한 시간이 지나서야 다시 나온다.

"자, 이거 여기 있습니다. 제가 한번 돌려봐 드릴까요?"

"하이! 그러면 좋지요. 다시 발걸음을 하지 않을 테니까요."

경비실 요원은 USB를 컴퓨터에 집어넣더니 영상을 돌려본다. 많은 차들이 경비원들의 검문을 받으면서 순서 정연하게 정·후문을 빠져나가고 있었다. 앞과 뒤에서 찍은 장면이라 빈틈없이 잘 나왔다. 특별히 번호판이 뚜렷하게 나왔다. 아마도 CCTV의 초점이 번호판에 맞추어져 녹화가 되었기 때문일을 것이다.

"저, 그런데 무엇 때문에 이런 차량 조사를 하는 거지요?"

갑작스럽게 경비실장이 물어본다. 아베 가츠오는 미리 생각하였던 답변이 있어서 당황하지 않고 담담히 대답한다.

"최근에 이 항구에서 큰 밀수 사건이 있었습니다. 짝퉁 제품 수억 엔의 물품이 이날 항구에서 비밀리에 사라졌습니다."

"아! 그렇군요. 곧 꼬리가 잡히겠지요."

"수사관이 이곳까지 왔다고 아무에게도 말하지 마세요. 비밀입니다. 이 비밀이 새면 범인 검거에 꽤나 애먹을 겁니다. 내가 당신한테 사건을 말해주는 것은 당신이 이곳을 지키는 경비원이기 때문입니다. 잘 감시를 하라고 말입니다."

"하이! 잘 알겠습니다."

경비요원이 조금 움츠러든다. 상대가 형사이고, 자신은 전혀 관련이 없지만 밀수와 범인 검거라는 말을 들으니 왠지 찝찝하다.

아베 가츠오는 마츠시타와 함께 휘파람을 휘휘 불면서 천천히 그러나 신속하게 항구의 후문을 빠져나온다. 그는 마츠시타와 헤어진 후 즉시 오카상을 찾는다. 이때 경비실장은 창문 옆에 서서 형사 둘이 후문을 빠져나가는 것을 확인한 후에 바로 전화를 건다. 자신의 경비업체 관할 경찰서다.

"모시모시"

"하이! 여기는 마이즈루 서부 경찰서 ○○○ 순경이다."

"하이! 저는 항구 경비실장입니다."

"하이! 그런데 무슨 일이 있습니까?"

"며칠 전에 형사 두 분이 우리 사무실에 와서 차량출입 일지를 달라고

하여 복사해주었는데, 오늘 조금 전에 다시 CCTV 영상을 달라고 하여 복사해주었습니다. 이들이 과연 경찰인지 확인하려고 전화하였습니다."

"그래요? 그럼 우리가 확인해볼까요?"

"그래주셨으면 좋겠습니다."

"그럼 계급과 이름, 소속을 말씀해주시지요."

경비실장은 자료신청 양식에 기재된 인적사항을 불러준다.

"컴퓨터로 이름을 검색하여 찾아내는 데 조금 시간이 걸릴 것이니 전화를 끊고 기다리세요."

"하이! 알겠습니다."

잠시 후 10분이 채 지나자 않아 경비실에 전화가 온다.

"하이! 모시모시! 경비실장입니다."

"예, 경찰서입니다. 아까 요청하신 경찰 신분조회 건 말이요, 그 형사들은 실제 경찰에 근무하시는 분들입니다. 틀림없습니다. 많은 협조를 해드려야겠습니다."

"하이... 아 알겠습니다."

경비실장은 머리를 끄덕이며 괜히 그들을 의심한 자신이 순간적으로 계면스러우면서 미안해진다. 사실 아베 기츠오와 마츠시타가 가지고 있는 신분증은 진짜를 복사해 만든 가짜 경찰 신분증이다. 하지만 형사는 일정한 구역 없이 전국을 떠돌아다니며 수사를 하기 때문에 직접 경찰 최고위 상황실에서 특별히 현 위치를 파악하려고 하지 않으면 그들의 위치를 추적할 수 없다. 게다가 두 사람의 위치가 동시에 조회될 가능성이 거의 없어 발각될 수 없다. 그들은 이 장점 아닌 단점을 이용하여 똑같은 신분증으로 꼭 필요할 때만 경찰 행세를 한다.

어제와 마찬가지로 오카상은 그를 별실로 인도하여 차를 만들어주면서 결과를 물어본다. 가츠오는 임무를 성공적으로 완수를 하였다는 의미의 미소를 띠며 그의 손바닥에 USB를 올려준다. 오카상은 고개를 끄덕이더니 컴퓨터에 넣어 재생시킨다. 잠시 후 영상이 돌아가자 차량들이 항구 출입문을 빠져나가는 장면을 주의 깊게 살펴본다. 3분 정도 돌려보았을 때 그는 갑자기 화면을 정지시키더니 세밀히 바라보며 분석한다.

"찾았네. 바로 이 차네. 자네가 준 번호와 대조를 해보세."

"네, 그러시지요..."

특장차는 동시간대에 줄을 서서 후문을 빠져나가고 있었다. 오카상은 넉 대를 다 확인한 후에 차 번호판과 대조하여 사전에 건네준 정보와 일치하는 것을 확인한다. 맞다. 바로 그 차다. 그리고 번호판과 일치한다. 두 사람은 쾌재를 부르며 USB를 다시 복사하고 원본 USB를 오후에 지부장에게 직접 전달하기로 한다.

그는 교토 지부장에게 전화하여 오후에 뵙자고 시간 약속을 잡고 상세한 이야기는 만나서 하겠다고 통화한다. 오카상은 금고에서 돈뭉치 대여섯 개를 꺼내어 종이로 싼다. 그리고 쇼핑백을 꺼내더니 종이로 싼 돈뭉치를 집어넣고 스테이플러로 몇 번 찍어 봉인한다. 그는 쇼핑백을 아베 가츠오에게 건네면서,

"자, 수고비일세. 많다고는 할 수 없지만 만족은 할 걸세."

"아니, 오카상 오야붕! 이렇게 많은 돈을! 여하튼 고맙습니다. 필요하실 때 언제든지 불러주십시오."

돈을 포장하기 전 대략적인 돈뭉치의 양을 알고 있던 그는 고마워서 어찌할 줄을 모른다.

"글쎄... 내가 생각하기에는 이번 일이 마지막이 아닌 것 같아. 좀 더 기다려봅시다."

"예, 그러지요. 평소대로 언제든지 출동대기하고 있겠습니다."

아베 가츠오가 간 뒤 점심을 먹고 오카상은 긴급 보고를 위하여 손수 운전하여 교토로 향한다. 교토는 분지로, 강물에 의한 충적평야로 형성된 지역이다. 교토 분지는 주로 한반도와 대륙에서 건너온 귀화인에 의해 일찍이 개발됨에 따라 토지의 개척 · 관개에 의한 농업생산과 양잠 · 견직 등의 산업이 발전하였다.

역사적으로 일본 왕은 서기 794년 오사카에 근접한 나라지역에서 평안경(平安京: 헤이안경)으로 천도하였다. 그 후 400년에 걸친 평안시대(헤이안 시대)에 국정의 중심지로 번영하였다. 교토는 막부(幕府: 바쿠후=무신시대)정치의 시작과 더불어 정치적 기능을 상실하였고, 강호시대(江戶時代: 에도시대 1603~1867)에는 정치의 중심이 지금의 도쿄인 에도로 옮겨감에 따라 형식상의 수도로 남게 되었다. 형식상의 수도였지만 1868년 메이지유신(明治維新)을 단행하여 수도를 아예 도쿄로 천도할 때는 인구 50만 명의 대도시가 되었으며, 오늘날에도 경제 · 문화 중심지로서 국제적인 관광도시로 발전하고 있다. 1,000년 이상 된 옛 왕궁과 신궁, 사찰 등이 관광지로 각광받고 있다.

오카상은 두 시간이 넘게 손수 운전해 교토에 도착하여 지부장의 사무실을 찾는다. 지부장은 반가이 그를 맞이하면서 별도의 사무실로 안내한다.

"그래, 이렇게 빨리 나를 찾아온 것은 밀린 숙제를 다했다는 의미 아니오?"

"아, 예. 그렇습니다. 의외로 모든 것이 잘 풀려서 알아낼 수 있었습니다."

오카상은 지갑 속에 넣어둔 작은 메모지와 USB를 내밀면서,

"지부장님, 이것입니다."

지부장은 메모지와 USB를 받아들며,

"음! 수고하셨소. 이렇게 빨리 문제를 풀다니 당신의 공로를 크게 보고할 것이오. 그런데 이 차량번호가 맞는지 증거가 있다면 더 좋겠는데 말이오."

증거가 더 있다면 좋다는 지부장의 말에 오카상은 순간적으로 당황하지만 이내 자신 있는 태도로 말한다.

“지부장님 이 USB를 한번 보시지요. 여기에 나와 있습니다.”

“그래요? 한번 확인을 해볼까요?”

지부장과 오카상은 컴퓨터에 넣고 확인한다. 영상과 메모지가 일치한다. 지부장이 찾았던 모든 것이 여기에 들어 있다.

“오카상! 대단합니다. 아주 수고했어요. 지금까지 얻어낸 정보를 오늘 보고하고 내일부터 본격적인 확인 작업에 들어갈 거요.”

“아, 예. 그렇습니까? 이제 본격적인 활동으로 들어가겠네요.”

“그렇지요. 이제 내 수중에서 떠나는 겁니다.”

오카상은 비중 있는 임무를 단기간 내에 완수하니 두 어깨가 가벼워짐을 느낀다. 아니, 후련하고 안도의 숨이 나온다. 임무를 받았을 때는 최소한 몇 개월 걸리는 파악하기 어려운 일이라고 생각하였다. 그는 다시 일상사로 돌아가서 새로운 지령이 떨어지기를 기다릴 것이다.

지부장은 즉시 오사카발 서울행 항공기를 예약한다. 그는 일본인 신분이지만 한국의 장기 체류 비자를 가지고 있기 때문에 비자에 구애받지 않고 필요할 때 수시로 한국에 드나들 수 있다. 물론 여행객인 경우 3개월 무비자로 출입국이 가능하지만, 사업상 그가 경영하는 회사를 생각할 때에 출입국이 자유로울 필요성이 있어 장기 비자를 소지하고 있는 것이다.

한국 국방부장관 회의실

수십 명의 장성과 고위 장교들이 국방부 회의실에 줄지어 앉아 있다. 합참의장을 비롯한 각 군 참모총장, 그리고 해병대 사령관 각 부서 참모부장, 각 부서 중·대령급 실무자가 운집해있다. 일자 형태의 회의실에는 긴 회의 탁자가 이어져 있으며, 앞줄 좌우에는 군 서열별로 각 기관장이 앉아 있고, 두 번째 줄에는 중·대령급 실무자가 앉아 있다. 연한 갈색으로 칠해지고 고급스럽게 나무 무늬를 잘 살려 투명하게 만들어낸 회의 탁자 위에는 메모지와 회의 유인물, 필기구가 일렬로 줄지어 놓여 있다. 이윽고 국방부장관이 들어서자 합장의장, 연합사 부사령관, 각 참모총장 등 모든 참석자가 자리에서 일어나 장관을 맞이한다. 장관이 자리에 앉자 사회자가 간단히 회의 선언을 한다.

"지금부터 장관님을 모시고 임시 군무회의를 시작하겠습니다. 먼저 국민의례가 있고 합동참모본부가 마련한 우리 군의 독도, 울릉도 방호계획인 강치계획에 대하여 설명을 드리고 난상토론을 하겠습니다. 회의 자료는 이미 극비로 회의 참석자에게 보내진 것으로 알고 있습니다. 앞에 놓인 유인물을 참조하시기 바랍니다."

"먼저 국민의례가 있겠습니다. 국기에 대한 경례!"

애국가 1절이 연주되고 모두 거수경례를 한다. 1절이 끝나자

"자리에 착석해주십시오. 지금부터 독도, 울릉도 방호계획인 강치계획이 수립된 배경에 대하여 합참의 정보참모부에서 설명을 드리겠습니다."

"정보참모부장입니다. 지금 우리 정부는 울릉도와 독도 근해에서 메탄하이드레이트를 대량생산하고 있습니다. 그동안 문제였던 심해 채광능력이 향상되어 하이드레이트를 생산하여 향후 100년 동안 값싼 청정에너지로 생산 보급될 예정입니다. 그런데 최근 일본의 이지스함과 잠수정이 독도 반경 12마일 외곽 공해에 머물면서, 잠수정이 로봇을 이용하여 우리 해역인 울릉도와 독도 사이의 해협까지 들어와 해저에서 광물을 여러 번 채취하였다는 첩보가 입수되었습니다. 이 첩보는 매우 신빙성이 있는 것으로, 일본이 왜 우리의 영해까지 들어와서 그러한 행위를 하였는지 분석한

결과 해저에 무엇인가 중대한 것이 발견된 것으로 추정하고 있습니다. 지금 여러 계통을 통하여 그 광물이 무엇인지 용도를 파악하고 있습니다. 이것은 마치 1990년대에 일본이 우리의 허가 없이 채취한 메탄 하이드레이트와 동일한 경우로 설명드릴 수 있으며, 일본이 자국의 이익을 위하여 우리의 영해에서 범죄 행위를 저지른 것입니다. 이에 정부의 국무회의에서 울릉도·독도를 방호하고자 의결하였고 합참은 지금까지의 수동적 방호계획에서 적극적 공세적인 개념으로 전환하여 방호계획을 수립하였습니다. 참고로 우리 군에 주어진 국무회의 주요 의결 사항은 다음과 같습니다.

1. 독도를 최우선하여 지하 요새화 공사를 가능한 한 조기에 완공하도록 자금과 건설요원을 추가 투입하며 별도 방호계획을 수립, 시행한다.
2. 요새화한 울릉도와 독도에 최신형 무기(레일건, 레이저건, 해저 동시 탐지 가능 시스템, 아이언맨 등)를 우선 배치하고 병력을 증원한다.
3. 울릉도와 독도에 핵잠수함기지를 만들어 기항할 수 있도록 하며, 항공모함 전단과 이지스함대, 유인 스텔스 전투기와 무인 스텔스 드론 전투기의 즉각 출동태세를 유지한다.
4. 동해지역을 담당하는 항공세력을 지원하기 위하여 조기 경보기인 원격 공중 통제기와 공중 급유기를 동해와 울릉도 해역 사이 지역에 운영한다.
5. 스텔스 항공기와 가상적 세력을 탐지하기 위하여 종합적 탐지 능력을 증강한다.

이상으로 브리핑을 마치겠습니다."

"다음은 울릉도·독도의 방호계획 보고에 앞서 우리 군이 최근에 개발과 실험을 완료한 무기체계에 대하여 국방과학원에서 보고가 있겠습니다."

국방과학원 실무자인 대령이 단상에 오르더니 장관을 향하여 가볍게 인사하고 슬라이더를 이용하여 브리핑을 시작한다.

"최근까지 우리 국방과학원에서 중점 개발한 무기체계는 다음과 같습니다. 오늘 말씀드리는 무기체계는 이미 성능실험이 완료되었으며, 일부 무기는 대량생산까지 하여 실무 부대에 배치할 준비가 완료되었습니다.

첫 번째, 무기 체계는 레일건입니다. 레일건은 탄약 없이 자력(磁力)으로 발사할 수 있으며, 최대사거리 100킬로미터이며 발사 속도가 현저히 크므로 직사포에 가까운 성능을 가지고 있습니다.

두 번째, 레이저건입니다. 기존의 레이저 발생 장치에 출력을 높여 강력한 레이저가 순간적으로 직진하여 멀리 도달할 수 있도록 고안하여, 방공포로 활용하고 지상 장비 요격용으로 발전시켰습니다.

세 번째, 우리는 6차원의 레이더를 개발하여 실전 배치 중에 있습니다. 기존의 레이더는 계속적으로 전 방향에서 전파를 발사하고 동시 수신하는 전 방향 송수신 레이더를 장착하고 있어, 모든 방향에서 각기 다른 목표물을 획득하여 무장을 발사하는 4차원 레이더입니다. 하지만 이 4차원 레이더도 공간적인 정확한 고도와 목표물들의 입체적인 영상을 볼 수는 없습니다. 이러한 결점을 보완한 레이더가 6차원 레이더인데, 모든 스텔스 항공기나 함정, 초저속 비행체를 탐색할 수 있고 탐색된 목표물을 입체영상으로 볼 수 있습니다. 우리는 이 체제를 TSCCS(테츠: Target Search & Contact, Capture System)라 하며 만리안(萬里眼)이라 부릅니다.

네 번째는 무인 스텔스 드론 전투기를 개발, 배치하였습니다. 현재 대량양산 체제로 전환하여 이미 150여 대 이상 배치 완료하였고 1년 이내에 총 200여 대를 배치할 예정입니다. 무인 스텔스 드론 전투기는 다목적용으로 개발하였습니다. 무인 스텔스 드론 전투기는 소모용으로 목표물에 대하여 자폭도 할 수 있는 항공기입니다. 이 전투기는 원격 공중 통제기에 의하여 조종사들이 위성영상과 6차원 레이더에 탐색된 정보에 의하여 원격 조종을 합니다. 원격 공중 통제기 한 대에 2개 전투 비행단 드론 전투기가 원격 조종됩니다. 원격 공중 통제기는 울릉도와 본토 사이에 체공하면서 지상 작전 통제소의 지시를 받아 모든 무인 스텔스 드론 전투기와 유인 스텔스 전투기를 전장에 투입하고 조종합니다.

다섯 번째로, 원격 공중 통제기는 종전의 조기 경보기를 변형하여 단지 적기 경보와 무기 배당을 하는 것에서 한걸음 더 나아가, 무기 통제사가 6차원 레이더 즉 테츠(TSCCS)로 탐색된 정보에 의하여 유인 스텔스 전투기를 투입하고 무인 스텔스 드론 전투기를 직접 조종하여 무기를 발사하고 공격과 방어를 수행합니다. 항공모함이나 육지 비행장에서 발진한 전투기는 이륙 후 원격 통제기에 의하여 지휘 통제가 됩니다. 우리는 원격 공중 통제기를 ARCCA(아르카: Airbone Remote Command & control Aircraft)라고 부릅니다. 한마디로 공중에 떠 있는 전쟁 지휘소라고 말할 수 있겠습니다.

여섯 번째, 무기는 바닷속을 공중에서처럼 훤히 들여다보는 레이더를 개발, 완료하였습니다. 우리 한반도 해역과 주로 울릉도와 독도 주변 해저에 송수신기를 원형으로 수백 개를 배치하여 잠수함과 함정의 이동 상태를 파악할 수 있는 해저 레이더입니다. 아무리 깊게 잠수한다고 하더라도, 그리고 바다 위에 떠있는 함정, 항공기가 비록 스텔스 기능을 가지고 있다 해도, 6차원 레이더인 테츠(TSCCS)에 데이터를 제공하여 연계된 탐색을 할 수 있어 바닷속 어떠한 물체라도 식별할 수 있는 무기체계입니다.

마지막 무기체계는 아이언맨입니다. 한마디로 아이언맨은 로봇 병정입니다. 인간과 유사하고 소형이지만 고성능의 컴퓨터를 내장하여 적과 아군의 피아 식별 능력을 보유하고 원격 조종에 의한 전투 능력을 가지고 있습니다. 인간이 안전상 할 수 없는 영역을 담당합니다. 무장은 철갑을 관통할 수 있는 소형 고성능 레이저포와 연발 기관총을 장착하고 있습니다. 아이언맨은 자체 철갑으로 보호되어 있으며, 때로는 물속에서도 장시간 활동이 가능합니다. 지금은 20여 맨을 생산하였지만 앞으로 대량생산 하여 모자라는 병력을 대처할 예정입니다. 그리고 근접전에서 아주 효과가 있을 것으로 생각합니다. 이상으로 브리핑을 마치겠습니다."

"다음은 국방부 시설감실에서 진지 공사 현황에 대하여 브리핑이 있겠습니다."

"국방부 시설감실 김○○ 준장입니다. 울릉도와 독도의 요새화, 진지화에 대하여 보고 드리겠습니다. 먼저 주요 작업에 대하여 말씀드리면 울릉도·독도 진지는 지하 갱도화 하였으며, 산 위쪽으로 5층의 구조물을 만들었습니다. 구조물은 하나의 산을 빙 돌아 터널을 만들고 그 가운데는 각 층마다 상황실이 마련되어 있습니다. 3층과 4, 5층 터널은 다시 외부와 여덟 방향이 뚫려져 있어 여기에 각종 포와 무기를 장탈할 수 있는 사격대를 만들었습니다. 이 사격대는 사격을 수행하지 않을 경우 닫히도록 설계 되어 있고, 사격하기 위하여 문을 열었더라도 외부에서 잘 식별이 되지 않도록 포 구멍만 조금 열리도록 고안되어 있습니다. 5층에는 레이더 시설을 설치하였습니다.

문제는 외부에서 폭격 시 레이더가 쉽게 파괴될 수 있어 안테나는 열여섯 방향으로 분산 설치하였습니다. 이중 세 개만 작동되어도 정상 가동할 수 있습니다. 그리고 적의 공중 공격과 포격에 대비 하여 50센티미터 다중 철갑으로 된 개폐식 돔으로 만들어져 있습니다. 또한 지하진지를 파괴시키는 벙커 블러스터에 비하여 터널진지는 최소 50미터 이상의 바위벽 두께가 유지되도록 하였습니다. 즉 50미터 이상의 바위가 방호벽 역할을 대신 합니다. 그리고 사격대 터널의 문은 직격탄을 맞아도 비켜나갈 수 있는 각도로 설계하였고, 30센티미터 철판을 10중으로 설치하여 레일건이나 레이저 포를 맞아도 뚫지 못하도록 만들었습니다.

그리고 1층은 외부와의 출입이 가능한 두 개의 출구가 서쪽과 북쪽에

나 있으며, 서쪽 바다 밑에는 잠수함이 접안할 수 있는 터널과 부두를 만들어 두 대의 잠수함이 동시에 접안할 수 있도록 하였습니다. 동시에 중형 함정 두 대, 대형 함정 한 대의 접안도 할 수 있는 부두시설을 만들었습니다. 이 요새 안에서 1년 동안 밖으로 나오지 않고 생활하면서 전투할 수 있는 생활공간과 오락시설 그리고 식생활이 가능하도록 하였습니다. 4층 중앙에는 종합상황실, 3층에는 휴게실과 의료실, 장병들의 침실이, 그리고 3・4층에는 식당이 마련되어 있습니다. 1・2층에는 식량보관소와 각종 장비의 정비실, 발전실, 그리고 부품창고가 위치해 있습니다.

독도에도 똑같은 시설을 설치하였습니다. 다만 섬이 작기 때문에 시설 규모를 울릉도의 절반 정도의 크기로 만들었습니다. 동도와 서도에 동일한 시설을 만들었으며 해저로 상호 연결되어 있습니다. 종합상황실은 동도에 있습니다. 울릉도 상황실에서 상황을 종합적으로 판단할 수 있도록 해저케이블로 연결하여 실시간 영상화하고 통제, 지시할 수 있도록 하였습니다. 현재 공정 진행은 울릉도는 80퍼센트, 독도는 70퍼센트가 완료되었으며, 앞으로 6개월 안에 종료될 예정입니다. 이상으로 브리핑을 마치겠습니다."

"다음은 작전 참모본부의 작전 부대 배치와 작전계획에 대하여 보고가 있겠습니다."

"합참 작전 본부장 장○○ 소장입니다. 지금부터 울릉도・독도 방호를 위한 작전 계획과 부대 배치 현황에 대하여 보고 드리겠습니다. 울릉도・독도 방호계획 명칭을 '강치계획'이라고 명명하였으며 작전명 '합참 작전계획 9999'라고 명칭을 부여하였습니다."

합참작전부장은 작전개념과 울릉도・독도의 협동작전, 해공군의 합동작전, 요새 고수작전 등에 대하여 설명한다. 작전 계획 설명을 마친 뒤 질문을 받는다.

육군총장이 손을 들고 질문한다.

"아이언맨 실전 배치를 어떻게 할 예정입니까?"

"독도 방어대대의 동도와 서도에 각각 10맨씩 배치하여 적 상륙군이 접근할 때 최전방에서 전투를 수행하도록 하겠습니다."

"아이언맨의 지휘는 어떻게 할 예정인가요?"

"아이언 5맨에 대하여 1명의 현역이 지휘하게 되어있습니다. 즉 5맨을 1분 맨이라 하고, 1분 맨에 대해서는 하사 1명이 컴퓨터를 통하여 원격 조종을 하게 되어있습니다. 이 원격 조종하는 하사를 조종맨라 칭하고 이들은 컴퓨터 게임 스타크래프트의 진보 변형인 유니버스 배틀 게임에서 최소한 입상자 이상의 수상경력이 있는 원격 조종의 달인들입니다. 상황실에는 이들 조종맨들의 작전을 모니터하는 소대맨이 있고 여기에 전체 소대의 작전을 보좌해주는 작전병 두 명이 보좌하고 있으며, 상황실장과 독도 지휘관의 작전명령을 이행하고 있습니다."

"그 아이언맨은 지시만 받고 전투를 수행합니까? 아니면 자율전투가 가능합니까?"

"조종맨의 지시만 받습니다. 자율전투 기능이 있다면 해커가 침입하여 조종맨의 의지와 관계없는 상황이 발생할 수 있어 간단하고 단순하게 특별한 프로그래밍에 의한 조종만을 받아들이게 만들었습니다. 그리고 로봇이 자율적인 사고로 전투를 수행한다면 인류에게 커다란 재앙을 가져올 수 있기 때문에 사람에 의한 조종만으로 전투가 가능하도록 소프트웨어에 제한을 두었습니다. 우리 국방부는 인공지능을 가진 로봇 개발에 대한 기본 협약을 지키고 있습니다."

해군총장이 질문한다.

"해군의 레이더 부대와 레이저건과의 작전은 상호 연계가 되고 있습니까?"

"아— 예, 물론입니다. 레일건은 공군에서 운용하고 있지만 공중에 관한 정보는 공군 레이더에서 해상과 수중작전에 관한 적 정보는 해저 레이더에서 받아 작전을 진행합니다. 레일건의 발사 명령은 독도 방어대장이 최종적으로 내리게 되어 있습니다. 물론 그 이전에 합참과의 교감이 이루어지게 됩니다."

공군총장도 스텔스 드론 전투기와 레일건의 작전 관계에 대하여 질문한다. 합참공군작전부장이 이에 대하여 피아식별 절차와 작전 우선순위, 드론 전투기와 지상포와의 교전 순위와 범위에 대하여 답변한다.

합참통합작전부장이 나와서 각 군에서 수행하여야 할 당면과제에 대하여 설명이 끝나자 국방부장관이 마이크를 다시 곧추 잡으며 말한다.

"관련 각 군은 본 계획에 의거하여 최선을 다해주길 바랍니다. 이 방호계획은 공세적 원거리 방호계획입니다. 따라서 사전에 경보가 발령되어 영해 라인 이전 선상에서 적을 격멸시키도록 모든 준비를 해야겠습니다. 그리고 계획된 공정대로 하되 졸속 공사가 되지 않도록 서두르지 말고 마무리하여 부대를 배치하기 바라며 합동훈련도 수행하기 바랍니다. 관련부서에서는 지금까지 진행된 군사적 상황을 요약하여 상부에 보고토록 준비해주시기 바랍니다. 또한 부대 배치 전 삼군 합동 훈련은 통상 훈련에 붙여서 우리가 개발한 무기체계가 노출되지 않게 각별히 보안에 주력하면서 훈련의 목적을 달성하기 바랍니다. 일본뿐만 아니라 우군이라고 생각되는 미군에 대해서도 철저한 보안을 유지하여야 합니다. 다시 한 번 강조하자면 훈련을 하되 우리가 종래에 되풀이하였던 훈련이라고 비추어질 수 있도록 각본과 교전 그리고 용어를 사용해주기 바라고, 각 군은 철저히 대책을 마련하여 합참에서 최종 조율하여 시행해주시기 바랍니다. 이상입니다."

20XX년 오사카와 서울

교토지부장은 아침 일찍 집에서 승용차로 출발하여 오사카 간사이(關西) 공항에 도착한다. 오늘따라 하늘이 맑다. 비행기가 이륙한 지 얼마 되지 않았는데 육지는 아득하게 멀어지고 잠시 바다가 보이더니 또다시 육지가 눈에 들어온다. 한 시간여밖에 걸리지 않는 비행시간 동안 그는 창밖의 발밑에 펼쳐지는 풍광을 말없이 지그시 바라보고 있다. 이렇게 가까운 이웃이 수천 년을 두고 화합하지 못해 싸우고 죽이는 것은 무엇 때문일까? 여러 가지 상념에 잠기어 있다가 문득 승무원들의 착륙 준비 소리에 입국카드를 작성한다. 사업차 한국에 입국하는 것으로 기록한다. 이윽고 항공기는 인천공항에 가볍게 내리더니 보딩브리지를 통하여 수백 명의 승객을 토해낸다. 지부장은 가벼운 슈트케이스를 들고 입국심사를 마친 후 세관을 통과하여 서울역행 전철에 탑승한다. 택시나 자가용을 이용할 수도 있지만 시내에 들어가는 교통편은 아직 전철보다 편하고 빠른 것은 없다.

그는 서울역에 내려서 이번에도 지하철로 갈아탄다. 그가 가고자 하는 곳은 그다지 멀지 않은 곳에 있는 한 의류수출회사다. 그는 종로5가에서 내려 어느 큰 건물에 들어가 '화성물산'이라는 자그마한 간판이 붙어있는 사무실의 출입문을 밀고 들어가며 인사한다. 사무실 안에는 서너 명이 앉아서 일하고 있다. 큰 고객인 그가 들어서며 인사를 하자 사장과 사원들이 일제히 일어나며 답례한다. 화성물산 사장은 얼음이 든 주스 한 잔을 가져다가 지부장에게 주고 잠시 작업실로 들어가더니 여러 의류 견본을 가지고 나온다.

"이 견본들이 사장님이 주문하신 것입니다. 하나씩 찬찬히 살펴보시지요."

지부장에게 살펴보라는 것은 스포츠웨어로 겨울과 다음 봄철에 입을 수 있는 조깅용 옷이다. 겨울에 입을 옷은 지금 여름에 준비해야 한다. 견

본을 유심히 하나씩 살펴본 지부장은 만족스러운 웃음을 띠면서,

"좋습니다. 아주 좋아요. 각각의 샘플에 대하여 2만 장씩 주문하겠으니 계약서를 준비해주십시오. 내일 아침 일찍 오겠습니다."

"예, 알겠습니다. 감사합니다. 내일 아침 열 시에 뵙겠습니다."

"그럼 이만..."

그는 슈트케이스를 오른손에 들고 이번에도 지하철을 타기 위하여 정류장으로 걸어간다. 햇볕이 따갑다. 습한 공기가 그의 뺨을 스치고 지나간다. 버스가 지나가면서 몰고 온 텁텁한 바람이다. 그는 서둘러 지하철로 들어간다. 지하철은 그런 대로 냉방이 되어 있어 견디기가 쉽다. 그는 화장실에 잠깐 들어가더니 재빨리 짙은 청색 남방으로 갈아입고 골프 모자를 쓰고 나선다. 옷을 갈아입고 모자를 쓰니 금세 다른 사람이 된다. 더군다나 지하철을 나가며 선글라스까지 쓰니 방금 전의 모습은 감쪽같이 다른 사람으로 바뀌어 특별히 주의를 기울이지 않으면 알아볼 수 없다. 그는 도보로 수백 미터를 걷더니 남대문의 한 빌딩 중간층에 있는 '○○○기획'이라는 자그마한 간판이 붙어 있는 사무실을 노크하며 들어간다.

"안녕하세요!"

"아, 예. 어서 오십시오. 기다렸습니다. 안으로 들어가시지요."

한 젊은이가 안내한 방은 사면이 봉쇄되고 창문 하나도 없는 딱 막힌 열 평 남짓한 방이다. 이 방에는 책상 두 개 크기의 탁자가 놓여있고 양쪽으로 여섯 개의 의자가 나란히 있다. 한쪽에는 에어컨 바람이 강하게 쏴아 소리를 내며 흘러나오고 있고, 천장엔 사방이 막혀 답답하게 보이는 방을 약한 조명이 게슴츠레 비춘다. 지부장은 으레 그랬다는 듯 아무렇지도 않게 의자에 앉아 가방을 탁자에 올려놓고 기다린다. 이윽고 찬물 한 잔 마실 시간이 지나자 와이셔츠에 넥타이만 맨 장년의 사내가 들어온다. 풍채는 크지 않고 평균키 정도이며 약간 마른 형상에 눈빛이 예사롭지 않다.

하지만 만면에 웃음을 띠면서 인사를 하며 다가와 악수를 청한다.

"여— 지부장님 어서 오세요. 여기까지 직접 오시느라 수고 많았습니다."

"예. 안녕하십니까? 과장님 아주 건강하게 보이십니다그려!"

"그래, 사업도 잘 되어가십니까?"

"예, 그렇습니다. 부업이 본업이 된 것 같습니다. 조금 전에 몇 가지 의류 12만 장을 주문하고 왔습니다. 제 자신을 보호하기에는 최상의 사업인 것 같습니다그려. 하하하"

"예, 다행입니다. 그런데 이렇게 직접 여기까지 와주시니 아주 긴요한 훈령 이행 사항이 있는 것 같습니다."

"예, 그렇습니다. 제 맡은바 소임을 완벽하게 수행하였고 전화나 문서 보고를 하면 문제가 될 사안이라서 아무런 연락도 없이 직접 왔습니다."

"아주 잘 하셨습니다."

지부장은 가방에서 메모지 한 장을 집어내 탁자에 올려놓고, 바지 뒷주머니에서 지갑을 꺼내더니 새끼손가락 3분의 1 정도 크기의 USB를 꺼내 메모지 위에 올려놓으면서

"여기 넉 대의 차량번호와 소속이 적혀 있고, 이 USB에는 이를 뒷받침하는 CCTV 영상이 들어 있습니다."

메모지와 USB를 건네받은 과장은 웃으면서

"대단히 수고하셨습니다. 우리가 원하는 내용을 그렇게 단기간에 파악하다니 놀랍습니다. 수완이 대단하시군요."

"아니요, 별 말씀을... 우리 회사 직원들이 일을 잘하고 있는 것뿐입니다."

"여하튼 사원들이 일 잘하면 그것은 사장이 일을 잘하기 때문이지요. 하하하!"

"잠깐만, 별도로 설명해드리지 않아도 되겠지요?"

"네. 제가 일단 영상을 확인해보고 그때 질문을 드리지요. 여기 앉아

계시지요."

"그러시지요. 여기서 기다리겠습니다."

"예. 금방 확인이 되겠지요?"

"5분도 안 걸릴 겁니다. 관련 차량 앞뒤만 잘라 편집을 하였으니까요."

과장이 USB와 메모지를 들고 나가면서 문을 지그시 닫는다. 지부장은 하릴없이 시계를 쳐다보며 앞으로 해야 할 일을 정리해본다.

'이제 머지않아 본격적인 임무 수행 명령이 떨어지겠지. 차량이 넉 대나 되고 교토 가까이에 나고야와 오사카가 있으니 적어도 한 군데 임무를 나한테 맡기겠지. 그렇다면 어떻게 이 문제를 풀어갈까? 다행히 그 돌덩어리가 별거 아니면 문제가 쉽게 풀릴 수 있겠지만 만약 중대한 이슈가 된다면 이것은 마치 가까운 미래에 전쟁을 한 번 치르는 것과 동일하게 되겠지. 그리고 첩보전이 되겠지. 어쩌면 희생자가 나올 수도 있겠어!'

지부장이 가까운 미래에 대하여 생각하고 있을 때 과장은 만족스러운 웃음을 지으면서 들어온다.

"지부장님 아주 대단히 훌륭한 정보입니다. 이 정보에 따라 우리들의 정보 수집 방향과 첩보 활동이 새롭게 엮어질 것 같습니다. 일단 지부장님은 교토로 돌아가서 기다리시면 새로운 임무가 부여될 것으로 예상됩니다. 내일 가신다고 그랬지요?"

"예, 그렇습니다. 내일 아침 계약을 체결하고 오후에 돌아갈 예정입니다."

"그럼 오늘 저녁은 부장님과 함께하시면 어떻겠습니까?"

"예, 그러지요. 오늘 저녁에 뭐 별다른 일은 없습니다."

"그럼 호텔에 가셔서 쉬고 계시면 저희가 호텔 전화로 식사 장소를 말씀드리고 차를 보내겠습니다."

지부장은 가벼운 마음으로 기획사 사무실을 나오면서 아까 들어올 때와는 반대 출구로 나선다. 아스팔트 지면이 서서히 달아오르고 있고 여러 가지 색깔과 무늬를 넣어 조성한 인도는 이미 뜨거운 열기로 가득하다. 골목길을 통하여 고층 건물 사이에 드리워진 그늘을 밟으며 걸어서 5분 거리에 있는 호텔로 간다. 저녁 회식에 참가한 후 다음날 심 지부장은 오전 늦게 의류 계약을 체결한 후 오후에 항공편으로 다시 일본으로 출국한다.

국가정보원장실

해외 문제에 대한 모든 정보수집과 대책수립 시행의 담당은 제1차장이 맡고 있다. 해외 담당 남대문 지역 최 부장은 제1차장 실, 국장과 함께 어제 교토 심 지부장이 건네준 정보를 토대로 앞으로의 활동에 대하여 방향을 설정한다. 최 부장은 두 쪽짜리 보고서를 만들어 국정원장에게 보고한다. 보고서의 대략적인 주요 내용은 다음과 같았다.

1. 개요: 국무회의 의결에 따라 울릉도 · 독도 근해에서 일본의 활동 내용을 다음과 같이 파악하였고, 앞으로의 첩 · 정보활동 방향에 대한 보고임. 또한 원석의 행방에 관한 정확한 정보를 획득함으로써 일본의 핵 연구소별 첩보활동 전개에 대한 보고임.
2. 울릉도 · 독도 해저에서의 일본 활동: 일본은 대한민국의 영토인 울릉도 · 독도에 침입하여 다음과 같은 불법 활동을 하였음.
   1) 발달된 해저기술을 이용하여 수차례 대한민국의 영토인 해저에서 대륙붕 탐색을 비밀리에 수행함. 여러 광물자원을 채취하고 해양형태와 지질연구를 위한 사진촬영과 지질탐색을 함.
   2) 최근에 이지스함 호위하에 심해에 가라앉아 있는 광석 수 톤을 채취하여 네 개 연구기관으로 이송하였으며, 연구기관은 광석에 포함된 주된 성분을 연구, 분석할 것으로 사료됨.

3) 네 개 연구기관은 오사카 핵 연구소, 대학 연구소 두 곳, 나고야 핵 연구소, 도쿄 핵 연구소임.

3. 대책

1) 연구기관의 광석 분석 결과 파악

(1) 원석에 함유된 광물의 종류와 함유량

(2) 광물의 가치

(3) 광물의 분포도

(4) 광물의 이용 가능성

2) 일본과 동일하게 국책 연구기관에서 광석 채취 및 분석

"다음은 해외담당 각 과장이 첩・정보활동 계획에 대하여 보고 드리겠습니다."

3개 과장이 한 명씩 자신들의 계획을 보고한다.

제1과장 보고 사항.

"먼저 오사카 XX 대학 유학생 함시황을 설득하여 자료를 획득할 예정입니다. 마침 함시황은 같은 연구소 박사과정에 있는 한 여학생과 데이트를 한 경험이 몇 번 있을 정도로 가깝게 지내고 있습니다. 그가 학위 과정을 밟고 있는 대학 연구소에서 연구가 진행될 예정입니다. 그에게 특전을 크게 줄 생각입니다. 그의 집은 그렇게 넉넉한 편이 아니며 학비 또한 일부는 국비가 들어가지만 나머지는 은행에서 빌리고 일부 논을 팔아 충당하고 있습니다.

다음, 오사카 핵물리 연구소에는 0-2를 접선시키겠습니다. 0-2의 나이는 40대 중반이며 혼자 살고 있습니다. 그녀는 일찍이 남편과 사별하고 거의 20여 년을 혼자 살아왔습니다. 그녀는 보험외판 일을 하고 있어 자유롭게 행동할 수 있는 장점이 있습니다. 그리고 오사카 핵물리 연구소에

는 직책이 연구부장이고 1년 전 상처한 교수가 있습니다. 상처의 원인은 교통사고입니다. 그는 아직 재혼을 하지 않고 두 명의 학생 자녀를 돌보며 혼자 살고 있습니다. 0-2를 그에게 접근시키겠습니다."

제2과장 보고사항.

"나고야 핵 연구소에는 N-2를 접촉시키겠습니다. 이 연구소에는 최근 들어 황혼이혼을 하고 막대한 부채에 시달리는 한 교수를 물어보려고 계획하고 있습니다. 그에게 재정지원을 하고 여자의 빈 자리를 채워주면 쉽사리 파악될 것 같습니다. N-2는 마침 핵 연구소의 행정실에서 근무하고 있습니다."

제3과장 보고사항.

"도쿄 핵물리 연구소에는 40대 초반의 여자 물리학 박사가 이 연구에 가담할 예정입니다. 그녀의 단점은 외모에 있습니다. 그녀는 왜소하고 얼굴 또한 젊은이들이 외면하고 있습니다. 그래서 혼기가 훨씬 넘었는데도 아직 미혼입니다. 그에게 T-1을 접속시키겠습니다. T-1은 옛날 일본 여성들이 매우 좋아하였던 배우 '욘사마'와 유사한 외모를 가지고 있습니다. 그도 나이가 그 여성하고 비슷하게 먹었지만 역시 미혼이면서 소기업의 간부로 일하면서 활동을 하고 있습니다. 그래서 우리는 그를 '티사마'라 부르기도 합니다. 아마도 그녀가 기절할지도 모르겠습니다. 이상 보고 드렸습니다."

국정원장이 지시한다.

"정보 수집하느라 정말 수고 많았소. 이제 일본이 우리 영해를 침범해와 원석을 채취해서 과거의 하이드레이트처럼 비밀리에 자국화하려는 과정에 이르렀다고 판단할 수 있겠소. 어떻게 해서라도 연구 결과를 알아내도록 해야 할 것이오. 이를 위하여 가용한 일본 내의 정보망을 총동원하시오."

제1차장 산하 해외국장이 답변한다.

"네, 알겠습니다. 네 개 연구 기관에 대하여 허점을 모두 찾아보면서 우리가 원하는 정보를 수집하겠습니다."

"이것은 국방 분야도 아니고 외교와 관련된 것도 아닌 과학과 교육 분야이기 때문에 조금 수월할 수 있겠지만 일본의 보안 활동이 철저하니 허점을 잘 찾아야 할 것이오."

"예, 잘 알겠습니다. 실무차원에서 극비에 진행하겠습니다."

"이번 프로젝트는 국가 주요 사안이니 내가 좀 더 세부적인 활동을 알아야겠소. 그리고 청와대에 보고할 자료는 한 장으로 압축하도록 하세요."

"예, 그렇게 하겠습니다."

"내일 오전에 청와대에 보고할 예정입니다. 이때 차장과 국장 그리고 내가 배석하겠으며 보고는 부장이 하도록 하세요."

"예, 잘 알겠습니다."

다음날 대통령에게 직접 보고한다. 대통령은 보고를 받은 후,

"한일 간의 소리 없는 전쟁이 시작되었소. 아니, 이미 일본의 침략은 한국전쟁 이후 또다시 시작되었고 지금도 지속되고 있소. 침략 장소와 시발점은 독도이며 이 섬을 점령하려고 일본은 별의별 짓을 다 하고 있소. 한일비밀협정을 악용하고, 자기들의 땅인 양 성대하게 다케시마 행사를 하고, 방위백서와 역사교과서에 독도를 자국 영토로 포함시키고, 자기들 마음대로 독도의 대륙붕을 무단으로 탐사하며, 동해를 일본해로 바꾸어 기록하여 부르고, 이를 뒷받침하기 위한 군비증강, 평화헌법의 무력화를

통하여 우리 독도를 8·15 해방 이후 지속적으로 공격하고 있소. 이제 앞으로 어떠한 형태로 도발이 자행되고 변질될지 예측이 불가능한 지경에 이르렀소. 아마도 최후에는 독도를 무력으로 점령할지 모르는 사태까지 도달하였소. 우리는 음과 양으로 철저하게 대비, 혹은 대처해야 합니다. 과거의 피눈물 나는 과오를 다시는 범하지 말아야 합니다. 첨병에 서 있는 여러분의 분투를 기대합니다. 그리고 온갖 가용 수단을 다 동원하여 이에 필요한 재정, 인적, 물적인 모든 지원이 되도록 해야겠습니다."

일본 문부과학성과 수상 집무실

잠수정이 광석을 채취한 후 3일이 지나자 히데요시 문부과학대신은 최근 '신에너지 프로젝트'라고 명명된 독도, 울릉도 탐색과 광석 채취 결과에 대하여 아직 보고 받은 것이 없어 관련 국장을 불러 자초지종을 보고토록 한다. 관련 국장은 즉각 문서를 정리하여 한 장짜리 보고서를 만들어 문부과학성대신의 집무실에 들어가 보고한다.

"대신님, 간단하게 진행 사항을 요약하였습니다. 이 요약지를 보시면 궁금하신 것이 모두 풀릴 것이라 생각됩니다."

"그래요, 지금까지 경과를 설명해주시지요."

국장은 잠수정이 작업을 성공적으로 수행하여 네 곳의 연구기관에 원석을 넘겨주었으며 당시의 군 출동태세도 곁들여서 보고한다. 그리고 각 연구기관에서 광석을 이상 없이 받았고 연구에 돌입하였다는 보고 문서를 받았다고 추가로 보고한다.

"아! 대단히 수고하였습니다. 그래, 연구 결과는 언제나 알 수 있을까요?"

"글쎄... 제가 학자가 아니라 정확히 말씀드릴 수 없지만 적어도 6개월 이상 걸릴 것이라고 하였습니다. 그런데 만약에 그 광석이 지금까지 알려진 적이 없는 특별한 광석이라면 기간은 더욱 소요될 것이라고 연구교수들이 이구동성으로 예측하였습니다."

"잘 알겠습니다. 이러한 진행사항을 한 장으로 작성하여 수상께 보고를 올려야겠습니다. 보고는 국장이 직접 하시지요. 그리고 연구는 우리가 생각하는 방향대로 이루어지고 있는지요? 연구 지침도 각 연구실에 하달하였지요?"

"하이! 내일이라도 당장 보고할 수 있도록 준비하여 기다리겠습니다. 각 연구실에 지시한 연구 방향 지침에 대해서는 1차로 작성한 연구 결과 보고서를 토대로 의문사항을 해결하는 방향으로 내렸기 때문에 연구 결과를 직접 국정에 반영할 수 있을 것으로 생각됩니다."

"그럼 내일 수상님과의 대면보고 시간을 잡도록 하겠습니다. 수상께서 바쁘지 않다면 아침에 보고 드리는 것이 좋겠습니다. 아참! 연구비는 넉넉히 지원하였겠지요?"

"예! 전반기에 일부, 후반기에 나머지 전부를 반영하였습니다."

"집중 지원하여 조기에 마무리될 수 있도록 하세요. 그리고 또 보안 문제인데요. 우리 일본인 학자나 연구원을 제외하고 어떠한 외국인도 연구에 참여하지 못하도록 하여야 합니다. 이미 조치하였겠지요?"

"예. 그 문제도 각 연구기관에 철저히 당부하였습니다."

"만약 이 계획이 누설되면 우리가 상당히 곤경에 처하게 될 것이며 신에너지 프로젝트가 무산될 수 있습니다. 국장은 공안청과 협조하여 보안 유지가 잘 되도록 하여야겠습니다."

"하이! 그 문제는 아직 공안청에 협조가 안 된 사항입니다. 당장 보호 조치가 되도록 하겠습니다."

문부과학대신은 자신의 비서실장을 불러 수상 비서실과 보고 시간을 사전에 조율한다. 국장은 두 가지 일을 즉각 수행한다. 수상에게 보고할 자료를 만들고, 공안청에 네 개의 연구기관을 보호해달라는 협조문을 작성한다. 그리고 직접 공안청의 실무국장을 만나 협조문을 보내기 전 현 상황에 대하여 브리핑한다.

다음날 수상을 만나 문부과학성 국장은 대신이 배속한 가운데 현 상황에 대하여 앞으로의 전망과 대책을 직접 브리핑한다. 이 보고서에는 다음과 같은 전망과 대책 사항이 포함되어 있다.

미래의 전망, 대책

1. 원석 확보를 위하여 다케시마(독도)에 대한 영토주권을 계속 주장하며 영토 편입을 위한 관련 준비를 한다.
2. 한국의 반응에 관계없이 국제사법재판소에 다케시마 영토분쟁에 관하여 제소한다.
3. 한국의 현 다케시마 점유를 인정하지 않으며 유사시 우월한 군사력으로 점령한다.
4. 필요시 한일협약을 파기한다.

수상은 문부과학성 국장의 브리핑을 듣고 미래의 신에너지 대책에 대하여 아래와 같이 각 관련 부서가 준비하도록 한다.

1. 다케시마를 확보하기 위하여 어떠한 노력이라도 수행할 것.
2. 외무성, 국방성, 과학성, 정보기관, 공안청 등 관련 부처는 신에너지 프로젝트에 관한 모든 정책에 적극 협조할 것.
3. 모든 첩보기관과 정보기관은 한국의 동향을 적극 파악한다. 그리고 북한에 대한 정보 수집을 남한으로 돌려 집중하고, 공안청은 신에너지 정책을 보호하기 위한 보안업무를 수행할 것.

4. 국방성은 다케시마 점령을 위한 단기전 계획을 수립하고 준비할 것.
5. 재무성은 모든 관련 예산을 편성, 집행할 것.

보고에 배석한 문부과학대신은 수상의 지시와 대책사항을 들으면서 전율을 느낀다. 왜냐하면 한국과 전쟁도 불사하겠다는 수상의 결의에 찬 의지가 엿보이며, 전쟁이 발생할 가능성과 빌미를 자신이 던지고 있고, 그리고 앞으로 발생할 모든 예상 사태에 대하여 자신이 책임질 일이 문득 뇌리를 스치기 때문이다. 그리고 태평양전쟁과 중일전쟁의 발발 동기와 역사의 교훈을 연결하여 생각해본다.

"저, 수상각하. 이런 협조 사항이 많은 정책 수행은 모든 각료를 소집하여 재강조하는 것이 합당하다고 생각됩니다만......"

수상은 문부과학대신을 힐끗 쳐다보며 별일 아니라는 투로

"그리합시다. 내일 전 각료를 소집하여 이 신에너지 정책에 대하여 전 각료가 알고 협조하도록 하여야겠지요. 기왕 내친 김에 문부과학성에서 전 각료에게 소집령을 내리고 회의 안건을 올리도록 하시오."

"하이! 잘 알겠습니다."

두 사람은 수상실을 나와 비서실장을 찾으며 수상의 지시를 전한다. 비서실장은 즉시 각료회의 소집령을 내린다. 다음날 수상의 지시에 의한 각료회의는 극비에 진행된다. 문부과학성이 주축이 되어 신에너지 정책에 대한 브리핑을 하고 각 각료가 수행하고 협조해야 할 대책 사항을 조정한다. 브리핑이 끝나자 탁자 앞에 앉아 말없이 듣고 있던 수상이 일어나서 마이크를 잡으며 훈시 겸 연설을 한다.

"각료 여러분! 신에너지 프로젝트는 우리 일본의 사활이 달린 문제이기도 합니다. 2011년 3월에 일어난 후쿠시마 사건과 20XX년에 발생한 2차 간토대지진, 대화재 사건, 2차 고베대지진을 우리는 잊을 수가 없습니다.

그 후 우리는 안전하고 값싼 에너지를 찾으려고 백방으로 노력하였습니다. 이제 그 긴 항해와 방황이 끝날 것 같습니다. 소량의 원석을 분석하였지만 제1차 실험 분석 결과 우리가 그토록 원하였던 신에너지원을 찾은 것입니다. 하지만 불행하게도 그 에너지가 백 년 넘게 영토분쟁을 계속하고 있는 다케시마 근해에 무진장 매장되어 있는 것으로 추정하고 있습니다. 이제 최근에 제2차 실험을 분석하고 있고 광석의 분포도 또한 완성단계에 있습니다. 아직 확정적이지는 않지만 지금까지의 연구 결과에 의하면 꿈의 에너지가 될 것으로 생각됩니다.

특별한 에너지원이 없는 우리로서는 이 에너지를 어떠한 일이 있더라도 확보해야 할 것입니다. 전 각료는 각자 할 일을 잊지 말고 올해 안에 완료해주기를 바라고, 협조해야 할 부서는 내가 먼저 나서서 착안하여 한 치의 오차도 없도록 실행해주실 것을 당부합니다. 마지막으로 그 자원이 어디에 있든 우리는 반드시 쟁취할 것입니다."

첩보 전쟁

일본 오사카 XX 대학 연구소

장마가 시작되니 폭염이 조금 시들해진다. 하지만 오사카의 여름은 질식할 정도로 후덥지근하다. 비가 자주 오니 직사광선만 약간 누그러졌을 뿐 오히려 습도가 높아져 밖에 서 있으면 땀이 등줄기에 흘러내린다. 그렇지만 연구실과 강의실은 에어컨디셔너 덕분에 시원하여 공부하기에는 별문제가 없다. 오전 강의가 끝나고 점심시간이 되자 대학원 박사과정에 유학 온 함시황은 홀로 강의실을 나온다. 대학교와 대학원이 같이 이용하는 구내식당은 점심식사를 하려는 학생과 교수들로 북적거린다. 함시황이 줄을 서자마자 뒤에서 가볍게 부르는 소리가 들린다.

"하무 상, 빨리 왔네요."

함시황이 몸을 돌리면서 바라보니 언제 따라왔는지 같은 박사과정을 밟고 있는 학우 미우(美海)가 바로 뒤에 가볍게 미소 지으며 서 있다. 그녀는 연구실에서 함시황의 옆 자리에 앉아 연구를 하고 있는 박사과정 동료다. 오늘은 잠깐 자료 수집 차 다른 연구 병동에 가느라 같이 식당에 오지 못한 것이다.

"아— 예. 이리 앞으로 오세요."

함시황은 자신 앞줄에 그녀를 세운다. 미우(美海)라는 이름은 '아름다운 바다'라는 한자 그대로 해석하여, 이름처럼 큰 키에 얼굴이 예쁘며 성격도 좋아 동료들 사이에서 인기가 제일 많다.

"오늘 메뉴가 뭐예요?"

"소바와 데리야키네요."

"아. 소바와 데리야키를 섞어먹으면 맛있겠네요. 그렇지요?"

"그 그렇지요."

미우는 배식구에 앞서 다가가 젓가락과 숟가락을 골라 함시황의 식판과 자신의 식판에 올려놓는다. 함시황은 고개를 끄덕이며 가볍게 고맙다는 인사를 한다. 음식을 먼저 받아든 미우가 잠시 기다리다가 함시황이 음식을 받아들자 미리 어디에 앉을까 살펴본 그녀가 앞장서며 건물 밖이 바라다 보이는 창문 쪽에 선다.

"여기 어때요?"

"좋아요!"

함시황은 가볍게 말하며 미우를 마주보고 앉는다.

"맛있게 드세요."

"예. 미우 씨도!"

두 사람은 음식을 먹느라 잠시 말은 하지 않지만 마주하고 앉아 서로 얼굴을 쳐다보며 눈빛을 교환한다. 미우가 말없이 음식을 몇 번 떠 넣고 다 씹어 삼키면서 먼저 말을 잇는다.

"저, 하무 상! 오늘 매우 실망하셨지요?"

"아 예 예 그 그... 그렇지요."

"제가 봐도 너무한 것 같아요. 학문이란 국가나 이념을 떠나 순수해야 하지 않나요?"

"그렇지요. 그게 맞는 말이고 사실이지만 때로는 그럴 수도 있을 것이라 이해하고 단념하고 있어요."

"하무 상은 이해심이 많네요. 나 같으면 실망해서 실컷 욕이라도 할 것 같은데."

"욕해서 뭐해요. 나만 스트레스 쌓이고 내가 뭐라고 항의를 하고, 나도 참가하게 해달라고 하여도 유학생에 대한 정책은 변함이 없을 것인데. 아예 포기하는 것이 정신적으로 낫지 않을까요?"

"하긴 그건 그래요. 그렇게 생각하면 속이 편하겠지요. 그렇지만 수업료는 더 많이 내면서 연구 활동은 차별받는 것이 마음에 계속 걸려 있겠지요?"

"그래서 그 대책으로 연구소에서 발표한 여러 가지 귀중한 논문과 관련 문서를 내 개인적인 지식으로 완전히 습득하려고 생각하고 있어요."

"아! 그것도 참 좋은 생각이네요. 하무 상은 역시 다르네요."

"나만 제외된 것이 아니라 미국, 중국 학생도 제외되었지요."

"아! 그렇지요? 우리 박사과정에 외국인이 세 명이지요."

"그런데 무슨 연구 과제인데 외국인 학생만 제외되었을까요?"

"저도 아직 모르겠어요. 아마 내일부터나 정식으로 연구에 참가할 테니까 그때 가서야 알 수 있겠지요. 염려 마세요. 연구 경과와 결과를 귀띔해줄 테니까요."

"아, 아니요. 아마도 연구 경과와 결과를 철저히 함구하라는 엄명이 나올 거예요. 왜냐하면 외국인 학생을 배제하는 이유가 바로 그것이니까요. 괜히 나한테 동정심으로 말해주다가는 귀찮은 일에 휩쓸릴 수도 있을 거예요. 나는 미우가 사소하게 연구 내용을 발설하다가 복잡한 일에 얽히게 하고 싶지 않아요."

"알았어요. 고마워요. 나를 생각해주셔서."

"저... 미우 씨 오늘 저녁에 시간 있으세요?"

"왜요? 뭐하게요?"

"모처럼 연구 과제에서 떠나 머리 좀 식히면 어떨까 해서요."

"그래요! 좋아요. 그럼 어디로 갈까요?"

"우리 도톤보리에 가서 라면 먹고 맥주 맛보면 어떨까요?"

"좋아요, 좋아! 맥주로 이 더위를 잊어버려요. 날려버려요."

두 사람은 오후 다섯 시가 되자 연구실에서 나와 낮에 약속한 대로 지하철을 향하여 발걸음을 옮긴다. 아직도 해가 수평선 높게 걸려 있다. 한여름의 긴 해는 오후 다섯 시가 되었는데도 뜨거운 열기를 푹푹 뿜어낸다. 다행히 연속적으로 늘어진 높고 큰 빌딩이 태양의 직사를 피할 수 있는 그림자를 오가는 사람들에게 선물로 안겨주고 있다. 지하철은 그래도 바깥보다는 시원하지만 퇴근시간인지라 꽉 찬 인파로 인하여 대합실과 객실 안의 열기는 하루 종일 굉음을 내면서 돌아가는 에어컨디셔너와 선풍기의 노력을 무색하게 만든다. 두 사람은 도톤보리 역에서 내려 지상으로 올라간다. 소형차 한두 대 겨우 교행할 수 있는 길거리에 인파가 넘쳐난다. 길 양쪽에는 온갖 물품이 넘쳐나고 호객꾼들의 떠들썩한 목소리와 가게 선전, 그리고 음악소리가 한층 더 북적거리고 행인들의 마음을 들뜨게 만든다.

두 사람은 마치 오래된 연인이나 된 듯이 인파 속에 묻히자 서로 놓칠까 봐 두 손을 잡는다. 잡은 두 손에 힘이 들어간다. 누구 손인지는 모르지만 긴장한 듯 땀이 나기 시작한다. 더워서 난 땀은 아니다. 두 남녀는 이곳저곳을 기웃거리며 진열된 물건들을 바라보고 흥미로운 물건이 있을 경우에는 신기한 듯이 살펴보곤 한다. 도톤보리 수로와 나란히 있는 도로에 들어서니 오사카의 특산물인 타코야키(문어풀빵) 가게에 긴 줄이 늘어서 있다. 미우가 줄을 서더니 타코야키를 한 봉지 산다. 그리고 한 개를 꺼내들더니 함시황 앞에 내민다.

"하무 상 이것 뭔지 아세요?"

"글쎄요. 그것 풀빵 같은데, 뭐 우리나라의 호두과자 같아요."

"하무 상! 이것을 '타코야키'라 하는데 여기 이 안에 문어 살을 넣고 구워낸 거예요."

그녀는 타코야키를 갈라서 그 안에 들어있는 문어 다리 조각을 보여주더니 입속으로 쏙 집어넣는다. 그러더니 봉투에서 다시 하나를 꺼내어 함시황에게 건넨다.

"이거요. 먹어보세요. 맛있어요."

함시황은 미우가 내미는 빵을 그대로 입으로 받아먹는다.

"아! 이거 우리나라의 호두과자 빵 꼭 그거네! 속만 다르고..."

"아! 한국도 이런 것 있어요?"

"예. 우리는 호두과자라고 해요. 문어대신 호두열매를 넣는데 정말 맛있지요. 그리고 붕어빵이라는 것도 있어요."

"아하! 그렇군요. 두 나라의 먹거리 문화가 이웃이라서 비슷하지요?"

"그럼요. 원래 태생이 같은 출신이고 많은 사람과 문화가 유사 이래 한반도에서 건너왔다고 그러지요? 더군다나 강점기 시대에는 거꾸로 일본 문화가 일부 들어와 여러 문화, 그러니까 의상이나 먹거리, 일상생활 용어 등이 유사하거나 혹은 같게 된 점이 많이 있지요. 특히 일본말을 강제로 사용하게 하고 일본어를 국어로 사용토록 하였기 때문에 과거 한국말에는 일본어의 잔재가 많이 남아 있었답니다. 일본 강점기의 영향을 받았던 세대는 곧잘 일본어를 섞어 쓰기도 하였지요. 몇 세대가 지난 지금은 거의 사라졌지만......"

"그런 역사적인 배경도 있었나요?"

"아, 그럼요. 일본에서는 어떻게 가르치는지 모르겠으나, 알고 보면 한국인과 일본인의 뿌리가 같고 유전자의 85퍼센트가 동일하다고 하잖아요.

그리고 역사교육도 과거 식민지배에 대하여 정당화하는 방향으로 젊은 사람들에게 교육하고 있다던데...... 여하튼 한국은 일본을 선의의 경쟁상대로 귀중한 이웃으로 생각하고 있는데 일본인의 상당수는 그렇게 인식하고 있지 않은가 봐요."

"오호, 그래요? 그러니깐 이웃사촌인데 서로 다른 생각을 품고 있다는 것이지요?"

"그런 셈이지요. 사실 인류는 따지고 보면 다 같은 조상을 두고 있다고 하지 않아요? 요즈음에 발견된 화석을 분석해보면 아프리카와 아시아에서 동시다발적으로 인류가 진화하였다는 동시다발 진화설이 힘을 받고 있어요. 여하튼 인류의 조상은 같은데, 반드시 그런 것은 아니지만 삶이란 투쟁의 연속성으로 내가 살기 위하여 경쟁자를 억눌러야 하는 것이 본능이 되어버린 것이지요. 동물들의 탄생과 생육과정을 살펴보면 우리 인간도 미루어 짐작할 수 있지요."

"이제 딱딱하고 우리에게 별 필요 없는 이야기 그만해요. 하무 상 우리 리버크루즈 타요!"

"리버 크루즈? 그게 뭐예요?"

"헤헤― 하무 상 나만 따라와요."

미우는 앞장서서 계단을 통해 내려가더니 배가 접안해 있는 탑승장 쪽으로 잰걸음하며 손을 뒤로 내밀고 흔든다. 함시황이 성큼성큼 따라잡으며 그녀의 손을 잡고 나란히 걷는다. 하상 좌우를 복개한 시멘트 길을 따라 몇 분 걸어가니 배가 보이고 일부 승객이 나란히 놓인 나무의자에 앉아 있다. 미우가 탑승권을 사서 검표원에게 내밀고, 두 사람은 배 앞에 앉는다. 잠시 후 도시 건물 사이로 난 수로를 따라 배가 움직여 나가기 시작한다. 배는 빌딩과 집 사이로 잔잔한 수로를 출렁이지 않고 잘도 미끄러져 나간다. 두 사람의 머리카락이 허공으로 휘날린다. 습한 공기가 귓전을 때리고 지나치지만 기분만은 좋다. 함시황의 한 손이 언제부터인지 미우의 한쪽 어깨에 올라가 그녀를 껴안듯이 하고 있다. 그녀가 스스로 함시황의 손을 잡아 자기 어깨로 올려놓는다.

시간이 얼마간 지나자 함시황은 어색한 마음이 앞서 손을 내리려 하자 그녀는 눈을 약간 흘기며 다시 어깨 위에 잡아 올려놓는다. 그녀는 그 자세 그대로 앉아서 수로 좌우에 많은 인파를 향하여 손을 흔들어준다. 수로 좌우로 평행하게 이어진 거리에는 데이트하는 남녀 관광객으로 넘쳐나고, 모두들 스쳐지나가는 배를 한 번씩 고개를 돌려 쳐다본다. 20여 분을 그렇게 '은하'라고 일컫는 수로를 이리저리 다니더니 다시 원점으로 돌아온다.

"하무 상! 어때요?"

"아, 좋아요. 멋있는 데이트네요."

"하무 상 우리 이제 저녁 먹으러 가요. 라면 어때요?"

"저녁을 라면으로 때워도 되겠어요?

"가보시면 알게 돼요. 하무 상이 좋아할 기무치가 있고요, 밥도 주어요."

"아하, 그래요? 그러면 조오치요. 하하하."

"여기 도톤보리에는 여러 개의 라면집이 있는데 한두 군데 식당에서만 기무치를 주고 있어요."

"배가 고파오는데 빨리 가봅시다."

그녀는 자동 식권 발권기 앞에 서더니 1,000엔짜리 지폐 두 장을 넣고 식권 두 장을 끊어온다. 그리고 식권을 판매원에게 넘겨주자 판매원은 식권을 절반으로 잘라 그녀에게 돌려준다. 잘라진 양쪽 절반 부분에 번호가 새겨져 있다. 일종의 번호표다. 그녀는 함시황에게 빈자리를 가리키며 앉아 있으라고 하더니 한쪽에 자리 잡고 있는 식기통에서 젓가락과 숟가락을 두 개씩 챙긴다. 바로 옆에 놓인 김치통에서 김치를 접시에 덜고, 전기밥통에서 한 그릇을 퍼와 식탁에 올려놓으며 자신도 함시황과 마주 앉는다.

"하무 상! 이 기무치 한번 먹어보세요. 맛있을 거예요."

"아, 예. 맛있게 보이네요."

함시황은 젓가락을 들어 밥을 조금 입에 넣고 이번에는 김치를 한 가닥 잡아 입을 크게 벌리고 넣어 먹어본다. 일본인이 만든 김치치곤 그런대로 맛이 난다.

"아! 맛있네요. 맛 괜찮은데요? 라면하고 먹으면 딱 맞겠어요."

함시황이 맛있다고 말하고 만족한 표정을 지으니 미우는 자신이 선택을 잘하였다고 더불어 좋아한다.

"저, 하무 상. 도톤보리 운하에 대하여 알고 있나요?"

"아니! 사실 난 여기 오늘 처음 왔고 그동안 말로만 들었지 이런 곳이 있다는 것을 전혀 몰랐어요."

"내가 잘 데리고 왔네요. 호호호. 도톤보리 운하는 지금으로부터 약 사오백 년 전 '도톤후리'라는 사람이 곡식을 나르려고 개발한 운하랍니다. 당시 이곳은 습지라서 우마차로 나르기에는 조건이 너무 좋지 않아 여러 갈래 이곳저곳 중구난방으로 나 있는 조그마한 수로를 정비하여, 바다에서 육지까지 배로 물품을 운반할 수 있도록 한 데서 유래되었다고 해요. 도톤후리가 나중에 도톤보리가 되었대요."

"아! 그런 뒷이야기가 있었군요. 그럼 이곳이 당시에는 육지가 아닌 수로가 아무렇게나 나 있는 습지였겠군요."

"그렇지요. 깊은 수로가 없이 거의 하상과 같아진 좁은 수로를 가진 강이었지요."

이야기하던 중 라면이 나왔다고 종업원이 번호를 부른다.

"여기 앉아 계세요. 내가 갈 테니까."

"아니! 같이 가요."

함시황도 따라 일어난다. 두 사람은 라면을 받아와 밥과 함께 먹는다.

오래간만에 먹는 라면과 김치, 그리고 국물에 밥을 말아 김치를 감싸서 먹으니 맛이 쏠쏠하다. 가을철 어머니가 이웃과 함께 김장을 하여 땅속 항아리에 넣고 숙성시킨 김치가 몹씬 생각난다.

"야— 맛있네요, 미우 씨!"

맛있다는 말에 그녀는 만족하며 미소를 띤다. 식사를 마치고 식기를 정리한 다음 밖으로 나오니 아직도 한여름 날 석양의 꼬리가 길어 어둠이 완전히 잠식하지 않았다. 한낮의 폭염은 누그러졌지만 텁텁한 공기는 마찬가지다. 현란한 네온사인 빛이 손님들의 마음을 잡아끈다.

"하무 상, 우리 맥주 한 잔 할래요?"

"그럴까요? 딱 한 잔만 하지요. 배가 불러요."

"그래요. 우리 이 집에 들어가요."

"미우 씨! 이번에는 내가 살게, 얻어만 먹으니까 미안하네요."

"미안해하지 말아요. 다음에 내면 되잖아요."

"어찌하든 이번에는 내가 냅니다."

두 사람은 맥주 한 캔에 간단한 마른안주를 주문해 마신다. 맥주보다 당장 시원한 에어컨이 그들의 땀을 식혀준다. 두 사람은 박사과정에서 일어나는 여러 가지 문제에 대하여 의견을 주고받으니 어느덧 시간이 깊어진다. 미우가 가방을 챙긴다.

"하무 상! 우리 일어나요. 이제 집에 가요."

"그럽시다. 시간이 꽤 되었네요. 내일도 연구실에 나가야 하니 이제 집에 들어가 좀 쉬었다 나와야지요."

"하무 상, 오늘 좋은 시간 보내게 해주어서 고마워요."

"하이! 내일 연구실에서 봐요."

두 사람은 전철을 타고 가다가 중간에서 미우가 인사를 하며 먼저 내린다. 함시황은 몇 정거장을 더 지나야 한다. 함시황은 다가오는 미우가 좋았다. 아니 갈수록 정이 들고 있음을 느낀다. 미우는 이름처럼 실제 빼어나게 예쁘지는 않지만 그래도 상당한 미녀 축에 든다고 할 수 있고 한편으로는 귀여운 상이다. 실제 그녀의 행동도 오늘 데이트에서 본 것처럼 적극적이며, 박사학위 과정을 밟고 있는 만큼 머리도 좋아 보인다.

외국 여자, 더구나 일본 여자를 사랑하게 된다는 것이 이전에는 먼 나라의 일이요, 남의 일처럼 생각되었다. 그리고 생활 모든 면에서 일이 상당히 복잡하고 커질 것 같아 보였다. 그러나 생각보다 그렇진 않고 자신이 이제 그 상황에 놓이니 자신감이 생기기도 한다. 하지만 남의 나라에 와 비싼 수업료를 내면서 언어 장벽을 넘어 박사과정 공부에 전념해야 한다. 그리고 이성 문제는 나중에 박사학위를 받고 천천히 도모해도 문제없을 것이라는 생각이 앞선다. 철부지 어린아이도 아니니 다음에도 미우와의 관계 유지를 이 정도의 수준에서 끝내야겠다고 다짐한다. 하지만 그녀의 모습이 자꾸 머릿속에 그려지는 것을 자신이 막아내지 못하고 있음 또한 알고 있다.

다음날, 토요일이지만 함시황은 평상시처럼 일어나 식사를 준비한다. 식사라야 간단한 채소죽과 한국의 청국장과 유사하나 냄새가 덜 나는 낫토가 전부다. 가끔씩 저렴한 바나나와 오렌지 같은 수입과일을 곁들여 먹기도 한다. 채소죽은 일주일 먹을 것을 주말에 한 번에 만들어놓고 한 끼에 먹을 수 있는 양으로 나누어 냉장고에 얼려서 넣어 두었다가 해동하여 먹는다. 음식을 만들어 얼렸다가 나중에 전자레인지에 데워 먹으면 돈을 절약할 수 있는 가장 좋은 방법이지만 몸에는 그다지 좋지 않을 것이라는 생각이 들기도 한다. 그의 숙소는 네 평 남짓하다.

네 평 안에는 몸을 딱 하나 누일 수 있는 싱글침대, 자그마한 냉장고, 발끝 벽에 부착된 자그마한 티브이, 작은 창에서 윙— 소리를 내고 있는 에어컨디셔너, 밖을 내다볼 수 있고 환기도 시킬 수 있는 작은 창문, 딱 한 사람이 앉아 일을 볼 수 있는 화장실, 역시 한 사람이 서서 벽에 붙어 있는 꼭지에서 내려붓는 물로 간신히 몸을 씻어낼 수 있는 샤워시설이 두꺼운 비닐 한 장으로 경계를 지어서 나란히 붙어있다. 주방시설은 편평한 도마를 올려놓고 식재료를 다룰 수 있는 작은 요리대, 먹은 그릇이나 채소를 씻을 수 있는 자그마한 싱크대 하나가 있을 뿐이다.

서너 평의 좁은 공간에 꼭 필요한 물품만이라도 넣어두도록 공간을 확보해야 하니 침대나 세면대 밑 그리고 샤워장의 빈 공간을 최대로 활용했다. 거기에 자그마한 벽장이나 서랍을 만들어 여러 가지 생활용품이나 옷을 넣을 수 있도록 만들었다. 한마디로 압축된 형태의 빌딩 숲에 던져진 찍찍한 정글 같은 질척이는 주거공간이다. 이 정도의 주거도 비용은 만만치 않다. 부자나라 일본이지만 도시에 사는 보통사람들의 삶은 힘겹기는 매한가지다. 하루 종일 일하여 벌어들이는 돈하고 먹고 사는 데 필요한 돈의 차이가 얼마 나지 않는다.

마치 죄수들이 묵는 감방에 밀고 닫는 출입문 하나 달아놓은 것 같은 공간으로부터 해방이나 된 듯이 아침이면 튀어나와 향하는 그의 연구소는 숙소에서 1킬로미터 남짓 가까운 거리에 있다. 지척거리인지라 출근할 때 전철이나 버스를 타지 않고 걸어서 다닌다. 가을이나 겨울철 날이 좋을 때는 걷기에 별문제가 없지만, 여름에는 비도 많이 오고 습도도 높고 땡볕이 아침부터 머리 위에 솟아오르기 때문에 출근을 하고나면 온통 땀에 젖어 목욕을 해야 할 정도다. 그래서 여름에는 해가 직사광선으로 돋기 전에 빌딩이 드리우는 긴 그늘을 찾아다니며 출근한다. 비가 많이 쏟아지면 출퇴근할 때는 매우 성가시다. 우산을 써도 억척같은 빗발이 무릎 위까지 젖게 만든다.

함시황은 여느 때처럼 걸어서 출근하여 정문에서 수위에게 출입증을 보여주고 연구소 병동으로 향한다. 연구소 병동에 들어가려면 세 가지 출입 통제 장치인 음성인식, 지문인식, 그리고 홍채인식 기계를 차례로 통과하여야 한다. 따라서 외부인은 건물 일부를 부수거나 폭파하기 전에는 건물 안으로 들어갈 수 없는 철통 보안장치가 강구되어 있다. 각 연구실 방마다 역시 숫자로 암호화된 잠금장치가 되어 있어 아예 첩보영화 같이 침투하거나 비밀을 훔쳐내는 행위는 생각할 수도 없다. 더더구나 각 연구원들의 컴퓨터는 인터넷이 차단되어 있고, 별도의 장소에서만 인터넷을 사용하도록 되어있기 때문에 침투나 해킹에 의하여 연구 결과나 비밀 자료의 열람, 도용을 원천적으로 차단하고 있다.

함시황은 3층에 있는 연구실의 자기 방에 들어가 연구 자료와 퍼스널 컴퓨터가 들어 있는 가방을 책상에 올려놓는다. 잠시 오늘 할 일을 정리하고 숨을 고르기 위하여 의자에 앉는다. 아직 다른 동료 연구원은 오지 않았다. 개인 컴퓨터를 전원에 연결하고 오늘의 연구 방향을 생각하며 자료를 정리하고 있는 중에 미우가 들어온다.

"하이! 미우 씨 어서 와요. 간밤에 잠은 잘 잤나요?"

"하이! 안녕 하무 상! 일찍 왔네요. 밤잠은 잘 잤지요. 나야 좋은 집 좋은 방에서 지내고 엄마가 해주시는 밥 먹고 출근하니까 언제나 좋지요."

"아하, 그래요! 아침부터 찜통인데도 더위를 못 느끼고 있군요."

"에어컨 되는 차로 출퇴근하니깐 더위를 느낄 사이가 없지요."

"글쎄, 그렇겠네요. 그렇지만 건강에는 좋은 상황이 아니라고 생각해요."

"그래서 난 일주일에 세 번씩은 저녁에 조깅을 하고 있지요."

"아하! 그것 참 잘하고 있는 건강관리 방법이네요."

두 사람이 이런 대화를 나누고 있는 사이 나머지 연구원이 속속 출근한다. 그들은 연구실에 들어오면서 인사를 하며 각자 제자리에 앉아 연구 준비를 한다.

각자 개인 정리를 하며 앉아있자 박사과정 지도교수 중에서 행정을 담당하는 교수가 들어와서 인사를 나누더니 외국인 학생 세 명을 별도로 보자고 한다. 외국인 학생은 함시황과 미국인, 중국인 각 한 명씩 세 명이다. 이 과정으로 박사학위를 받기 위해 공부와 연구를 하고 있다. 세 사람은 교수가 앞장서 인도하는 응접실로 들어가서 각자 의자에 앉으니 교수가 차를 주문한다. 잠시 후 주문한 차가 나오자 교수는 침묵을 깬다.

"자! 이열치열이라고 뜨거운 국화차를 한 잔 마시면 이 더위에 오히려 속이 시원해질 겁니다. 뜨거우니까 후후 불면서 드세요."

뜨거운 물에 국화차가 녹아들자 향기가 코로 물씬 올라온다. 모두들 열기가 가시기를 기다리며 푸푸 입으로 바람을 불어 식힌다. 국화차가 어느 정도 식었다고 생각하자 한 모금을 입술에 머금어본다. 다 식지 않은 뜨거움과 아릿하지만 알 수 없는 미지의 맛이 향기와 더불어 미각을 자극한다. 아직은 조금 더 시간이 가야 한다.

"에에— 조또! 어제 여러분께 개인적으로 통보하였지만 여러분을 오늘 이렇게 별도로 부른 것은 다름이 아니라, 우리의 연구 활동을 일정 기간 동안만 여러분 스스로 진행하라는 것입니다. 연구소의 모든 직원이 지금까지 진행해온 우리의 연구와는 다른 연구를 당분간 수행해야 할 일이 생겼습니다. 그래서 우리 지도교수들이 여러분의 학위논문 과정에 지도해줄 수 있는 시간을 가질 수 없게 되었습니다. 대신 그동안 우리 연구소에서 연구하였지만 아직 발표는 하지 않고 발표 예정에 있는 몇 가지 논문을 드릴 것이니, 그것을 참조하여 주어진 과제를 연구하는 데 활용해주시기 바랍니다. 원래 그 논문들은 학생들에게 공개하지 않은 새로운 이론입니다. 그러나 여러분은 특수한 상황에 처하여 있기 때문에 우리 교수회의에서 이번만 공개하기로 결정하였습니다. 즉 논문지도 대신에 그 논문을 보는 것을 지도라고 생각하시면 되겠습니다. 다만 그 논문을 그대로 베끼지 말고 참고를 해주시기 바랍니다."

세 사람은 할 말이 많았지만 학교 당국의 조치에 따를 수밖에 없다. 서운한 표정을 지으면서도 한편 단념하는 태도를 보이며 자신들의 연구 과제에 대하여 의견을 주고받는다. 이 연구소에서 연구하고 있는 주제는 '물질의 핵 구조와 열역학 간의 상관관계 규명'으로 기초 물리학 분야이다.

함시황은 일본에 와서 몇 년 지내는 동안 한국과 전혀 다른 풍토를 맛본다. 그는 지금까지 경험한 일본의 강점 중에서 최고는 바로 전문가 우대라고 생각한다. 전문가라고 하면 과학자나 전문 지식인 또는 장인(匠人)을 말하기도 하지만, 그다지 큰 기술이라 생각지 않는 분야의 전문가들도 유사한 수준의 대우를 받는다. 전문적인 기술을 가진 어느 한 분야의 최고 장인은 최고의 예술가로 간주하여 보수도 많고 존경도 받는다.

지금 자신이 전공으로 하는 기초 물리학에서도 한국은 다른 선진국과의 연구 결과가 지난 수십 년 동안 점차 격차가 벌어져 뒤따를 수 없을 정도로 뒤처져 있다. 과학계에서는 이를 만회하려 수많은 노력을 해왔지만 그동안 위정자들의 거의 무지에 가까운 정책 시행으로, 투자도 증가시키지 않고 과학도도 양성하지 않았다. 혹평을 하자면 완전한 황무지로 변해버린 것이다.

그리고 사회 전반에 걸쳐 과학 분야에 대한 홀대가 기초 물리학을 점점 더 열등한 상태로 만들어버렸다. 비단 이 분야뿐만이 아니었다. 의학계에서는 외과, 내과의 기피현상은 계속되고 있어 이 분야의 의사를 외국인으로 수입, 대체한 지 오래되었다. 또한 노동 분야에서도 힘든 기계일은 할 생각을 하지 않고 오로지 사무실에서 컴퓨터 자판 누르는 사무를 보는 일에만 몰렸다. 그러다 보니 1960~2000년대 차지했던 기능올림픽 최강국의 자리를 다른 나라에 물려준 지 오래되었다. 이러한 풍토와 사조에서 함시황은 한국 사회에서 반드시 시정되어야 할 것이 '실사구시'의 정신을 되살려야 한국의 미래가 있을 수 있다고 판단한다.

과거에는 법 전공을 하면 판사, 검사, 변호사가 되어 이 사회를 지배하고 그 지배력으로 돈을 벌어 쌓아놓고 개인의 영달을 추구하는 데 지름길이 되어 수많은 인재들이 그곳에만 몰렸다. 그들은 이 사회를 법으로만 엮어내고, 사적 이익이나 지역적·인적 연고에 따라 끼리끼리 정치만 할 뿐 인간관계나 인간본성에 의한 인간중심의 정치를 하지 않았다. 권모술수로 이 사회를 살아가려면 여러 인문학 중에 법 전공을 하여야 어우러져 보조를 맞출 수 있을 뿐이었다. 국회에서 아무리 법을 수천 권의 책으로 만들어 규제한다고 하더라도 소위 '법꾸라지'로 불리는 자들은 법이 제한을 둘 수 없는 구멍을 잘 알아내고 법망을 교묘히 피해나가는 방법을 연구했다. 그리하여 지배층과 결탁하여 국민의 세금을 개인의 치부용으로 사용한다든가 다른 자본가와 유착하여 새로운 영역의 창조를 미끼로 개인의 부를 쌓기도 했다.

이론이나 말로만 국가를 통치하려는 자들이 많아져 실체가 없는 허구의 국가로 전락할 가능성이 무한히 높아져만 갔다. 이론과 실체가 항시 병행되어야 함에도 불구하고 과거 한국 사회가 이론에 너무나 치우쳐진 까닭에 조선은 일제강점기를 맞이하게 되었다. 그리고 대한민국 건국 이후로도 실사구시의 정신은 사라져버렸다.

여기에 더하여 중고등학교 기초교육 단계부터 평등한 교육을 외치는, 평범하지도 않으면서 평범함을 추구하는 이론가들이 만들어낸 인간 두뇌의 평준화 작업과 학벌 위주의 교육으로 자가당착에 빠지는 오류를 범하여 총체적인 난관에 봉착하게 된다. 인간의 능력과 두뇌를 평준화시키는 교육은 자원이 부족한 한국에서 살아나갈 수 있는 방법이 아니다.

더군다나 교육을 받고 사회에 진출하는 젊은이들을 가르는 '금수저'니 '흙수저'니 하는 눈에 보이지 않는 새로운 신분제도가 인도의 카스트 제도처럼 빈부의 격차로 나타났다. 능력 사회가 아닌 부모의 빈부나 신분에 따라 후세의 신분도 정해지는, 아무리 노력해도 성공할 수 없고 그 자리에 머물게 되는 음서제가 부활하였다. 신조어인 '헬조선'이 이 사회의 자조적인 상황을 빗댄 지 어언 수십 년으로, 부모의 빽[권력, 돈, 능력]이 없어 젊은 날을 조국에 헌신한다는 미명하에 흙수저나 그 이하의 수저 군(群)에만 주어지는 무거운 병역 의무, 이러한 모든 부정적 요소가 그동안 한국 사회에 만연하였고 부패의 온상이 되었다. 그리고 과거 개발을 핑계로 정보를 빼내어 땅과 아파트를 투기하여 번 천한 돈이 아직도 대물림되고 천한 자본주의로 변하여 이 땅을 지배하고 있다.

그러나 근 15~16년 전 이러한 병폐를 완전히 불식하고자 자각한 새로운 위정자들이 나타났다. 불신의 사회현상을 완전히 없애버리고 낙후된 실사구시의 정신을 회복하고자 입시 제도를 완전히 바꾸고 사회의 틀을 개조하여 실학을 추구하는 사회로 변모시켰다. 이에 따라 기초과학 분야에도 많은 과학도를 외국으로 유학 보내고 유학비도 해마다 늘리어 지원해주고 있다. 다행히도 근래 들어 '실사구시'와 '과학 제일주의'를 최우선으로 삼아 기초과학 연구지원이 활발해지고 과학 분야에 우수한 두뇌가 대폭 유입되었다. 그에 따라 연구 활동이 왕성해졌고 서서히 그 결과도 나타나고 있는 단계에 이르렀다. 한국군이 최신의 병기를 보유하고 있는 근저와 근간에는 이러한 과학의 장려 덕분이다.

한편, 연구원 중 미우를 포함한 일본인 다섯 명도 별도로 모여서 다른 지도교수와 연구 활동 변경에 대하여 논의하고 있다. 논의가 아니라 일방적인 전달이다.

"에에— 아노, 오늘 여러분만 이렇게 별도로 모이게 한 것은 앞으로 몇 개월 동안 우리의 연구 과제가 현재 추진 중인 과제와 다르기 때문에 그것에 대하여 알려줄까 합니다. 앞으로 우리가 수행해야 할 연구 과제는 어떤 한 원석을 분석하고 결과에 따라 원석에서 뽑아낸 금속의 활용에 관한 것입니다.

먼저 간단히 바뀐 연구 과제에 대하여 총평을 말하자면 우리로서는 그렇게 어려운 과제는 아니라고 생각합니다. 정부에서 가져다준 원석 수백 개가 있는데 이것을 분석하여 주성분을 밝혀내고, 주성분의 물리적·화학적 성질을 규명하는 것입니다. 또한 그렇게 규명된 성질을 가지고 우리가 이용할 수 있는 분야가 무엇인지 찾으면 그것으로 우리의 연구가 끝나겠습니다. 별로 어렵다고 말할 수는 없습니다만 이용 분야에 대해서는 심각한 난관에 부딪칠 가능성도 있습니다.

그리고 공안청에서 이번 연구에 대해서 극도의 보안을 유지해달라는 특명 협조 요청이 있었습니다. 보안문제는 특별히 수상각하의 관심사항이기도 하기 때문에 반드시 유의하도록 해야겠습니다. 자! 간단하게 우리에게 주어진 연구 과제에 대하여 브리핑을 하였습니다. 이에 관련된 질문 있으면 해주세요."

"무슨 금속인가요? 그리고 어디에서 채광하였는가요?"

미우가 질문한다.

"아직까지 무슨 금속인지 어디서 채광하여 가져왔는지는 아무도 모릅니다. 문부과학성에서 우리 연구소에 원석을 보내오면서 분석을 의뢰한 것입니다. 그러하기 때문에 우리는 지금 그것을 연구해내야 합니다."

"외국인 연구원까지도 배제시키고 있는데 그렇게까지 비밀스럽게 진행시켜야 하는가요?"

한 남자 연구원이 물어본다.

"그것도 우리 연구소에서는 모르는 사안입니다. 아마도 극비를 유지해야 할 연구 과제이기 때문에 문부과학성과 공안청에서 특별히 당부를 해온 것이라 생각합니다."

"그렇게 극비로 한다는 것은 이미 원석 분석 결과를 알고 있다는 것을 의미하고 있지 않나요?"

미우의 날카로운 질문에 교수는 자리를 고쳐 앉으며

"글쎄요. 만약 이미 연구한 결과가 있다면 우리에게 비교하라고 자료를 주지 않을까 생각하는데 아무런 언급이 없으니 우리가 처음일 거라고 판단됩니다."

"얼른 이해가 가지 않는데... 연구는 언제 진행이 됩니까?"

"에- 오늘부터 바로 들어갑니다. 오늘부터 여러분의 연구실은 현행 그대로 유지하고 출근 후에는 제1분석실로 모이기 바랍니다. 지금 이 시각부터 바로 분석실에 들어가 작업을 수행하도록 하겠습니다. 여러분의 도움이 절실히 필요합니다."

오사카 어느 찻집

함시황은 어느 날 아버지로부터 전화를 받는다.

"아들아잉, 잘 있지아잉! 저기 거시기 말이여, 저기 머냐 그! 어느 누가 너를 만나자고 허면 말이여- 부담읎시 만나거라잉! 니 혼사에 관한 것잉게로 거절하지 말고잉..."

"아버지 저 바쁜데요!"

"이 눔의 자식이! 바쁘것지만 헐 것은 허야 되는 거여! 이번이 좋은 처자 만날 수 있는 기횡게로 한번 만나봐. 니가 손해는 안 볼 팅게로."

"예. 알겠습니다, 아버지."

"그리 알고 전화 끊는다잉!"

아버지의 권유가 있지만 만약 누가 선을 보자고 하면 그다지 썩 나가고 싶은 생각은 없다. 그런데 왜 그럴까? 가만히 누워 생각하면 여자문제가 있을 때마다 미우가 눈앞에 먼저 나타나는 것을 솔직히 지울 수 없다. 길 가다 젊고 예쁜 여자라도 지나가면 눈길이 절로 따라가지만 그 여자의 뒷모습에 미우의 실루엣이 겹쳐 떠올라 머리를 흔들어 지우곤 한다.

그로부터 며칠 후 목소리가 저음인 한 남성으로부터 전화가 걸려온다.

"아, 여보세요. 함시황입니다."

"하무 상 안녕하세요. 며칠 전에 아버님께 전화 받았지요?"

"예. 그렇습니다만..."

"에- 아버지 말씀대로 내가 하무 상에게 맞선을 주선해주려고 합니다. 아주 멋있고 예쁘고 스마트한 여자입니다. 좋지요?"

"예... 그 그그 그렇지요. 뭐..."

함시황이 머뭇거리자

"아! 예쁜 여자니깐 한번 보구려. 그렇게 머뭇거리지 말고."

"아, 예 예. 그그 그렇게 하지요 뭐."

함시황은 누구인지 뭐하는 사람인지도 모르지만 단지 아버지의 권유가 있어 거절할 수도 없고, 엉겁결에 선을 보겠다는 약속을 잡는다.

며칠 후 토요일 저녁, 함시황이 퇴근 후 집으로 돌아오자 전화가 왔는데 지금 자신이 인근에 와 있으니 만자자고 한다. 함시황은 약속한 것이 있는지라 무심히 대답하고 만나자고 하는 장소에 나간다. 찻집에 들어서니 한쪽 구석에 두 명의 남녀가 일어서서 함시황에게 신호한다.

'아니, 저들이 어떻게 나를 알까?'

함시황은 의문을 가지면서 그들에게 다가가 인사하며 자리에 앉는다. 중년의 사내와 미모가 빼어난 아가씨라 함시황의 눈길이 자꾸만 그 여자에게 간다. 그러나 정작 선에 대하여 이야기할 중년은 자신만 간단히 소개하고, 미모의 아가씨는 말도 꺼내지 않고 함시황의 근황만 물어본다.

"저, 거시기 저에게 선을 보라고 하였는디......"

중년 신사는 함시황을 힐끗 쳐다보며 여자나 맞선에 대한 이야기는 하나도 하지 않고 정색을 하며 난데없이 일본의 독도 탐사와 연구에 관하여 소상히 말하고 요구사항까지 이야기한다.

"그러니깐 제가 선보는 대신 그것을 알아내라는 말씀인가요?"

"그런 셈이지요. 사실은 선을 본다는 전화는 감청을 예견하고 방지하기 위하여 둘러댄 것입니다. 여기 이 아가씨도 그러한 사유로 오늘 이 자리에 있는 것입니다. 많이 결례될 것이라 생각하였지만 어쩔 수 없는 선택이니 이해해주십시오."

"그래요?"

함시황은 한편으로 매우 실망하였는지 커피를 연거푸 마시며 시선을 창문 쪽으로 둔다. 중년 신사도 겸연쩍은 듯 잠자코 커피잔을 만지작거리고, 젊은 여자는 여전히 다소곳이 앉아있다. 잠깐 서먹한 시간이 지나자 생각난 듯이 물어본다.

"그럼 제가 해야 할 일이 정확히 무엇인가요?"

"지금 함시황 씨가 배제되어 있는 프로젝트에서 연구 내용을 파악하는 것입니다. 어렵지 않겠지요?"

"예에? 제가 참석하지도 않는 연구 내용을 어떻게 알아낼 수 있을까요? 못하겠는데요. 방법이 없어요. 방법이...... 제가 뭐 첩보영화처럼 연구소 컴퓨터에 접속하여 연구 내용을 빼낼 수 있는 능력도 없고, 연구에 직접 참가하는 것도 아니라서 매우 어려운 일이라고 생각합니다."

함시황은 어렵다는 핑계를 대면서 회피하려는 마음이 앞섰지만 순간적으로 미우가 떠오르는 것을 완전히 지워버릴 수는 없다. 아니나 다를까 함시황의 마음을 다 읽고 있다는 듯,

"함시황 씨 '미우'라는 여자가 있지 않나요? 그 여자 함시황 씨에게 관심이 많고, 머리도 좋고, 집안도 좋으니 이번 연구에 참여하는 미우를 통하여 좀 귀동냥을 하면 될 거라고 생각하는데요…"

함시황은 속으로 깜짝 놀란다. 아니 뜨끔하였다.

'아니 이들이 미우까지 그리고 그녀의 연구 상황까지 알고 있으니 도대체 어떻게 된 거야. 그리고 어떻게 발뺌하지?'

"하무 상, 그렇게 벗어나려 하지 말고 국익을 생각해주세요."

함시황은 또다시 놀란다. 이 사람이 내 마음속에 들어앉았구나!

"그… 그럼 제가 뭘 어떻게 해야 하나요?"

"다 아실 분이라 콕 집어 말하지 않겠습니다."

함시황은 할 말이 없어 머리를 긁적거리고 있을 때 지금까지 아무 말 없이 그를 유심히 지켜보던 여성이 작심한 듯이 말한다.

"함시황 씨! 내가 생각할 때 미우는 매우 좋은 여자입니다. 상냥하고, 적극적이고, 머리 좋고, 집안 좋고, 키 크고 날씬하고, 얼굴 되지. 그런 여자 정말 찾아보기 힘듭니다. 내가 만약 남자라면 그런 여자 있으면 얼른 채갔을 것인데 왜 그렇게 망설이는지 모르겠어요. 그 여자를 이용한다고 걱정 마시고, 그 여자와 한평생을 같이해도 좋다고 생각하고 그 여자에게 접근하십시오. 후회는 안 하실 것입니다. 같은 여성으로 생각해봐도 그 여자 정말 괜찮은 여자입니다. 그 여자 알게 모르게 당신에게 많은 도움이 될 것입니다. 그렇게 되면 함시황 씨! 당신은 좋은 아내를 얻고 우리의 목표도 달성될 것입니다. 그리고 성공한다면 함시황 씨의 앞길은 보장될 것입니다. 학위취득 후 국내로 돌아가면 교수나 연구원 자리는 정부가 100퍼센트 보장할 것입니다. 그리고 앞으로 박사과정에 소요되는 모든 비용을 정부에서 보조해드리겠습니다. 당장 내일 댁 아버님에게 송금될 것입니다."

미모의 여성이 단도직입적으로 미우가 최고의 보배라고 말한다. 듣기가 좋아서 그런지 아니면 돈에 약해져서 그런지, 마침내 함시황은 가볍게 고개를 끄덕여 긍정적인 의사를 보인다. 그는 사실 지금 당장 학비가 문제가 되었다. 마지막 학기 등록금과 논문 지도비와 발표 비용도 내야 하는데, 어렵게 지금까지 학비를 대준 아버지에게 또다시 많은 돈을 송금해달라고 염치없게 손을 내밀 수 있는 상황이 아니다. 지금까지 학비를 보내려 얼마 되지 않는 논 일부를 팔아서 충당한 상태이며, 이제 마지막 학기지만 남은 학비를 내야 하고 생활비도 필요하다. 그렇지만 손쉽게 아버지에게 송금해달라고 말할 처지도 아니다. 집안 사정을 누구보다 잘 알고 있기 때문이다. 그러니 당장 학비와 생활비가 해결되고 장래까지 보장해준다 하니 더 이상 지체할 필요가 없다. 또한 자신이 생각해도 미우와 좋은 관계를 유지한다면 그들이 요구하는 정보를 알아낼 수도 있을 것 같다. 아니 자신감이 들기도 한다. 어쩐지 미우가 오히려 도와줄 것으로 생각되기 때문이다.

함시황은 헤어지면서 미모의 여자를 힐끗 눈여겨본다. 예뻤다. 눈이 자꾸만 간다. 그런데 그녀는 처음 만날 때 눈으로 한번 인사하고 헤어질 때까지 딱 한 번 권유의 말만 했을 뿐, 함시황의 말과 행동을 지켜보고 있었다. 그녀의 그런 행동과 군말 없는 언행에 마침내 함시황은 압도되고 그녀의 치마폭에 녹아들어가 버린다. 미모의 그녀는 암호명 O-1이고 중년 신사는 이곳 오사카 책임자인 심 지부장이다. O-1은 앞으로 후방에서 직접적인 활동보다 함시황의 도우미로 행동할 것이다.

일본 핵물리 연구소들

도쿄 핵물리연구소

도쿄 외곽 남동쪽에 소재해 있는 핵물리 연구소는 원래 도쿄 중심부 가까이에 있었으나 주변이 인구 밀집 지역으로 변하여 외곽으로 이전하였다. 연구소 주변에도 주거지가 전혀 없는 것은 아니나 이전하기 전보다는 아무래도 한산하고 연구소 병동이 나무숲에 둘러싸여 있어 연구원들의 근무 여건은 더할 나위 없이 좋다. 연구소에서는 소립자와 원자핵 관련 실험과 이론 연구, 생명과학을 포함한 물질의 구조·기능과 관련된 실험 및 이론 연구, 그리고 가속기 성능 향상과 이에 관련된 기반 기술을 연구하고 있다. 스위스 제네바 인근에 27킬로미터의 입자 가속기가 만들어지고 국제 공동으로 연구한 이후, 그리고 후쿠시마 원전사고와 2차 간토대지진 이후로 원자로 제어에 관한 연구를 더 집중적으로 하고 있다.

"호호호. 안녕하세요? 잘 주무셨어요?"

물질의 구조에 대하여 연구하고 있는 메이코(愛衣子)는 다른 직원보다 일찍 출근하여 뒤에 출근하는 동료들에게 상냥하게 먼저 인사하면서 자신의 연구 과제를 꼼꼼히 살피고 있다.

메이코(愛衣子)는 한자 그대로 '사랑스러운 여자'라는 의미이다. 그런데 실상은 이름과 달리 어느 누군가가 사랑해주지 않으면 안 될 상황에 처한 처자이다. 얼굴은 살짝 얽었는데 덕지덕지는 아니지만 일부가 여드름으로 가볍게 폭파되어 있고, 얼굴 형태는 모난 것도 아니고 잘못 열매를 맺은 듯 약간 길쭉한 호박 같은데 이목구비도 제자리에 있지 않다. 잘못을 따지자면 조물주 탓인데, 조물주가 수없는 인간을 창조하느라 바빠서 그냥 아무렇게나 주물러서 내던져놓은 상이다. 여기에 일본인 특유의 뻐드렁니는 그녀가 웃을 때 더욱 눈을 내리깔게 하는 구실을 준다. 키와 몸매는 봉통아리* 졌고 공부를 너무나 열심히 한 탓인지 도수 높은 큰 돋보기를 코에 걸치고 있다.

하지만 외부 형태와 달리 그녀의 소프트웨어는 엄청나다. 그녀의 콘텐츠는 수백만 기가바이트라 추정되며, 독립된 수백 대의 슈퍼컴퓨터는 근 40여 년 전에 만들어진 인공지능 컴퓨터인 '알파고'를 이기고도 남을 정도로 사통팔달이 잘 되어 있다. 그러한 상황에서 나오는 창조적인 아이디어는 그녀가 나이 40이 되기 전인데도 이 연구소에서 핵심적인 역할을 한다. 그러니 얼굴에 붙어있는 몇 가지의 배열이 조금 조화롭지 못하다고 해서 누가 그녀를 무시할 수 있으랴!

세상에서 제일 예쁜 여자는 누구일까? 이 세상에서 제일 예쁜 여성은 미인 선발대회에서 최고로 뽑힌 여성도 아니고, 당대의 유명한 배우나 노래를 잘 부르는 잘생긴 걸그룹 멤버 중 하나도 아니며, 바로 자신들의 어머니다. 나의 어머니, 너의 어머니가 세상에서 제일 예쁘고 사랑스럽다. 이것은 무엇을 말하는가? 바로 여자의 미(美)는 사람의 눈에 맺힌 상(像)이 아니고 눈을 통하여 보고 있는 마음이 미(美)라는 사실을 의미한다.

---

* 봉통아리: 작고 뭉쳐졌으며 중간부분이 불쑥 튀어나온 형상을 사투리로 표현한 것이다.

더군다나 그녀의 두뇌는 명석할 뿐만 아니라 마음마저 천사다. 그러니 마음의 눈으로 그녀를 볼 때는 진정 최고의 여성이 아니던가. 얼굴이 조금 균형 잡혔다고 오만한 사람들이 얼마나 많은 세상이던가. 그러니까 사람과의 관계에서 항시 갑질하고 오만상을 찌푸리며 자신 위주로 살고 있는 얼굴 좀 예쁜 그런 여자가 아니라, 푸근한 어머니 같은 인자한 마음씨를 지닌 그러한 여성이다. 그러면서 그녀는 공부와 연구를 하면서 여성이 좀처럼 쉽사리 가질 수 없는 음식 솜씨, 마음씨, 맵시(씨) 즉 3씨를 갖추었다. 하지만 외모만을 지상주의로 알고 있는 이 세대에서는 어느 누구도 알아주지 않아 외모 빼고 모든 것이 완벽한 그녀가 아직 홀로 살고 있다.

그녀는 최근 문부과학성에서 급박하게 내린 연구를 수행하고 있다. 알 수 없는 많은 돌덩어리를 가져다주더니 밑도 끝도 없이 분석을 해내라는 것이다. 상당수의 연구원들이 일방적인 지시에 반발하고 자신들의 연구도 바쁘다고 망설이고 있을 때 그녀가 앞에 나서서 연구원들을 독려한다.

"오죽하면 이렇게 긴급히 과제를 주었겠어요? 더군다나 수상각하의 관심이 매우 큰 사안이니 우리 협심하여 연구를 해내고 조속히 결론을 맺어 봅시다."

연구소의 기획을 담당하는 그녀의 긍정적인 의견에 모두들 고개를 끄덕이며 조속히 연구를 마치기로 다짐한다.

"주임 박사님! 제가 주도적으로 발언하였으므로 제가 주체가 되어 연구를 진행하겠습니다. 외람되게 제가 계획을 수립하여 주임 박사님께 재가를 받은 뒤 박사님들께 수행임무를 부여하겠습니다. 그래도 되겠지요?"

"아암. 그렇게 하시오. 다만 공평하게 과업을 나누어주시오."

"호호호. 박사님, 제가 그것도 모르는 철부지 같아요? 나중에 상을 받게 되면 공평하다고 생각하지 않는 박사님들께 먼저 상을 드리겠습니다. 만족하시죠? 호호호"

그녀와 연구소 박사들은 그렇게 문부과학성에서 부여한 원석 분석 임무를 수행한다. 그녀는 일과를 마치고 오후 여섯 시가 되어 퇴근한다. 그녀의 집은 연구소에서 한 시간 거리에 있는데 연구소 셔틀버스를 타고 전철역까지 가서 다시 30여 분을 가야 한다. 그녀는 여느 때처럼 북새통을 이루는 전철에 간신히 몸을 올려놓고 소리 없는 아우성과 몸부림에 내맡겨버린다. 그녀가 전철에 몸을 싣고 안쪽에 간신히 서 있는데 객실 안으로 들어가려는 어느 누군가에게 그녀의 발 앞부리가 밟힌다.

"아야!"

그녀는 가볍게 소리치며 밟힌 발을 들여다보려 하였으나 워낙 사람들이 촘촘히 서 있는지라 몸을 구부릴 수가 없다. 자연스럽게 얼굴이 일그러지며 상대가 누구인지 확인하려 얼굴을 들어본다.

"아이쿠 죄송합니다. 미안합니다."

굵은 바리톤 음성은 아니고 테너와 바리톤의 중간 음색으로 고저가 있는 말투의 한 남자가 사과를 한다. 그녀는 목소리가 들리는 좌측 위로 고개를 들어본다. 순간 그녀의 볼이 갑자기 홍당무처럼 변한다. 아니, 세상에! 이렇게 멋있는 사람이 있을까? 지금까지 수많은 남자를 보았지만 오늘처럼 사내답게 느껴지는 남성은 처음이다. 그녀는 자기 발이 밟혔음에도 불구하고 마치 자신이 그 남자의 발을 밟은 것처럼 미안해한다.

"아 아니, 죄 죄송합니다. 괜찮습니다. 염려 마십시오."

"많이 아프시지요?"

"아... 아프지 않아요. 그럴 수도 있지요, 뭐."

두 사람은 의도하지 않게 나란히 창밖을 바라보며, 남자는 덩그러니 좌우 진동에 가볍게 흔들리고 있는 손잡이를 잡고 서 있다. 메이코는 손잡이가 높아 그냥 두 다리로 버티고 서서 그 남자와 다른 옆 사람의 몸을 기둥 삼아 휘청거리는 전철의 요동에 리듬을 맡기며 간다. 얼마 가지 않아 다음 정거장이 다가오자 안내 방송이 들려오고 남자의 앞에 있는 좌석에서 한 사람이 내리려고 자리에서 일어난다. 그 남자는 메이코를 쳐다보며 자리에 앉으라고 권한다. 메이코는 처음에는 사양하다가 몇 번의 권유 끝에 좌석에 앉는다. 자리에 앉으면서 메이코는 남자를 정면으로 보게 된다. 아까 처음 보았던 것보다 훨씬 더 멋져 보인다. 메이코는 스스로 부끄러운지 더 이상 올려다보지 않고 고개를 숙이며 남자의 바지와 구두를 쳐다본다. 그녀는 30여 분 동안 혼자 즐거운 상상을 하며 이따금씩 살짝 머리를 들어 남자를 올려다본다. 이 남자, 푸른 남방에 베이지색 바지를 말쑥하게 입고 있다. 키는 크지도 않고 작지도 않은 중상 정도의 키로 아주 안성맞춤으로 보인다. 체격도 마르지 않고 그렇다고 뚱보처럼 보이지도 않는 도톰한 얼굴에 웃음을 띠고 있다.

그러는 사이 어느덧 목적지 전철역에 다가간다. 전철이 속도를 줄이기 시작하고 도착 안내 방송이 나온다. 그녀는 아쉬움을 뒤로하고 가볍게 먼저 인사하며 내린다는 의사를 표하고 의자에서 일어나 출입구 쪽으로 이동한다. 먼저 내리는 그녀로서는 그가 내리는지 어쩐지 알 수 없다. 출입문을 막 지나면서 힐끗 뒤를 쳐다보니 그 남자, 그 멋진 남자도 같이 내리고 있다. 그가 따라 내리고 있다. 그녀는 시치미를 뚝 떼고 곧장 전철 출입구로 나간다. 왠지 즐겁다. 그 남자가 자신을 따라오고 있으니 더욱 즐거워진다. 그녀는 혹시나 몰라서 발걸음을 줄여서 그를 앞세워 본다. 남자는 그녀를 앞지르면서 가볍게 인사를 하고 곧장 자신이 가려는 방향과 90도로 꺾어서 우측 도로로 간다.

메이코는 그가 사라져가는 방향을 잠시 주시하다가 발길을 집으로 향한다. 집에 가면서 내내 남자를 상상해본다. 어떤 남성일까? 어디에 살고 나이는 어떻게 될까? 어디서 근무를 하고 무슨 일을 하고 있을까? 결혼은 하였을까? 등등 남자의 모든 신상명세를 혼자서 그려보고 그럴 것이라고 단정해버린다.

다음날 전철을 통하여 출근할 때 혹시 그 남자가 와 있는지 매와 같은 눈빛으로 사방을 쓰윽 둘러보나 보이지 않는다. 남자가 눈에 뜨이지 않으니 왠지 서운한 마음이 앞선다. 부질없는 상상에 시간만 낭비하였다고 자책하면서 통근버스에 올라 연구소에 도착한다. 여느 때처럼 사무실에 들어가 인사를 나누며 일을 시작한다. 정부 당국의 독려 덕분에 모두들 열심히 연구 과업을 수행한다. 일과를 마치고 메이코는 여느 때처럼 통근버스에서 내려 퇴근하면서 전철 칸에 오르는데 아! 그 남자가 뒤따라 오르고 있다.

'옳지, 그렇지!'

그녀는 속으로 쾌재를 부른다. 5~6미터 떨어져 멍하니 서 있는 그 남자에게 몇 걸음 다가서며 가볍게 인사한다.

"안녕하세요. 퇴근시간이 저하고 같은가 보네요."

메이코가 먼저 인사한다. 그는 소리 나는 쪽으로 고개를 돌리더니 흠칫 놀라며 메이코를 응시하면서 이제야 생각난다는 듯이 약간은 당황하고 어정쩡한 표정을 짓는다.

"아, 예... 안 안녕하세요... 네 네."

'이 남자도 다른 여느 남자처럼 나를 경계하는구나!'

메이코는 이 남자도 여자의 얼굴과 외모를 따지는 뭇 남자와 동일하다고 생각하고 실망하여 더 이상 말을 걸지 않기로 한다. 그런데 그녀가 창밖에 지나치는 풍광에 눈길을 주고 있을 때 그 남자가 한 발짝 옆으로 다가와 말을 건다.

"아! 어제는 미안했습니다. 발이 많이 아팠었지요?"

메이코는 깜짝 놀란다. 전혀 예상하지 못한 채 말을 걸어오는 남자를 쳐다본다.

"아, 아니요. 전혀 안 아팠어요. 그런데 사무실이 XX 전철역 근방이에요?"

"예, 그렇습니다. 역에서 걸어 얼마 되지 않아요. 10분 정도?"

"그래도 걸어서 다니려면 더워서 땀범벅이 될 텐데......"

"예. 땀이 좀 나지요. 하지만 그 거리를 택시 타고 갈 수는 없지 않아요? 안 그렇습니까?"

"그렇지요. 기본요금이 워낙 비싸고 택시도 가려고 하지 않을 테니까 걸을 수밖에 없네요, 더웁지만... 나는요, 연구소에서 버스를 보내준답니다. 통근버스지요. 전철에서 딱 내리면 에어컨 쌩쌩 돌아가는 시원한 버스가 항시 기다리고 있지요. 퇴근할 때도 그 버스를 타니 더위를 느낄 시간이 없어요."

"하아. 그 연구소 한번 좋네요. 나도 그런 직장에 다녀봤으면... 그런데 무슨 연구소인데 여성분이 연구소를 다니시나요?"

"핵 연구소예요. 우리 연구소에는 여자들도 많이 있어요. 연구원은 거의 없지만 행정업무를 봐주는 여성들이 많지요."

"그럼 댁은 여성 연구원이란 말이에요? 정말?"

"예. 그럼 여자라고 연구원 하면 안 되나요?"

"뭐 안 되는 것은 아니지만 핵 연구소라는데 어떻게 그런 어려운 연구에 종사하시는지 존경스러워요. 참으로 머리가 좋으신가 봐요."

"머리가 좋은지 어떤지는 모르지만, 봐요! 퀴리부인 아시지요?"

"예, 알다마다요. 여성 과학자로 남편과 함께 최초로 방사성 물질을 발견한 사람이지요. 그 사람이 태어난 연도가 1800년대 중반이니까 300년 이상이나 되었지요?"

"예, 잘 알고 계시네요. 저는 그 퀴리 부인 그리고 아이슈타인의 이론을 실증한 여성 물리학자 마이트너처럼 이 사회에 기여하는 과학자가 되고 싶어요."

"아하! 대단하십니다. 참으로 부럽습니다. 그 핵 학문에 관한 것이 아니더라도 많은 여성분들이 여러 과학 분야에서 연구하고 그 성과가 대단하다고 들었어요."

"그래요. 여자라고 못할 것이 없어요. 종래의 관념이 많이 희석되고 바뀌었지만 아직도 좀 남아 있어요. 오히려 어떤 분야에서는 여성이 남성보다 더 잘할 수 있어요. 여자의 세밀하고 감성어린 정서를 활용하면 더 낳은 성과를 거둘 수도 있다고 봐요. 안 그런가요?

"그렇지요! 그건 그래요. 여자나 남자나 사람하기 나름이니까."

"어, 벌써 다 왔네. 내려야겠네요. 댁도 내려야겠지요?"

"그래야지요."

담담히 남자가 말한다. 두 사람은 전철에서 내려 아무 말 없이 몇 분을 앞서거니 뒤서거니 걷다가 남자가 말한다.

"저 여기서 이쪽으로 가야 돼요. 다음에 봐요. 조심히 가세요."

"예! 잘 가세요."

메이코는 고개를 돌려 남자를 보면서 계속 손을 흔든다. 그러면서 순간 뭐라고 말을 더 이을듯하다가 그만둔다.

'참, 그 남자 잘 생겼네. 저런 남자와 연애 한번 해봤으면 얼마나 좋을까. 저런 남자하고 사는 여자는 얼마나 행복할까? 그런데 저 남자 몇 살이나 되었을까? 이 근방에 사는 것 같은데 결혼은 했을까? 아니야. 결혼은 했을 거야. 여자들이 저렇게 잘생긴 남자를 가만히 놔두지 않았겠지. 에이! 괜히 그런 남자가 나타나서 내 속을 썩이는구먼. 그렇지만 난 정말 잘 살 수 있다고! 어떤 여자보다 음식도 잘하고 아기도 뻥뻥 잘 낳아 잘 가르치고, 내가 낳은 아가들은 아마 머리도 좋아 공부도 정말 잘하겠지. 돈은 내가 이렇게 과학자가 되어 있으니 평생 먹고사는 것을 걱정할 필요도 없고 몸만 오너라, 이 바보 사내들아. 바보 멍청이들! 나한테 오면 다 해줄 것인데 흙속의 진주나 다이아몬드를 모르는 바보들!'

그녀는 속으로 소리를 지르고 있다. 그러다가 '에잇-!'이라는 말이 밖으로 튀어나온다. 그러면서 혼자 속 태우는 자신을 발견하고는 서럽고 못나 보여서 끌끌 혀를 찬다.

"어이쿠! 이 못난 메이코. 그깟 사내가 뭣이라고 바보 천치!"

이번엔 자신을 향하여 자책하고 소리쳐본다. 그러나 아무리 생각해본들, 소리쳐보고 자기학대를 해보아도 현상은 그대로 남아있고 변함이 없다. 그러다가 집 앞에 도착한다. 집에는 은퇴한 부모가 있어 그런 대로 자신을 마중해주니 위로가 된다. 하지만 오늘은 이상하게도 투정을 부리고 싶다.

"에이, 이놈의 날씨 왜 이리 더워! 어머니, 에어컨 좀 시원하게 틀어놓지 그랬어요. 이 더위에 그까짓 돈 몇 푼 절약해서 뭐 하겠어요."

"얘야, 알았다. 너 오늘 무슨 일 있었니?"

그동안 아이들 학교 갔다 올 때처럼 퇴근하면 착하게 인사하던 딸애가 오늘은 투정 섞인 말투다. 뭔가 직감한 어머니가 반사적으로 물어본다.

"너 연구실에서 무슨 일 있었니? 아니면 어디 아파?"

"아무 일도 없었어요. 그리고 아무 데도 안 아파요!"

그러면서 자기 방에 들어가버린다. 어머니는 어이없어 그냥 제풀에 꺾이라고 더 이상 아무 말도 하지 않는다. 메이코는 방에 들어오자 옷을 갈아입지도 않고 화장대 의자에 덜퍼덕 주저앉는다. 그녀는 이물질이 군데군데 묻어있는 거울을 입으로 '화-' 하여 습기를 내뿜어 안개가 서리듯 희뿌옇게 만든다. 이번에는 부드러운 휴지 한 장을 뽑아 닦아본다. 그리고 거울 속의 그녀를 정면으로 응시한다. 예쁜 여자가 다소곳이 앉아있다. 요리조리 뜯어봐도 개성 있고 멋진 여자가 자신을 바라보고 있다. 그래 이 얼굴이 어떻다고 세간에서 이러쿵저러쿵한단 말인가? 예쁘기만 하고 어디 확 틀어지거나 곰배팔이 된 곳도 없는데, 왜들 수군대고 외면한단 말인가? 아니야. 이것으로 만족하면 안 되지. 좀 더 예뻐져야지. 한국의 성형수술이 세계에서 제일 잘하고 값도 싸고 유명하다는데 한번 가보실까?

사실 그녀는 몇 년 전에 한국의 성형외과에 대하여 인터넷 검색을 여러 번 해보았다. 성형의료비는 일본에 비하여 정말 턱없이 쌌다. 수술 실력도 좋아 사람이 감쪽같이 180도 바뀌어버리고 부작용도 없다는 후문을 여러 사람한테서 들었다. 그런데 돈이 문제가 아니라 기간이 문제였다. 그래서 휴직계를 내거나 아예 한 달 이상 휴가를 내어 가볼까 생각하다가 좀처럼 용기가 나지 않았다. 이 핑계 저 핑계 대고 차일피일 미루다 오늘이 거울 앞에 앉아 다시 한 번 자신을 들여다본다.

'그래! 오케이지. 이 얼굴이 어때서 이 정도 얼굴이면 그 남자가 좋아하지 않을까? 그런데 정말 이 얼굴에 관심이 있을까?' 골백번 자신의 얼굴을 뜯어보면서 이번에는 그 남자를 생각해본다. 사실 남자는 객관적으로 다비드 상처럼 멋지지는 않다. 메이코의 남자 보는 눈, 즉 주관적인 관념으로 남자를 평가하였기 때문에 그렇게 남성답게 보인 것이다. 옛날 한국의 한 연속극에서 숱한 일본 여성을 설레게 만든 욘사마와 비교하자면 격이 떨어지지만 보는 사람에 따라 그 남자의 미소 짓는 모습은 욘사마보다 훨씬 더 매력적으로 느껴진다.

이틀 후 메이코는 퇴근 시간에 그 남자를 또 만난다. 기차가 정거하여 내릴 때 옆 칸에서 내리는 남자가 보인다. 메이코는 그에게 다가가 가볍게 인사한다. 남자도 메이코를 발견하고는 가볍게 인사하고 자기 갈 길을 간다. 메이코는 서운한 마음이 들었지만 자존심이 있어 그냥 집으로 향한다. 그렇게 이틀에 한 번 꼴로 출퇴근 시간에 꼭 남자를 만나게 된다. 그녀는 우연치고는 참 상당한 인연이라고 생각해본다. 3주가 흘러간 어느 날 퇴근 시간에 같은 열차 안에서 다시 그를 만난다.

"안녕하세요."

이번에는 남자가 먼저 말을 건네어 온다.

"예~ 안녕하세요. 오늘은 제시간에 퇴근을 하시네요."

"그렇지요. 별일이 없으면 칼 퇴근해야지요. 그런데 댁도 자주 칼 퇴근을 하시는 것 같은데 연구소에도 연장근무가 있는가요?"

"칼 퇴근 좋지요. 내가 제일 바라는 바인데요. 우리라고 연장 근무가 왜 없겠어요. 있지요. 다음 달은 더러 연장 근무를 해야 할 것 같은데요."

"그래요? 연구실도 그렇게 연장 근무를 해야 할 정도로 다급한 연구과제가 있는가요?"

"아니요. 많이 없어요. 그리고 학문 연구는 서두른다고 절대 되는 것이 아니거든요. 그래서 대부분 차근차근히 진행되지만 정부나 외부 업체에서 발주한 연구는 일정한 기간 내에 결과를 내어야 하니 그때는 서둘러야 하지요."

"아하 그렇구나! 그럴 때는 밤샘 연구도 하고 다른 연구원들의 결과도 종합하고 최종 연구 보고서도 만들어야 하니 바쁘겠네요."

"예, 그렇지요. 그런데 어떻게 그렇게 잘 아세요?"

"아하! 나도 대학원 다닐 때 그렇게 해보았으니까 그렇지요."

"그렇군요. 연구원들은 결과를 마무리할 시점이 다가오면 좀 스트레스를 받지요."

"그렇겠어요. 새로운 것을 알아내야 하니 얼마나 힘들겠어요."

"그런데 그 정도의 스트레스를 받지 않는 직업이 어디 있겠어요. 실적을 내야 하는 직업은 모두 다 많은 스트레스를 받고 또 쌓이기도 하지요. 그렇지 않나요? 그렇지요...?"

"그럼요. 그렇지요. 저... 오늘 댁의 이름도 모르고 아무것도 모르지만 나하고 차 한 잔 하실래요? 시간 있어요?"

"예? 차 차요? 그 그렇게 해요. 차 한 잔해요. 나 시간 많아요."

"오늘은 내가 차 한 잔 살 터이니 다음엔 댁이 사요."

"아, 예! 그렇게 해요. 그럼 어디로 갈까요?"

"저 저기 커피점이 있네요. 더운데 가까운 곳으로 들어가지요."

"그래요, 그렇게 해요."

이층에 있는 커피점에 문을 밀고 들어가자 퇴근시간이라서 그런지 한산하다. 두 사람은 창밖이 내려다보이는 자리에 마주보고 앉는다.

"뭐 마시겠어요? 내가 사오지요."

"예, 저는 주스 한 잔 주세요. 망고 주스요. 커피는 사무실에서 많이 마셔서 입이 깔깔하네요. 약간 달콤한 것으로 입속을 위로해주어야겠어요."

"예, 그러지요."

남자가 일어나 카운터에 가서 마실 것을 주문하고 신용카드로 결제한 후 주문한 것이 다 나올 때까지 서 있다가 받아가지고 와서 자리에 앉는다.

"자, 여기 주스요. 망고 주스가 달콤하고 먹기도 괜찮지요."

"예, 고마워요. 잘 마실게요."

그녀는 이따금 한 모금씩 주스를 마시면서 남자를 쳐다보며 아주 궁금하다는 표정을 짓는다.

"저, 댁의 이름은 뭐예요? 뭐하는 사람이에요? 어디 살아요? 몇 살이에요?"

메이코는 상대의 아무것도 모르기 때문에 속사포처럼 남자의 신상에 관하여 물어본다. 그 남자는 허허허 웃으면서 대답한다.

"뭐가 그렇게 궁금하세요? 그냥 평범한 길 가는 이웃이고 별 볼 일 없는 사람인데 알고 싶은 것이 너무나 많군요. 너무 비싸게 치고 있는 것 아닌가요?"

"그럼 궁금해 하지 않을 사람이 어디 있을까요? 자기 앞에 앉아서 주스도 사주고 대화를 나누고 있는 상대에 대하여 알고 싶지 않은 사람 있으면 나오라고 해요!"

"그런가요? 예, 그럼 내가 먼저 내 자신을 소개해보지요. 이름은요, 아베 신조고요. 나이는 마흔둘 아직 미혼이고 혼자 살고 있어요. 요기 가까운 곳에."

아베 신조는 손을 들어 자신이 살고 있는 방향을 가리킨다. 그가 혼자 살고 있고 그것도 미혼이라니 잘하면 횡재를 할 것 같은 느낌이 든다.

"아하, 우리 집에서 얼마 멀지 않은 곳에 살고 있군요. 이름은 옛날 수상인 아베하고 같군요. 그런데 뭐하시는 분이에요?"

"예, 무역업을 하고 있습니다. 큰 회사는 아니지만 이것저것 형편에 맞게 수출입을 하고 있는 회사인데 팀장을 맡고 있어요."

"예, 그렇군요. 아직도 결혼을 하지 못한 자유남이네요. 호호호"

"예, 아직 능력이 되지 못해서요. 집 한 칸 마련 못하고 있고, 처자가 생기면 부양을 해야 하는데 아직 모아놓은 재산이 없기도 하고, 마땅한 여자도 아직 만나지 못하였습니다."

'옳거니 이 남자 오늘 이제 제대로 임자를 만났구나. 네가 나와 인연을 맺으려 오늘까지 기다렸구나!'

그녀는 속으로 쾌재를 부른다.

"에헤 문제는 돈이네요. 돈이 뭐가 그렇게 중요해요? 사랑만 있으면 되지. 안 그런가요? 둘이 죽어라고 사랑한다면 돈이 무슨 대수가 되나요?"

"허어 모르시는 말씀. 돈이 없으면 결국 사랑도 깨진답니다. 그건 돈이 있는 사람들의 말이지. 진짜 돈이 없으면 아무것도 할 수 없어요."

"그럴지도 모르지요. 가난한 사람의 처지가 되어봐야 그 상황을 알 수가 있겠지요. 그래도 가난하다고 결혼도 못하는 그런 사회는 있을 수 없어요. 국가가 나서야 되지 않을까요?"

"글쎄 그건 개인사정이라고 매도해버리지요. 가난 구제는 나라도 못한다는 말도 있지 않아요? 개인에 따라 달라진다는 말이지요. 노력하는 사람만 국가에서 구제할 수 있다는 말이겠지요."

"어찌하든 빈부의 격차가 자본주의의 최대 단점이자 체제 붕괴를 야기할 수 있는 그런 점은 시정되어야 하는데, 자본주의 실행 수백 년이 되었어도 여전히 빈부격차가 계속 늘어나고 있고 해결되지 않으니 가난한 사람은 뭔가 사단이 나기를 바랄지도 모르지요. 여하튼 큰 문제지요. 앞으로 해결될 기미도 보이지 않는 요원한 과제라고... 그리고 아기도 낳지 않아요. 우선 보육을 하는 데 너무나 많은 돈이 들어가고 맞벌이해서 충당해야 하는데 아기를 맡길 곳도 없고 봐줄 사람도 없고, 친정어머니 아버지의 삶을 뺏어버려야 보육이 가능하고, 그리고 후세에 대한 기대감이 없어서 그래요. 우리나라만 그런 것이 아니라 살기에 빡빡한 나라가 다 그렇다지요?"

"글쎄 난 아직 미혼이라서 그런 것은 잘 모르는데 댁은 잘 알고 계시네요. 어찌 되었든 애를 낳아 키우려면 돈과 시간에 여유가 있어야 하는데 현대를 살아가는 젊은이들의 삶이란 일개미나 일벌과 유사하거든요. 번식과는 무관한 죽도록 일만 하는......"

"그건 그렇고... 댁도 자기소개를 해야 할 시간이 됐네요!"

"아참! 뭐, 제 이름은 '메이코'라고 해요. 예쁜 아이라고... 이름처럼 예쁘지요? 그렇지요?"

"예 예 예... 그렇네요. 이름처럼 예쁘네요. 정말!"

"저도 이 근방에 살고 있고요. 엄마, 아빠는 대학교수였는데 몇 년 전에 은퇴하셨어요. 지금은 텃밭을 가꾸고 친구들 만나 소일하고 있지요."

"나이는요? 어디 근무하세요? 하하하 나도 메이코처럼 속사포처럼 질문을 해야지. 어때요?"

"좋아요, 나이는 댁과 같아요. 그리고 핵 연구소에서 연구원으로 근무하고 있어요. 좀 더 자세히 말하면 물질의 원자와 방사능과의 관계를 연구하고 있지요. 어때요? 거추장스럽지 않나요? 여자가 그런 것을 연구하고 있다니..."

"아니! 하나도 거북살스럽게 생각되지 않네요. 여자로서 대단한 일을 한다고 생각됩니다. 원래 여자가 남자보다 섬세해서 그런 작은 세계를 탐구하는 데 더 유리할 수도 있겠지요. 보수도 많겠지요?"

"그렇게 생각해주시니 제 직업에 대하여 자부심이 생기네요. 보수는요, 생각보다 많아요. 샐러리맨보다는 훨씬 많지요. 그러니까 죽어라고 수십 년이 걸려 공부해서 박사학위를 받고 늦깎이로 취업을 하는 것이지요."

두 사람은 이런 이야기 저런 이야기를 주고받다가 한 시간이 지나 헤어진다. 집으로 돌아오면서 메이코는 자신을 홀대하지 않고 대화의 상대로 맞이해주는 아베 신조가 고맙고 정말 좋아진다. 나이도 같다니 잘만 하면 아주 좋은 결과를 가져올 있겠다고 생각해본다. 그러면서 스스로 얼굴이 분홍빛으로 변한다. 두 사람은 그 뒤로 일주일에 한두 번씩 만나 서로의 마음을 주고받는다.

오사카 핵물리 연구소

핵 연구소장이 모든 부서장을 갑자기 소집하여 회의하고 있다.

"오늘 여러분을 급하게 모이게 한 것은 정부로부터 긴급 현안 연구 과제가 하달되었기 때문입니다. 연구 과제에 대해서는 잠시 후에 브리핑 해드리겠지만 이번 사안은 시간이 유한하고 짧기 때문에 여러분의 분발이 요구됩니다. 그리고 문부과학성과 공안청에서 이번 연구에 대하여 절대 함구하라는 지시도 있었습니다. 이번 연구가 극비에 해당된다고 말할 수 있겠지요. 그럼 연구 과제에 대하여 개략적으로 행정처장이 말씀드리겠습니다."

행정처장이 급하게 만든 슬라이드를 켜더니 설명을 시작한다. 슬라이더에는 바닷속에서 건져 올린 원석을 확대해 비추고 있다.

"에– 또, 이번의 연구는 슬라이더에서 보시고 있는 광석의 성분에 대하여 파악하는 것입니다. 즉 원석의 주성분이 무엇이고 성질은 어떠하며 함유량이 얼마나 되는지, 그리고 주성분의 이용에 관하여 연구하는 것입니다. 우리로서는 크게 어려울 것이 없습니다만 문제는, 결과를 서두르고 이것을 특급비밀로 취급하는 정부의 방침입니다. 우리는 연구 과제에 집중하면서 여기서 발생하는 어떠한 결과도 외부로 누설해서는 안 되겠습니다. 연구에 참석하는 모든 연구원과 관련자들은 보안유지에 만전을 기하여야겠습니다. 이상입니다."

회의에 참석한 연구원들은 각자 연구실에 들어가면서 그렇게 중요하고 비밀을 유지해야 하는 연구를 졸속으로 짧은 시간에 하라는 것에 대하여 불평하지만 일본 정부의 지엄한 지시라 거역할 수 없는 상황이 된다.

이시하라 간지 성분분석부장은 사무실에 들어와 휘하의 연구원들을 모이라고 한다. 연구원들은 이번에는 또 무슨 일일까 생각하며 부장 방에 꾸역꾸역 모인다.

"에~ 아노–, 우리는 내일부터 지금까지 하던 연구 과제는 당분간 접어두고 정부에서 지시한 새로운 과제를 시작해야 합니다. 사실 이번 연구는 우리 부의 고유 업무라서 다른 부서보다 여러분의 분투가 요구됩니다. 우리 부서에서 먼저 성분 분석을 하고 그 결과를 연관 부서들에 보내면 우리의 분석 결과에 따라 그들의 연구가 정해질 것입니다. 왜 그러는지는 몰라도 정부에서는 이 연구를 특급비밀로 구분하고 각별히 관계자들이 연구 결과를 발설하지 말라는 주문이 있었습니다. 자! 내가 할 말은 다 했으니 내일부터 연구에 매진해봅시다."

이시하라 간지 성분분석부장은 나이 오십이 넘어서 몇 개월 전에 상처하였다. 부인이 교통사고로 비명횡사한 것이었다. 그는 부인의 장례를 치른 후 갑자기 허전해진 빈자리를 채우려 술을 마시기 시작했다. 처음에는 포장마차에 가서 혼자 술을 마시며 달래었지만 어느덧 바에 가서 독한 술을 마시는 일이 잦아졌다. 평일에 독한 술을 많이 마시면 인사불성이 되어 다음날 출근에 문제가 있으니 다음날이 자유스러운, 주로 금요일이나 토요일에 마신다. 주말에 아침 늦게까지 자다가 술이 깨어나면 머리가 찢어질 정도로 두통이 일어나 한참을 누워 있다가 그동안 미뤄두었던 청소와 세탁을 한다. 고등학교에 다니는 아이가 둘이나 있어 아이들의 뒤치다꺼리도 해야 하는 관계로 주말은 꼼짝 못 하고 두통을 참아가며 집안일을 도맡아야만 한다. 그렇게 몇 개월을 지내게 되니 이시하라 간지는 여자가 없는 자리가 크게 느껴졌고 누군가가 자신을 도와주면 좋겠다는 생각이 든다.

어느 금요일 저녁 퇴근 후 곧장 식당에 가서 가볍게 덮밥으로 혼자 밥을 먹고, 이번에는 혼자 술 마시기 위하여 또다시 바에 들어간다. 그가 자리를 잡고자 늘 혼자 앉던 창가 자리로 가는데 그 자리에 한 여자가 먼저 앉아있었다.

'어? 이 시간에, 이렇게 이른 시간에 웬 여자가 술좌석에 앉아있을까?'

그는 이상하다고 생각하며 주변을 두리번거리며 다른 자리를 찾는데 대담하게도 그 여자가 말을 걸어온다.

"아저씨! 여기 이리와 앉으세요. 우리 같이 합석해요!"

이시하라 간지는 깜짝 놀란다. 웬 외간여자가 당당히도 자신과 합석을 하자고 말하니 유교적, 전통적 관념이 강한 그의 마음이 혼란해진다.

"예, 그 그 그렇게 해요. 여기 앉아도 될까요?"

대답을 하면서 그녀를 내려다보는 그의 몸이 순간적으로 얼어버렸다 풀린다. 미녀다. 아름답다. 내가 아직 술을 먹지도 않았으니 분명히 밤에 피는 장미도 아니고 아직 붉은 홍등이 켜지지도 않은 초저녁에 그렇게 예

빠 보이니 그녀는 정말 미인이 틀림없다.

"아이구! 이거 실례합니다. 그런데 혼자 오셨나요?"

"예, 혼자예요. 바텐더한테 이야기를 들었어요. 수개월째 혼자 오신다고 하여서 오늘은 제가 대작을 해드리려고 왔어요. 호호호. 괜찮지요?"

"아, 예예~ 괜찮고말고요. 아주 잘 되었습니다. 제가 원래 술을 잘 못하는데 사연이 있어서 혼술을 하게 되었습니다그려!"

"아, 그럼 아주 사연이 깊겠네요."

"그렇게 깊지는 않아요. 저, 우리 한잔할까요?"

"그래요? 저는 버번위스키가 좋아요. 얼음하고 칵테일을 해서 마실래요."

"예, 좋습니다. 나도 그거로 하지요. 통일해버리지요."

이시하라 간지는 바텐더를 불러 버번위스키 두 잔을 주문한다. 잠시 적막이 흐르고 바텐더가 두 잔을 가져오자 여자가 먼저 받아들며 건배를 제의한다.

"우리의 만남을 위하여!"

"위하여!"

"자, 한 번에 마셔버리세요. 그래야 건배지요."

"그 그 그래요. 건빠이 건빠이..."

두 사람은 정말 꿀꺽 꿀꺽 한 번에 다 마셔버린다. 잔에는 아직 녹지 않은 얼음이 남아 있다. 그러자 남자는 바텐더를 불러 또다시 한 잔을 주문한다.

"제가 보기에는 애들도 제법 클 나이가 된 것 같은데 이렇게 혼자 다니는 이유, 남모르는 곡절이 있을 것 같습니다그려!"

"예, 혼자되어 허전함을 달래다보니 익숙해졌습니다, 이제는."

"그래도 그렇게 술만 드시면 몸이 상할 수밖에 없지요."

"제가 몇 개월 전에 상처를 했지요. 마누라가 죽었답니다."

"그래요? 저런... 쯔쯔쯔. 그런데 왜요? 무엇 때문에 사모님이 돌아가셨나요?"

"교통사고였답니다. 그것도 대형 트럭하고 정면으로 충돌하여 현장에서 즉사를 했지요. 어느 누구도 손 쓸 틈이 없었답니다."

"저런! 그런 끔직한 사건이 있었다니 괜스레 물었나 봐요."

"아니요. 가끔씩 이런 말을 누구한테 해버려야 내 마음이 편안해져요."

"그래요? 그렇다면 나에게 말해요. 모든 것을 떨쳐버려요."

두 사람은 동시에 버번 한 잔을 단숨에 마셔서 그런지 뱃속이 찌르르해지고 얼굴이 순간적으로 후끈 달아오른다. 이시하라 간지는 자신의 처지를 생판 처음 만나는 그녀가 누군지 뭐하는 여자인지도 모른 채 미주알고주알 다 이야기한다. 여자가 편안하게 느껴졌고 자신의 마음을 털어놓으면 뭔가 해결방안이 나올 것도 같기 때문이다. 오늘은 위스키 두 잔만 한다. 바텐더를 불러 여러 번 주문을 해도 여자가 더 이상 먹으면 몸이 축난다고 막무가내로 취소해버린다. 대신 그녀는 바텐더에게 미안하다고 팁을 두둑이 준다. 그렇게 두어 시간 동안 여자는 이시하라 간지의 넋두리를 들어준다. 밤이 제법 익어 술꾼들이 몰려들고 술집이 어수선해지자 그녀가 갑자기 그만가자고 한다.

"아니, 시간이 얼마 되지 않았는데 벌써 가자고 하시나요? 술도 좀 더 하고 이야기도 더하면 좋겠는데..."

"아저씨! 난 아저씨의 신상을 아무것도 모르고 아저씨도 나에 대하여 아무것도 모르잖아요. 그리고 술 많이 마시면 나중에 폐인이 돼요. 오늘은 그만가고, 만나고 싶으면 내일 만나요. 아저씨 전화번호를 알려주세요. 내가 전화를 걸 테니 내일 다시 만나고 싶을 때 나한테 전화해요."

이시하라 간지는 전화번호를 알려주자 그녀가 자신의 전화기를 꺼내어 전화를 건다. 벨소리가 들려온다.

"전화 받지 마시고 거기에 찍힌 전화번호로 내일 만나고 싶을 때 전화해요."

"예, 그 그 그렇게 하지요. 내일……"

여자는 나가면서 자신이 계산을 하고 어정쩡하게 서 있는 이시하라 간지의 손을 잡아끌며 술집 계단을 내려가 건물 밖으로 나온다.

"여보세요, 아저씨! 오늘은 집에 가서 푹 쉬세요. 일주일간의 피로는 오늘 푸시고 내일은 맑은 정신으로 애들도 보살피고, 내일 저녁에 나를 만나고 싶으면 전화를 하고, 좋다면 저녁이나 같이 먹어요. 알겠어요?"

"예, 그 그 그렇게 하지요."

두 사람은 그렇게 첫 만남에서 가볍게 헤어진다. 이시하라 간지는 뭐가 뭔지 이상하고 어리둥절하다. 꼭 도깨비에게 홀린 느낌이다.

'가만있어라, 그 여자는 뭐냐? 어떻게 나를 알고 기다렸지? 그리고 더 이상 술을 먹지 말라고 술잔을 빼앗듯 하고... 그 여자가 왜 그랬을까? 그리고 겉은 멀쩡하게 보이는데 무엇을 하는 여자고 나 같이 나이든 사람에게 왜 접근하였지? 생각하면 생각할수록 헷갈린다. 보통 그런 여자는 술 뺏어먹고 대부분 남자를 만취하게 만들어 돈을 갈취한다든가 등쳐먹으려고 하는데, 이 여자는 자기가 술값을 치르고 술도 더 먹지 못하게 하니 나한테 바가지 같은 것을 씌울 그런 여자는 아닌데?

아니야, 나중에 그럴지도 몰라. 지금은 아닌척하지만 언제 돌변하여 가진 것 다 털어가려고 할지도 몰라. 그러니깐 그 여자는 꽃뱀인데 고단수의 비단뱀이겠지. 코브라처럼 맹독은 없지만 둥글고 큰 몸통으로 죄어 서서히 질식사하게 만드는 버마 산 비단뱀 아니면 아마존의 아나콘다일지도 몰라. 술 몇 잔 사주고 나에게 환심을 산 후 나를 서서히 졸라 질식사 시키려는...'

그는 별의별 생각을 해본다. 하지만 그녀가 전화번호를 남기고 언제든지 만날 용의가 있을 때 연락하라고 하니 이것 또한 이상하지 않은가? 그런데 한편으로는 이런 생각이 들기도 한다. '나의 처지를 잘 아는 어느 지인이 나를 위하여 그 여자를 보내지 않았을까? 나에게 직접 말하기는 그렇고 내가 적극적으로 싫다고 할까 봐 간접적으로 우회하여 나에게 접근하도록 하지 않았을까? 그렇다면 그녀는 진국이 아닌가. 얼굴도 예쁘고 키도 늘씬하고 마음 씀씀이도 아주 좋을 것 같은데, 그녀에 대하여 좀 더 물어보지 못한 것이 아쉽기도 하다. 아니야. 내일 내가 만나자고 하면 만난다고 하였으니 내일 만나서 물어보면 될 것 아니야? 그래, 내일 만나자. 맑은 정신으로 만나서 속 시원하게 모든 것을 물어보자.'

집에 돌아와서 침대에 누운 그는 수만 가지 생각에 잠이 어떻게 들었는지 모르게 그런 대로 잘 잤으며 습관적으로 아침 일곱 시에 깨어난다. 매 주말에는 낮 열두 시까지 늦잠을 자곤 하였는데 오늘은 언제나 그런 것처럼 평일 출근 시간이 되니 눈이 번쩍 뜨인다. 술을 먹은 날은 머리가 찌근찌근 아파 운신하기가 힘겨웠지만 어제는 술을 두 잔밖에 마시지 않았기 때문인지 머리도 아프지 않다. 그리고 간밤에 그 여자와 노니는 꿈도 꾸고 오래간만에 단잠을 잔 것 같아 기분이 좋다. 아침을 준비하여 아이들이 일어나기를 기다린다. 아이들은 주중에 집중하여 늦게까지 공부를 하기 때문에 주말에는 보통 늦잠을 자고 그렇게 자도록 그냥 내버려둔다. 아이들이 일어나기까지 기다리는 동안 밀린 세탁물을 세탁기에 집어넣고 돌린다. 오늘은 왠지 아침부터 힘이 난다. 스마트폰을 꺼내놓고 어제 받은 전화번호에 메시지를 쳐 넣는다.

"어제는 참으로 고마웠습니다. 오늘 저녁 여섯 시에 XX에 있는 '○○○ 레스토랑'에서 뵐 수 있을까요?"

그는 망설이다가 'Send'를 힘차게 누른다. 잘 보내졌다고 이내 'Sent'가 뜬다. 그는 답장을 기다리며 전화기를 몸에 달고 다니면서 이런저런 집안

일을 한다. 얼마나 시간이 지났을까. 메시지 오는 소리가 또록 하고 들린다. 얼른 스마트폰을 꺼내 열어보니 그녀에게서 고대하던 "알겠습니다."라는 답변이 들어왔다. 기분이 날듯하다. 하루 낮이 이렇게 길까. 그녀 생각만 난다. 그녀와 모래성을 쌓고 허물고 만리장성도 쌓아본다. 그렇게 지루하게 느껴지던 하루해가 어느덧 서산 쪽으로 내려가고 약속시간이 다가온다. 한동안 아껴두었던 정장을 꺼내 입고 장미향수를 옷 이곳저곳에 슬쩍슬쩍 뿌린다. 두 아이들은 오늘따라 변해버린 아버지가 이상하다고 생각되어도 물어볼 수도 없어 어안이 벙벙한 채로 바라보고만 있다.

"저녁 준비해놓았으니 너희들이 챙겨먹어라."

말만 남기고 차를 몰아 약속된 '○○○ 레스토랑'에 들어간다. 점원에게 예약된 상황을 말하며 혹시 누가 와서 기다리지 않는지 물어보았으나 아무도 오지 않았다는 대답이다. 예약된 좌석에 앉아 기다리는데 갑자기 출입구가 훤해지는 느낌을 받는다. 반사적으로 그녀가 나타났음을 직감한다.

'아아! 그녀가 나타났다. 그녀가!'

그는 반가움에 얼른 자리에서 일어나 잰걸음으로 다가가 그녀의 손을 잡고 자리로 이끈다. 솔직히 그녀가 나오지 않으면 어떡하지 하는 조마조마한 마음이 들기도 하였다. 그녀의 핸드백을 받아 옆 의자에 올려놓고 자리에 앉으라고 권유하면서 의자를 빼내어주며 말한다.

"오시느라 수고하였습니다."

"오, 오. 고마워요!"

그가 여성에게 의자를 빼어준 것이 사별한 부인하고 연애할 때 이후로 처음인 것 같다. 점원이 주전자를 들고 와 이미 놓인 컵에 차를 따른다. 녹차의 향기가 식탁 주변을 적시며 향긋한 내음을 흩뿌린다. 점원이 메뉴판을 주며 주문을 받는다. 이시하라 간지는 먼저 보라고 메뉴판을 그녀에게 건넨다.

"뭐 드시겠습니까? 여기는 스테이크가 유명하답니다. 어때요? 스테이크가 마음에 드시지 않습니까? 스테이크 말고도 여러 가지 메뉴가 있으니 드시고 싶은 것이 있으면 고르세요."

"스테이크 좋아요."

"우리 스테이크 둘 주세요."

"예, 알겠습니다. 고기를 어떻게 익혀드릴까요?

"예, 미디엄 웰"

"나도요."

"그러면 샐러드 드레싱은 어떤 것을 드릴까요?"

"예, 깨로 된 소스요."

"나도요!"

그녀는 앵무새처럼 따라 주문한다.

"오늘 이 자리에 와주셔서 대단히 감사합니다. 메시지를 보내놓고 아무런 대답이 없으면 어떡하나 마음 졸였습니다."

"제가 약속한 것을 저버릴 수 없었기 때문이지요. 여자의 일편단심도 상당하다는 것을 아셔야 될걸요! 호호호호"

"하하하 일편단심이라... 그렇게 확고하시다니 감사합니다."

"먼저 저를 소개하겠어요. 어제는 간단히 제 처에 관한 것만 이야기하였는데 오늘은 제 자신에 대하여 말씀드려도 괜찮겠지요?

"예, 말씀하세요. 저도 몹시 궁금하니까요."

"예, 제 이름은 이시하라 간지라고 합니다. 나이는 쉰두 살이고요. 딸 하나 아들 하나 있습니다. 지금 오사카 ○○○ 핵 연구소에서 연구 부장으로 재직하고 있습니다. 부모님은 모두 사별하였고요. 애들을 잘 키워 독립시켜야 할 마지막 임무가 저에게 남아 있습니다. 간단히 저에 대하여 말씀을 드렸습니다."

그는 마지막 임무에 대하여 힘을 준다. 그러니까 마지막 남은 일에 당신의 협력이 필요하다는 의미로 들린다.

이때 샐러드가 먼저 나오고 곧이어 본 요리인 스테이크가 나와 대화는 중지된다.

"자, 드시지요."

"예, 맛있게 먹겠습니다."

이 순간 두 사람의 눈빛이 뜨겁게 교차한다. 두 사람은 포도주를 한 병 주문하여 서로 따라주고 '브라보' '건빠이'를 외치며 마신다. 그녀는 안주로 고기를 한 점 잘라 입에 넣고 우물우물 씹는다.

"호호호 이번에는 저를 소개할 차례네요. 그렇지요?"

"뭐 소개 안 하셔도 됩니다. 그냥 뵙기만 해도 배가 부른걸요."

"그래도 그게 예의가 아니잖아요. 제 이름은 치하루라고 해요. 나이는요, 마흔다섯 살이고요. 혼자 살고 있어요. 남편은 결혼한 지 1년이 지난 어느 날 돌연사 했어요. 그리고 줄곧 혼자 살아 왔어요. 살기 위해 보험회사를 여태껏 다니고 있지요. 혼자 사니까 내가 벌어서 먹고살 수밖에 없고 재혼은 절대 안 하기로 다짐하였지요. 어때요? 더 알고 싶은 것이 있나요?"

여자의 음성은 나지막하고 약간 허스키하면서 말끝이 섹시하다.

"아, 아니 어 없어요. 혼자서 오래 사셨군요!"

꼭 자신의 마음이 들킨 것 같이 당황하며 그래도 혼자 살아온 이유가 뭐냐고 간접적으로 물어본다. 그러면서 그녀를 힐끗 힐끗 훔쳐보면서 이곳저곳을 샅샅이 살펴본다. 그녀는 아름답다. 이목구비가 붙어 있을 곳에 있어 잘 조화를 이루고 있다. 훤칠한 이마. 오뚝한 코, 큰 눈, 야물게 닫힌 입, 잘생긴 귀, 뒤로 늘어진 긴 머리가 모든 것을 우아하게 묘사한다.

"예, 퍽이나 오랜 세월을 혼자 살아왔지요. 그때 내 나이 스물넷에 결혼하였으니까 20년이 훌쩍 지나가버렸지요."

"아하. 그러면 혼자 그 오랜 세월을 보내시면서 외로움을 많이 타셨을 것인데 어떻게……"

"왜 재혼을 안 하였는가? 라는 질문으로 들리는데 사실 사별한 남편의 시댁이 남편의 돌연사에 대한 원인과 책임을 모두 나에게 돌리는데… 나로서는 참으로 너무나 황당하고 말이 나오지 않아 그때부터 혼자살기로 마음먹은 거예요."

"시댁이 어떻게 하였길래……"

"나를 남편 잡아먹은 귀신으로 몰았어요. 내가 죽였다고요. 운동을 하다가 심장마비로 갑자기 죽었거든요."

"심장마비는 어느 누가 회생을 시도해도 어찌할 수 없는데."

"그러니깐 네가 귀신이라서 어쩔 수 없었다. 바로 너 때문에 죽었다. 라고 시댁에서는 저를 몰아붙였습니다. 나는 더 이상 살 수가 없어 도망쳐 나와버렸어요."

"어이쿠 가엾어라. 여자 혼자서 수십 년을 살면서 고생한 것을 생각해 보면 눈물이 나네요. 참으로 안타깝네요."

"가엽게도 생각 마시고 안타까워하지도 마세요. 난 보시다시피 자유부인이 되어 자유롭게 아무런 거침없이 내 마음대로 하고 싶은 일 하고 살고 있으니까요. 난 그동안 하늘을 내 마음대로 날아다녔어요. 가고 싶은 데 아무 데나 내려앉고 그러다가 지치면 다시 비상하여 우주를 향해 떠돌았어요. 그런데 우주에는 나를 반기는 게 아무것도 없었어요. 끝없는 공간에 허무만이 난무했어요."

그녀의 눈가에 순간적으로 눈물이 맺히고 어두운 빛이 감돈다.

"그렇지요. 쓸쓸하고 적막하고 외로움에 어디론가 탈출하고 싶었겠지요. 그 마음 이해가 가요. 치하루, 낙담은 이제 그만하세요. 그런데 치하루는 나를 어떻게 알게 되었지요?"

"예, 어떤 지인이 선생님에 대하여 이야기해주었어요. 그 얘기를 듣고 내 처지와 비교를 해보았어요. 선생님의 처지가 이해가 되었어요."

이시하라 간지는 치하루의 이 한마디에 그동안 가졌던 그녀에 대한 모든 의심을 거두어버린다. 하지만 지인이 누구인지는 물어보지 않는다. 쓸데없이 여러 가지를 질문하여 자신을 이해해주는 모처럼 귀하게 만난 원군을 떨쳐버리고 싶지 않다. 두 사람은 식사를 마치고 가벼운 마음으로 다음에 다시 만나기로 약속을 하고 헤어진다.

며칠 후 그들은 또다시 만나 식사를 하면서 그동안 살아왔던 자신들의 이야기를 한다. 그러면서 점차 만나는 횟수도 증가하고 주말이면 오사카 성이나 교토, 나라의 유명한 관광지에서 데이트를 한다. 그렇게 한 달이 지나자 이시하라 간지는 이제 이 여자를 내 것으로 만들어 나의 빈자리에 채워놓겠다는 생각을 가진다.

한국 정부의 대비

독도방어훈련

국방부는 작금 울릉도와 독도에 비밀리에 배치하고 있는 신무기의 합동작전 능력을 점검하고 신무기의 능력을 재평가하며, 최근에 새로 수립된 독도 방호 작전계획을 실행, 점검해보고 보완점을 마련하기 위한 연습을 수행하기로 한다. 방호작전을 독도와 울릉도에서 수행하면 신무기의 성능과 방어개념 등 작전능력이 노출될까 봐 서해상의 흑산도를 독도로, 비금도를 울릉도로 설정하여 실제 병력과 무기를 배치하여 실전과 동일하게 작전을 수행하고, 신무기도 다음과 같이 운용하도록 한다.

〈제5세대(6차원) 레이더와 레일건, 레이저건과의 합동 작전〉

흑산도에 6차원 레이더를 이동, 배치하여 스텔스 항공기와 스텔스 함정을 흑산도 부근 해상에 띄워 포착여부와 상태를 확인한다. 그리고 레일건과 레이저건을 레이더와 연계하여 발사할 수 있는지 여부, 정확성 등을 드론을 띄워 격추시킬 수 있는 능력을 확인하는 작전이다. 6차원 레이더는 다음과 같이 네 군데 시스템에서 오는 탐지정보를 실시간으로 종합하여 레이더에 영상을 전시하는 개념이다.

첫 번째 시스템은 섬을 중심으로 반경 30킬로미터마다 240킬로미터까지 16방위로, 120킬로미터 밖은 240킬로미터까지 32방위마다 전파 송·수신 장치(전파수집 장치)를 바다 수면 위에 띄워 배치한다. 그리고 이 장치에 감지된 전파를 레이더의 주 컴퓨터에 보내어 집적한다. 6차원 레이더 시스템은 전파 송수신기에서 받은 정보와 각 레이더 사이트에서 직접 4차원의 레이더에 탐색된 정보와 조기 경보기(원격 공중 통제기)에서 탐색한 실시간 정보를 정제하고 집적한다. 또한 위성에서 찍은 실시간 영상사진을 컴퓨터로 송신하여 그 결과를 주 컴퓨터에 보낸다. 주 컴퓨터에서는 이 네 가지 정보를 종합 취합하여 최종 영상을 6차원 레이더 영상에 도시하게 된다.

원격 공중 통제기 아르카(ARCCA)는 이 정보를 이용하여 모든 전투기를 공중에서 통제한다. 즉 4차원 지상레이더와 조기 경보기 정보, 전파 송수신기 정보, 위성 영상 광학 자료를 종합하여 정제한 정보를 영상에 도시하기 때문에 모든 스텔스 항공기나 함정을 탐지할 수 있는 능력을 가진다.

이 레이더의 또 다른 특징 중 하나는 바다 곳곳에 떠 있는 전파 수집 장치와 인공위성에서 찍은 사진을 비교하는 것이다. 그래서 4차원의 레이더에서 송출되고 있는 전파를 산란시키거나 반사파를 줄이는 스텔스 항공기 또는 함정 잠수함이라 하여도 100퍼센트 탐지할 수밖에 없는 최첨단 체제이다.

또한 만능이라 할 정도로 탐지된 정보를 다시 레이저건과 레일건의 사격 통제 장치로 보내어 지대공 미사일과 대공포처럼 적을 요격하는 자동 사격 제어장치의 역할을 하도록 만들었다. 더불어 지상에서 함정이나 탱크, 차량, 이동 중인 군인들을 표적으로 사격이 가능하도록 지대함, 지대지 자동 사격 통제능력도 갖추었다.

해수면에 떠있는 작은 전파 송수신 장치(전파수집 장치)는 기본적으로 태양전지를 사용하여 작동되며, 파도가 심하게 일렁이어 탐지장치가 수면에 잠기거나 젖게 되면 이번에는 조력에 의하여 전력을 생산하도록 고안되어있다. 이 전파 수집 장치의 또 하나의 특징은 수면에 고정되지 않고 GPS 신호를 받아 설정된 반경 20킬로미터 내에서 자동으로 위치를 자가 변경할 수가 있다는 것이다. 만약 함정이나 어떠한 이동수단이 이 전파 수집 장치 주변이나 위를 지나간다면 발견되지 않도록 자동으로 피할 수 있는 기능도 있다.

그리고 중요한 또 하나의 기능이 있다. 잠수함 탐지를 위한 세 가지 장비가 수면 밑에 연결되어 부착되어 있다. 여기에는 음파와 저주파, 고주파의 송출기와 탐지기가 부착되어 있어 해저에서 움직이는 잠수함을 탐지하여 그 결과를 중앙 컴퓨터에 송신한다. 자신이 내보낸 신호를 자신이 포착도 하지만 이웃한 표적 장치가 내보낸 신호도 잡아내어 잠수함 등 수중 침투 물체를 잡아내고 위치를 추적해낸다. 이렇게 탐지된 모든 전파 정보는 중앙컴퓨터에 보내지고 여기에 대잠 초계기에서 탐지한 결과를 비교하여 정확하게 수중에서 활동하고 있는 잠수함을 포착하여 요격할 수 있다. 이 통합 장치를 틱스(TSCCS: Target Search & Contact, Capture System)라 부른다.

〈공대공/공대지 무인 스텔스 드론 전투기〉

공대공 스텔스 드론 전투기는 실제 전투기의 4분의 1 크기로, 기존 전투기인 F-35나 F-22 항공기보다는 아주 작다. 공대공 스텔스 드론 전투기는 전방 표적을 30노티칼마일(NM, 약 50킬로미터)에서 획득하고 20노티칼마일(37킬로미터)에서 전방무기를 발사하여 적기를 격추시키는, 조종사 없이 원격 조종하는 무인 전투기이다. 이 스텔스 드론 전투기에는 소형화시켰지만 폭발력이 강력한 전방 미사일 여섯 기가 내장되어 있다. 작전개념은 지상 통제소와 연계된 원격 공중 통제기에서 원격 조종하여 각 드론에 대하여 직접 목표를 할당하고 동시에 한 대당 최대 적 6대를 포착하여 무장을 발사한다.

지상 통제소와 원격 공중 통제기에는 대형 스크린이 마련되어 있어 입체적으로 공중 상황을 파악할 수 있고, 편대별로 통제 레이더와 통제 스크린을 이용하여 지상 통제소에서는 공중 통제기에 전적으로 요격을 맡기지만, 필요 시 작전 방향대로 지시를 하여 원격공중 통제소에서 요격 무기 배당을 하도록 만든다.

무인 스텔스 드론 전투기의 전투 대형은 드론 간 2노티칼마일(3.7킬로미터) 수평 직선으로 16대가 선두에, 그 뒤에 역시 16대의 드론 전투기가 20노티칼마일(37킬로미터) 후방에 2노티칼마일 횡으로 대열을 이루어, 첫 라인에서 요격에 실패하거나 요격을 하지 못하여 요격그물에 걸리지 않고 계속 침투 중인 적 전투기를 요격하는 방어벽 대형이다.

전시 정상적인 작전규모는 1개 무인 스텔스 드론 전투비행단이 16대씩 3차 방어선을 담당하기 위해서는 총 48기 무인 스텔스 드론 전투기를 투입한다. 무인 스텔스 드론 전투기의 또 하나의 장점은 공대지, 공대공, 공대함 작전을 동시에 수행할 수 있는 미사일이 적재되어있는 점이다. 즉 장착된 6기의 공대공 미사일로 상황에 따라 대함 미사일(공대함)로 혹은 지상의 목표물을 공격할 수 있는 공대지 미사일로 전환하여 사용할 수 있다.

이번 작전은 서해상에서 흑산도로 수십 대의 무인 스텔스 드론 항공기를 북쪽에서 가상 적으로 접근 침투시키고, 남쪽에는 방어 전력을 전개시키어 침투하는 적 전력을 탐지하여 요격하는 작전이다. 두 번째 작전에는 한국에서 개발하여 배치한 스텔스 항공기 A-55와 F-55, F-35도 투입하여 스텔스 드론과 전투기와의 연계 합동작전을 수행함으로서 피아 식별과 전투 배당에 대하여 연습을 수행하는 작전이다.

스텔스 전투기에는 레이저건도 장착되어 있다. 이 건은 종래의 20밀리미터 혹은 30밀리미터의 기관포 대신에 장착된 것으로 근접된 전투에서 사용하기 위한 것이다. 최대사거리는 단지 2킬로미터밖에 되지 못하지만 기존의 기관포보다는 5~6배 사거리가 늘어난 것이다. 레이저건은 순간 많은 전력이 소요되어 항공기 같은 작은 공간에 큰 출력의 전력을 얻을 수 없어 소형화가 된 근접용 레이저건이 기존의 기관포 대신 탑재된 것이다.

무인 스텔스 드론 전투기의 실제 사격이 있던 날, 합동참모본부 지하 벙커에 있는 전투 지휘소가 부지런히 움직인다. 대통령이 무인 스텔스 드론 전투기의 실제 사격 결과를 보기 위하여 불시에 방문한 것이다. 국방부 장관과 합동참모 부장의 안내하에 대통령은 흑산도 언저리에서 작전 활동을 하는 무인 스텔스 드론 전투기의 작전에 대하여 먼저 브리핑을 듣는다.

이윽고 전투 지휘소 영상화면에 무인 스텔스 드론 전투기 수십 기가 일자(一字)로 이중삼중 방호 태세를 구축하고, 100킬로미터 전방에 가상적기 15기가 5기씩 3개 파를 이루며 접근한다. 25킬로미터 내에 접근하였을 때 1차 방어선에 있는 무인 스텔스 드론 전투기에서 미사일이 나가는 붉은 광선이 가상적기를 향하여 나간다. 모두 다섯 개의 빛줄기이다. 바로 이어서 가상적기 5기가 붉은색으로 표시되고 파괴되며 화면에서 사라진다. 사격을 마친 1차 방호벽 무인 스텔스 드론 전투기가 이탈하여 3차 방어벽 후방에서 대열을 이루어 재공격을 준비한다. 이어서 2차, 3차 방어벽 대형에서 같은 빛줄기가 나가더니 동일한 결과가 나온다. 화상에서 보인 전투 행위에 대하여 설명을 듣고 대통령은 만족한 웃음을 띤다.

〈항공모함 / 스텔스 함정 / 잠수함〉

한국은 독자적으로 핵 항공모함 5척을 건조, 배치하여 동·남·서해에서 각기 활동하고 있으며, 나머지 두 대는 예비전력과 정비 수행 때 대리 임무를 담당하고 분쟁지역에 추가 투입하는 운용개념이다. 이 항공모함은 두 가지의 독특한 임무가 주어져 있다. 항공모함에는 보통 유인항공기가 탑재되어 전투 임무를 수행하지만 여기에는 무인 스텔스 드론 전투기 수십 기가 탑재되어 스텔스 드론 항공모함이라는 닉네임이 붙어 있다. 무인 스텔스 드론 전투기는 이륙하면 원격 공중 통제기에 의하여 작전 통제된다. 따라서 항공모함에 탑재된 무인 스텔스 드론 전투기가 작전을 하려면 항시 별도의 원격 공중 통제기가 동시에 이륙하여 통제해야 한다.

다른 한 가지는 통상 항공모함은 순양함이나 구축함에 의하여 호위선단을 이루어 항공모함을 호위하지만, 항공모함 자체에 강력한 방어시설을 갖추고 있어 호위함대의 함정 대수를 반감하여 운용할 수 있으므로 기동 전단의 신속한 전개와 전투가 가능한 것이 특징이다.

이번 작전에 1개 항공모함 전단이 참가한다. 잠수함 10여 대, 그리고 이지스함과 순양함, 구축함, 경비정, 보급함, 잠수함 등 함정 수십 척이 편성되어 있다. 항공모함에서는 무인 스텔스 드론 전투기 수십 기가 발진하여 자체방어 연습과 특정 지역을 할당받아 침투하는 적 항공기를 요격하는 임무를 수행하게 된다. 가상 적기는 공군에서 제공하는 스텔스 전투기가 투입된다. 항모전단의 대잠 능력을 향상시키기 위하여 핵 잠수함 10여 척을 흑산도 해역에 침투시키어 항모 전단을 공격하는 시나리오를 마련하여 연습을 수행한다. 잠수함도 적 대잠 활동에 대한 방호 능력을 배양하고 자체 침투 공격 작전을 수행한다.

도서(島嶼)방어

한편, 지상에서는 주로 울릉도와 독도의 방호를 위한 도서 방어 훈련에 초점이 맞추어져 있다. 도서 방어 주개념은 다음과 같다. 먼저 원거리에서 접근 침투하는 적 세력에 대해서는 공·해 합동 작전을 수행하여 도서에 접근하기 전에 격멸시키도록 하고, 근접된 적, 즉 두 섬에 도달하여 공격하는 적 공세전력에 대해서는 자체 방어수단을 활용 방어한다는 개념이다.

좀 더 자세히 설명하자면 도서 반경 20킬로미터 이상에서 접근 침투하는 적성 항공기나 함정, 잠수함 혹은 상륙군에 대해서는 공군의 무인 스텔스 드론 전투기와 유인 스텔스 전투기와 항공모함 전단세력이 담당하고, 그 이내에서의 전투는 자체 방어를 위하여 배치된 지대공 미사일과 레이저건, 레일건 등 지상포나 지대함, 지대공 미사일을 활용하여 적을 섬멸한다는 계획이다. 또한 적 잠수함이 접근하면 아군의 잠수함으로 제압하도록 한다.

그리고 최후에 적 상륙군이 도서에 상륙을 시도한다면 이를 저지하기 위해 자체주둔 병력과 아이언맨이 근접전투를 한다는 개념이다. 하지만 아직 현실적으로 독도엔 아이언 20맨밖에 배치할 수 없다는 것이 문제다. 대량생산 초기 단계에 있기 때문이다. 만약 방어지점이 최종 근접전에서 병력과 탄약이 부족하여 보충이 필요할 경우 잠수함을 이용하여 비밀리에 증파하기로 한다. 이번 훈련에서는 잠수함을 이용하여 흑산도 항만까지 비밀리에 병력을 투입해보는 작전이다.

3군 합동작전은 시나리오대로 비밀리에 진행되었으며 연습작전 수행결과 합동참모본부는 최종 보고서를 작성한다.

1. 신무기 훈련 사격결과 국방부의 요구 성능보다 뛰어나다.

2. 공해 합동 작전 수행 시 함정과 드론 혹은 스텔스 항공기의 피아식별, 그리고 공격 우선순위 설정을 명확히 해야 한다.

3. 함정과 항공기가 동시 추적하는 적이 도서 방어선(20킬로미터) 이내로 연장 추적 시 교전규칙을 설정해야 한다.

4. 적군이 도서를 직접 타격할 시 해공군의 작전 수행 범위에 대하여 명확히 하고 설정하여야 한다.

5. 무인 스텔스 드론 전투기와 유인 스텔스 전투기간의 교전 우선순위를 설정해야 한다.

울릉도 저동항 / 해저 탐사

수천 톤에 달하는 해저 탐사선 4척이 접안해 있다. 대통령 지시에 의하여 자체적으로 울릉도와 독도 주변 해저를 탐색하기 위하여 지급으로 이곳에 전개하였으며, 탐사를 수행할 예정이다. 탐사선 4척 모두 울릉도와 독도 주변에 각각 두 척씩 투입하여 우선 주변의 지형을 새롭게 탐사할 계획이다. 그 다음 1차 탐사한 결과를 분석하여 집중 탐색 구역을 설정하고, 그 지역에 4척 전부를 투입하여 집중조사 할 예정이다. 이때 사용할 해저 지도는 기존에 탐색한 결과를 집약한 대외비로 분류된 지형과 표고고저, 그리고 광물의 기본 분포도이다. 이러한 방식으로 기초 탐색 결과가 마련되면 기본 분포도와 비교하여 명확하지 않거나 새롭게 대두되는 지역을 해저 잠수정을 이용하여 정밀 탐지할 예정이다.

이러한 일련의 작업소요 기간은 해저탐사선 활동이 빨라야 최소 9개월, 해저 잠수정도 12개월 정도 소요될 것이라 판단된다. 해저 잠수정은 정밀 탐색 지역에서 해저 광물을 탐지해내기 위하여 각 지역마다 표본을 채취하여 국립과학연구소에 보낼 예정이다. 연구소에 보내진 해저 사진을 기본으로 해저 지형을 분석하여 해저 지도를 다시 작성하고, 채취한 광석의 성질을 분석하여 분포도를 그리며, 분포도에 따라 매장량을 산정하는 임무를 수행할 것이다.

만약 일본이 해저 탐사에 대하여 반발한다고 하더라도 탐사선 경호를 위하여 잠수함과 이지스함 수척을 동원할 것이고, 일본의 항의를 무시할 것이다. 또한 일본에 과거 탐색에 대하여 근거 자료를 들이밀면서 유감을 표시하고 우리 탐사를 간섭하지 말 것을 촉구할 것이다.

한국 대통령 집무실

외교부는 국방부, 국토부, 과학기술부 장관과 함께 독도의 요새화에 대하여 문제점을 검토한다. 그리고 독도에 요새를 건설할 때 발생될 수 있는 모든 외교 문제점을 보고한다.

"대통령님, 독도 외교문제에 관한 사안을 보고 드리려 합니다."

"아! 그래요? 내가 먼저 독도에 관한 역사적 배경을 정확하게 알아야겠어요. 간단히 설명 좀 해주시겠어요?"

"네, 알겠습니다. 여기 유인물에 독도의 역사적 배경을 정리해놓았습니다. 우선 이것을 보시면서 설명을 드리도록 하겠습니다."

외교부장관이 유인물을 대통령에게 주면서 문장을 하나씩 읽어가려 한다.

"아! 가만. 여기에 잘 정리되었으니 내가 우선 읽어보고 의문이 나는 것만 설명해주세요."

"아, 예. 그렇게 하시지요."

그런 다음 대통령은 세밀히 문서를 읽어나간다. 5분여 동안 유인물을 읽어본다.

"다른 것은 다 이해하겠는데 여기 이 비밀협약이란 것이 무엇인가요?"

"예, 그것은 1965년도 한일협약이 조인된 후 별도로 체결된 부속조항입니다."

"그럼 한일협약 속에 이 내용도 포함되어 있는가요?"

"아닙니다. 부속조항이니 별도로 체결된 조약입니다."

"그러면 그 체결 문건이 지금 남아 있겠지요?"

"그게 문제입니다. 과거 어느 정권이 그 조약 문서를 없애버렸습니다."

"아니, 그게 말이 되나요? 조약 문건을 없애버렸다고요?"

"예. 당시 그 정권이 끝난 후 후속 정권이 들어서면서 그 조약에 대하여 반대하는 사람들이 하도 굴욕적인 비밀조약을 체결하였다고 비판하고, 여론도 폭발적으로 비등하고, 실제 그 내용도 공개하게 되면 전 정권을 이어받거나 계속 권력을 연이어 잡고 있는 측에 치명적인 내용이라 아예 문건을 없애버렸답니다."

"아무리 그래도 조약문서인데 없앴다는 것은 말이 안 되고요... 우리가 없앴다고 상대방 측이 없애는 것도 아니고 조약이 무효가 되는 것이 아니잖아요? 그렇잖습니까?"

"그렇습니다. 우리 대통령의 직인이 찍힌 문서가 버젓이 일본에 남아 있고 만약에 무슨 문제가 발생하면 일본은 그것을 들이밀 것입니다."

"그러니까 우리가 문서를 없앴다고 문서의 효력이 정지되는 것이 아니지요. 그렇지요? 그런데 그 비밀 조항이란 것이 뭐지요?"

"예, 다음과 같은 4개 문항입니다."

외교부장관은 별도로 만들어진 한 장짜리 유인물을 다시 대통령에게 건넨다. 다음과 같은 문구가 쓰여있다.

— 독도(다케시마)에 관한 비밀협정(일명 독도밀약) —

앞으로 해결해야 한다는 것으로, 일단 해결한 것으로 간주한다. 따라서 한일기본조약에서는 언급하지 않는다.
부속조항:
(1) 독도(다케시마)는 앞으로 한일 양국 모두 자국의 영토라고 주장하는 것을 인정하고, 동시에 이에 반론하는 것에 이의를 제기하지 않는다.
(2) 장래에 어업구역을 설정하는 경우 양국이 독도(다케시마)를 자국 영토로 하는 선을 획정하고, 두 선이 중복되는 부분은 공동수역으로 한다.
(3) 현재 한국이 점거한 현상을 유지한다. 그러나 경비원을 증강하거나 새로운 시설의 건축이나 증축은 하지 않는다.
(4) 양국은 이 합의를 계속 지켜나간다.

대통령은 위 문구를 한 소절 한 소절 정성들여 읽어보더니 신음소리를 내며 눈을 감고 생각에 젖는다. 갑자기 생각이 난 듯,
"그동안 이 조약에 의거해 일본이 자국의 영토라고 주장하여도 크게 반박하지 못하였군요. 그러면 이 부속 조항의 강제력은 어떤가요?"
"예 일반 국가 간의 조약과 동일한 효력을 지닙니다."
"그럼 이 조약을 파기한다면 그 여파는 어떻습니까?"
"국제법상 조약파기에 의한 모든 피해를 변상해야 됩니다."
"그래요! 그럼 과거 일본이 조약을 깨뜨린 사례를 수집하여 우리도 대책을 세워야겠군요."
'지들은 여반장으로 깨뜨리고 우리만 지키라고?'
대통령은 중얼거리듯 그러나 세 장관이 들을 수 있도록 말한다.
"예, 무슨 말씀인지 잘 알겠습니다. 그래서 제가 그러한 경우에 우리에

게 미치는 영향과 대책에 대하여 유인물을 만들었습니다."

장관은 문서철에서 또다시 한 장을 꺼내더니 대통령에게 건넨다. 대통령은 그 문건도 읽어보고 고개를 끄덕이면서

"이미 우리는 활시위에서 화살을 날려버렸소. 여기에 명시된 대책에 의거하여 각 단계별로 시기적절하게 대응조치를 하여야 합니다. 그리고 조속한 시일 내에 두 도서의 해저 주변을 탐색하여 무엇이 어떻게 얼마나 잠재해 있는가를 밝혀내야겠소. 국방부, 해양부와 과학기술부는 지난번에 지시한 여러 사항에 대하여 현재 진척 상황이 정리되면 보고해주세요."

국방부장관을 제외하고 대통령 집무실을 빠져나온 세 장관은 앞으로 일어날 파장이 만만치 않을 것을 예상하면서 얼굴이 굳어진다.

한편, 국방부장관은 대기실에서 대기하고 있는 합참의장과 합참작전부장을 배석시키어 최근에 수행한 울릉도·독도 방어훈련 결과에 대하여 보고한다. 합참작전부장이 두 장의 유인물을 만들어 간단히 보고한다.

"이미 보고 드린 것처럼 국방부에서는 삼군 합동 훈련을 수행하였습니다. 그 결과 이번 합동훈련이 아주 성공적이었고 기 수립된 작전계획에 대하여 수정보완 기회를 가졌습니다."

합참작전부장이 이번 작전의 성과를 요약하여 보고한다.

"다음에는 요새화에 대하여 보고 드리겠습니다."

합참작전부장은 잠시 대통령을 응시하며 질문이 있는지 여부를 확인한다. 대통령은 별다른 질문 없이 고개를 끄덕거린다.

"이번에는 요새화에 대하여 보고 드리겠습니다. 두 섬의 요새화율은 85퍼센트 수준입니다. 울릉도는 90퍼센트 수준이며, 독도는 80퍼센트의 공정률을 보이고 있습니다. 앞으로 울릉도는 2개월, 독도는 4개월의 시간이 경과되어야 100퍼센트 공사가 완료되고 우리가 목표로 한 신무기의 배

치가 완료될 예정입니다. 이상입니다. 간략히 보고를 마치겠습니다."

대통령은 보고를 받고나서 말한다.

"성공적인 합동 수행능력을 보여주었다 하니 다행입니다. 계획한 대로 미비점을 완벽하게 보완하도록 하고, 우리가 여기서 주의해야 할 것이 보안입니다. 울릉도의 요새화는 문제가 될 것이 없지만 독도의 요새화는 일본이나 제3국에 절대 새어나가서는 아니 될 극비사항입니다. 군대 내의 관련된 부서와 특히 독도에서 요새화를 추진하고 있는 건설업체는 당분간 보안에 모든 역량을 모아야겠습니다."

배석한 합참의장이 여기에 답변한다.

"예, 알겠습니다. 보안 유지에 최선을 다하겠습니다. 천만다행으로 독도의 공사(工事)는 우리 군의 공병대에 의해서만 작업이 진행되고 있고 민간기업은 하나도 참석하지 않고 있습니다. 이 점이 보안에 그나마 다행입니다."

"다행이군요. 허나 군 공병대라고 해서 모든 면에서 기밀유지가 된다고 할 수는 없겠지요. 그렇다면 기무부대가 필요가 없을 테니까요. 그렇지요?"

"지당하신 말씀입니다. 기무부대를 통하여 낮 말을 새가 밤 말을 쥐가 못 듣도록 하겠습니다."

첩자들의 활약

나고야 핵 연구소 / 정보원 N-2

미모의 여성 리심애(理心愛), '사랑하는 마음의 이유'라는 의미로 서양 이름과 유사하게 '리노아'라고 부른다. 이 여성의 한국명은 이애심(李愛心)이다. 하지만 이곳 일본에서 한국명은 전혀 사용하지 않고 있다. 다만 성인이 되기 전 집에서 부모님이 그렇게 불렀다. 이 여성은 나고야 XX 대학 핵 연구소 직원으로, 재일교포 6세이며 그녀의 6대 할아버지는 일제 강점기 1900년대 초기에 부친의 권유 반, 자의 반 일본으로 건너가 신식공부를 했다. 그가 일본으로 간 사유는 왜놈이라고 불리면서 세계 최강 두 대국을 상대로 전쟁을 하여 승리하게 된 이유와 어떻게 단기간 내에 그렇게 부국강병의 길을 갈 수 있었는지 그 사유와 원인을 알고 싶어서였다. 또한 물밀 듯 밀려오는 서양 문물을 배우고 그 정체를 알고 싶어 가기 쉬운 가까운 일본으로 유학을 간 것이었다. 그가 공부를 마쳤을 때는 이미 을사늑약으로 대한제국은 사라져버렸다. 일본 정부는 젊고 유능한 그에게 관료로 등용을 제의하였다.

그는 초기에 자신의 목표가 180도 완전히 바뀐 것에 대하여 한탄하였지만 대한제국을 살리려면 호랑이 굴에 들어가 싸워야 한다고 생각하였다. 일본 정부의 제안을 받아들여 초기에 조선총독부의 관리가 되어 서울에서 근무하게 되었다. 그의 임무는 한반도 전역을 측량하고 정확한 지도를 만드는 일이었다. 10년 후에 그는 자신이 속았다는 것을 알게 되었다. 즉 자신이 주체가 되어 만든 한반도 지도가 일제의 침략 도구로 활용되고 있다는 것을 알고는 크게 후회하여 공직을 사퇴하고 다시 일본으로 들어갔다. 그는 일본 내에서 조선독립을 위하여 무엇을 할 것인가 고민하다가 유학 온 학생들을 비밀리에 규합하여 독립활동을 벌였다. 그러다 일본 형사에게 적발되어 광복 직전에 옥사하였다. 그의 후손들은 일본에 남아 살게 되었으며 해방 후에는 일본인으로 귀화하여 힘겹게 살아왔다.

리심애의 어머니 또한 임진왜란 때 강제로 붙잡혀 간 도공의 후손이었다. 그녀의 부모는 일본에서 살아도 자식들이 '우리는 조선민족'이라는 역사의식과 조국애를 갖도록 교육시키며 키워왔다. 따라서 그녀에게는 순수한 조선인의 피가 흐른다. 그녀의 나이는 과년한 30대 후반이지만 아직 미혼이고 미모도 빼어나 연구실 전체에 소문나 있다. 따라서 혹시 그녀가 떨어뜨리고 다니는 사랑의 조각이라도 있는지 주워보려고 뭇 남성들이 뒤를 졸졸 따라다니며 기웃거린다. 그녀는 연구소의 행정직원으로 재직하고 있어 직접 연구하는 연구팀과는 상당한 거리가 있지만 연구 결과를 문부과학성에 보고하는 라인에 있기 때문에 보고서를 접할 수 있는 위치에 있다. 하지만 그녀는 지부장의 특명을 받고 이번 연구 결과를 세밀하게 파악할 것을 마음속으로 생각한다. 그동안 조국에 진 자신의 빚과 조상들의 마음을 한꺼번에 돌려주자고 스스로 다짐한다. 그는 지부장이 제공하는 여러 가지 정보와 첩보를, 그리고 지부장의 추천에 의하여 핵 연구소의 연구원 데라우치에게 접선하여 공작하리라 결심한다.

데라우치는 젊은 시절 내내 남들처럼 성실하게 일하고 가정을 위하여 헌신도 하고 아이들을 키워왔지만 어느 날 우연히 파친코에 빠져 패가망신하게 된다. 그는 연구원이 된 초반에 밀려오는 연구실적에 대한 압박감과 단조로움을 벗어나려 새로운 신선한 무엇이 없을까 생각하던 중 무심코 지하철역 부근에 있는 파친코 장에 발을 들여놓았다가 깊은 수렁에 빠져 나올 수가 없어 많은 돈을 탕진한다. 설상가상으로 아내가 남편 몰래 주식을 하다 모아놓았던 재산과 집을 홀라당 날려버린다.

아내는 처음에 친구들의 권유로 얼마간의 여윳돈으로 전망이 좋다는 주식을 샀다. 운이 좋아서 그랬는지 50퍼센트 이상 주식이 올라 상당한 수익을 올리게 되었다. 그녀는 이 일로 고무되어 잘만 하면 그리고 운이 따르면 자그마한 돈으로 단번에 크게 뻥튀길 수 있다는 것을 알게 된다. 그 후 몇 번의 시도에도 어느 정도 수익을 올리게 되자 마침내 집에 있는 모든 돈을 거두어 적극적으로 투자한다. 적어도 그녀는 투기가 아닌 투자를 하였다. 그런데 주식이란 것이 그렇게 호락호락한 것이 아니라서 조마조마하게 마음을 졸이는 가운데 30퍼센트 이상 손절매를 하고 만다.

데라우치의 아내는 화가 난다. 아니 오히려 지난번처럼 종목을 잘 선택하면 투자의 귀재라는 사람들과도 해볼만하다고 생각한다. 그래서 그녀는 만회하고 싶은 생각에 친구에게 일억 엔이 넘는 돈을 빌려 여러 가지 주식을 사둔다. 하늘은 노력하는 자에게 그 열매를 맺게 한다는 생각이 들도록 그녀는 이번 투자에서 빚을 다 갚고 얼마의 돈도 남기게 된다. 그녀는 몇 번의 경험으로 주식에 대하여 그동안 연구하여 친구들하고 모이면 제법 자신감 있게 설명도 할 정도가 된다. 명확히 따지자면 사이비 뜨내기 수준인데도 데라우치의 아내는 주식 투자에 자신 있다고 생각한 것이다.

그녀는 이번에는 은행에 집을 저당잡히고 친구들에게서 수억 엔을 빌린다. 주식 투자 상담원에게 문의도 하고 지도도 받고 주식회사의 재무

건전성 등 여러 가지를 파악한 후에 전망이 좋다고 생각되는 주식에 분산 베팅한다. 그런데 어찌된 일인지 하루가 지나면 5퍼센트씩 계속 빠진다. 그녀는 조금 있으면 주가가 오를 것이라 생각하고 손절매를 하지 못하고 기다린다. 제일 많이 산 주식이 80퍼센트 이상 폭락한다. 그녀는 그제서야 자신이 단타와 공매도 투기꾼에게 속았다는 것을 눈치 챈다. 그리고 투자 상담원도 당신의 책임이지 내 책임이 아니라며 등을 돌리고 상담도 해주지 않는다. 그녀는 그동안 주변 친구나 은행에서 꾸어온 돈과 집을 저당잡힌 수억 엔의 자금도 이자와 함께 갚아야 한다. 그녀는 그제야 주식이라는 무대가 건전한 투자처가 아니고 놀음판과 같은 투기판이라는 것을 깨닫게 된다.

그리하여 데라우치는 모든 것을 정리하고자 1년 전에 이혼을 하고 아내는 파산절차를 밟았으며 데라우치의 봉급도 차압당했다. 아내는 그 후 혼자 외롭게 고민하다가 불면증과 우울증에 걸려 자살하였다는 소식이 들려온다.

데라우치는 퇴근 후에 괴로움을 달래기 위하여 값이 싼 대중 술 사케를 한잔하고 이번에는 허전함 때문에 다시 습관적으로 파친코에 간다. 잃을 돈이 없어 수중에 있는 푼돈을 집어넣고 기계를 돌려 보지만 파친코 기계의 요란한 구슬 흘러가는 딸그락 소리와 어디선가 흘러나오는 이통(耳痛)이 날 정도로 귀를 어지럽게 하는 시끄러운 굉음, 심장을 긁어대는 불협화한 음악 소리, 그리고 홀 안을 가득 메운 담배연기와 역겨운 사람 땀 냄새가 그를 좀먹어버린다.

어느 날 데라우치가 연구소에서 운영하는 통근차를 타고 퇴근할 때 젊은 미모의 여성이 다가와 그의 옆 빈자리에 앉는다. 그녀는 옆자리에 앉으면서 데라우치를 바라보며 공손히 인사한다. 데라우치도 인사를 하며 여타의 여자가 옆에 앉았을 때처럼 옆 눈으로 힐끔힐끔 계속 훔쳐보면서 여자를 가늠해본다. 몸매는 일본 여자가 아닌 것처럼 훤칠하고 가냘프다. 앉은 키를 보면 키를 알 수 있고 아까 옆자리에 앉을 때 훔쳐 본 기억으로는 날씬한 몸매를 가지고 있다. 얼굴도 일본 유명배우 빰치게 아름답다. 그렇다면 연구소 전체에 소문난 여자가 바로 이 여자인가? 그는 연구소 내에 떠돌고 있는 예쁜 여자에 대한 소문을 상기해본다. 어찌하든 예쁜 여자가 옆에 앉으니 기분이 좋다. 그는 자신의 나이와 처지를 생각해보며 이내 단념하고 묵묵히 창밖을 보며 오늘 들를 사케 술집과 파친코를 생각한다.

그는 퇴근 차에서 내려 싸구려 포장마차가 줄지어 있는 거리로 발걸음을 옮긴다. 몇 십 미터를 걸어갔을 때 뒤에서 누군가가 자신을 부르는 듯한 소리가 들린다.

"박사님!"

하지만 데라우치는 자신을 부르는지 모르고 계속 앞만 보고 간다. 그녀가 빠른 걸음으로 바짝 뒤에까지 다가와서 다시 부른다.

"박사님, 박사님 같이 가요!"

그는 자신을 부르는 소리라는 것을 알고 놀라 걸음을 멈추면서 뒤를 돌아본다. 아까 옆자리에 앉은 그보다 먼저 내린 그녀가 아닌가? 그는 의아하면서도 반갑고 놀라워 그녀를 바라다본다.

"아 예 예! 어 어 어찌 된 어인 일입니까?"

"어이된 일이라니요? 박사님하고 한 잔하면서 이야기하면 안 되나요?"

"아, 안 된다니요. 되지요 돼요. 그래, 우리 같이 한잔해요!"

"그럼 저를 따라 오세요. 오늘 제가 박사님께 한턱 쏠게요!"

"그래요? 쪼~아요! 그래도 되겠어요?"

"그럼요 박사님하고 함께하는데... 우리 이왕 만났으니 좋은 술에 좋은 식사를 하러가요. 어때요, 좋지요?"

"조 좋지요, 좋아요!"

"그럼 저를 따라 오세요. 아주 깨끗하고 좋은 곳이 있어요."

두 사람은 주변에 있는 깨끗한 레스토랑에 들어간다. 아주 이른 저녁 시간이라 사람이 많지 않아 조용하다. 조용한 분위기에 서양 고전 음악이 낮게 흐르니 마음이 가라앉고 분위기가 살아난다. 두 사람이 들어가니 젊은 여자 종업원이 웃음을 띠며 안내하고 주문을 받는다.

"박사님, 우리 음식 먹기 전에 한잔해요. 뭐 마시고 싶으신 것 있습니까? 사케요? 위스키요? 우리 포도주 마셔요. 어때요?"

그녀는 숨 고를 시간도 주지 않고 질문하고는 자기가 주문해버린다.

"우리 여기 포도주 한 병 주세요!"

"포도주 어떤 것을 드릴까요? 여기 메뉴에서 골라보세요."

"캘리포니아 내파밸리 산(産)으로 주세요."

"예, 알겠습니다. 안주는 어떤 것으로 할까요?"

"꼬치구이 둘 주세요."

종업원이 주문을 받고 물러난다.

"박사님, 사케보다 포도주가 더 나을 거예요. 둘이 한 병을 나누어 마시면 취하지도 않고 좋은 분위기 속에서 이야기할 수 있을 거예요."

"좋아요. 아주 좋아요!"

그로서는 아무것이나 마셔도 좋았다. 돈 없어 지겹게 마셔댄 사케를 마시지 않게 되니 좋았다. 음악이 홀 안을 가득 채워주듯 격정적으로 올라가며 분위기도 띄워진다. 두 사람은 잠시 음악에 귀를 기울이면서 자신의 마음도 음악에 실어본다. 음악이 마지막 정점을 찍으면서 이내 새롭게 조용한 음악으로 바뀐다. 잠시 후 포도주와 안주가 나온다. 종업원은 병따개로 코르크 마개를 제거하고 날씬한 손 자루가 달린 유리잔 두 개를 세우더니 포도주를 졸졸졸 가볍게 따라 앞에 놓는다.

"우리 건배해요!"

리노아가 먼저 잔을 든다.

"좋아요. 건바이. 건빠이!"

두 사람은 유리잔을 부딪쳐 쨍 소리를 내며 가볍게 한 모금 마시고 다시 식탁에 올려놓는다.

"박사님 요사이 많이 힘드시지요?"

"아 예 예... 뭐 뭐 그그렇지요......"

리노아의 갑작스러운 공격성 질문에 정곡을 찔린 데라우치는 어물거리며 답변했지만 속으로는 깜짝 놀랐다.

'아니 이 여자가 내 사생활을 대체 어떻게 알게 되었을까? 그리고 왜 이 자리에서 내 얘기를 끄집어낼까? 이거 오늘 함정에 빠지는 것이 아닐까? 조심해야겠는데...... 아니, 내가 함정에 빠져 허우적거려도 이 이상 최악은 없게 될 거야.'

속으로 여러 생각을 하면서 경계심을 마음속 제일 앞에 쌓아놓는다.

"박사님, 그렇게 마음아파 마세요. 내가 박사님의 가장 아픈 곳을 찔러서 정말 죄송해요. 그렇지만 지금 연구소 내에는 박사님의 소문이 자자하게 퍼져 있어요. 나도 그 소문을 들었어요. 그래서 어떻게 하면 박사님을 조금이라도 위로해드릴 수 있을까 생각하여 오늘 박사님을 모신 거예요. 어때요, 괜찮지요? 그렇지요?"

"아, 에에 예. 괘 괜찮습니다. 괜찮아요."

"박사님의 마음이 편안하지는 않겠지만 사실 오늘 박사님의 걱정을 끊어주기 위하여 제가 박사님을 모신 거예요."

그러면서 잔에 3분의 1쯤 남은 포도주를 홀짝 한 번에 마셔 비우고 탁자에 내려놓는 데라우치의 잔에 가득 포도주를 따라준다. 그는 포도주를 석잔 째를 마시고 있다. 두 사람은 다시 한 잔씩 포도주를 더 마시고 이야기를 주고받고 있는데 종업원이 다가와 이번에는 저녁식사 주문을 받는다.

"박사님, 부드러운 송아지 고기 요리 어때요?"

"좋아요, 좋아."

리노아가 송아지 고기 요리를 2인분과 포도주 한 병을 더 주문한다.

병에 술이 5분의 1도 채 남아 있지 않다. 이 여세로 마시면 몇 병을 더 시켜야 될 지도 모르겠지만 우선 한 병만 시킨다.

"아노-, 아가씨를 뭐라고 불러야 하지요? 지금까지 난 아가씨 이름을 불러보지도 못하고 일방적으로 대답만 하면서 내 말도 하지 못했는데 이제 나도 말 좀 해봅시다. 하하하하!"

그는 헛웃음을 크고 길게 쳐본다.

"예, 많이 궁금하시지요? 전 박사님이 계신 연구소의 행정실에 근무하는 리노아라고 합니다. 벌써 14년 이상 근무하고 있지요. 같은 연구소에 다니지만 근무 부서가 다르니 박사님을 뵐 수 없었습니다. 하지만 최근에 박사님에 대한 유언비어가 끊임없이 저에게까지 들려와 그게 사실인지 여부와 함께 만약 사실이면 박사님을 위로해드리기로 마음을 먹었지요. 어때요? 괜찮지요?"

데라우치는 '리노아'를 연신 몇 번 소리 나게 되뇌면서 이름을 기억하려 애쓴다. 자신의 치부를 들어내려는 이 여자가 당돌하게 생각되지만 감출 수가 없는 사실이다.

"예, 맞아요. 사실 난 개인 파산을 한 거지요. 아마 봉급이 차압되고 동료들에게 빚이 많아 그렇게 소문이 난 것 같은데, 내가 앞으로 착실히 일하면 모든 빚을 청산할 수 있을 것 같습니다. 하지만 앞으로의 생활에 희망이 별로 없으니 산다는 것이 무의미하기도 하고 내가 왜 살고 왜 이렇게 고생을 하고 있는가 하는 후회가 생기기도 합니다. 삶의 목적이 뚜렷하게 보이지도 않고 재미가 없어요. 재미가……"

그는 남은 포도주를 단숨에 남김없이 입속에 털어 넣고 잔을 내려놓는다. 이번에도 리노아가 재빨리 잔을 채워 넣는다.

"그것은 무엇 때문인가요? 누구를 원망할 수 있나요?"

날카로운 그녀의 질문에 그는 한숨을 쉬면서

"다 내 탓이요, 내 탓. 내가 못난 탓이요."

그러면서 그는 다시 포도주 한잔을 음료수 마시듯 꿀꺽 마셔버린다. 그녀가 또 따라준다. 이때 종업원이 맛있게 보이는 노릇노릇하게 구워진 송아지구이를 목판에 들고 온다.

"박사님 일단 식사하시지요. 고기가 부드럽고 맛있을 거예요."

"예, 드시지요. 노란색과 핑크빛이 어우러져 잘 구워진 것 같습니다."

두 사람은 잠시 침묵을 유지한 재 몇 점의 고기를 음미하며 맛있게 먹는다. 데라우치가 고기를 씹으며 이상하다는 듯 질문한다.

"그런데 왜 리노아는 못난 나를 찾아 술도 사주고 맛있는 고기도 사주는 거예요? 내가 생각할 때 어떤 목적이 있는 것 같은데."

데라우치는 그녀의 심장을 찌르듯 별 볼 일 없는 파산자에게 무엇을 얻으려 이런 행동을 하느냐는 돌발적인 질문을 한다. 하지만 그런 질문을 예상하였다는 듯이 그녀는 담담히 말한다.

"박사님! 목적이 뭐 있겠어요. 박사님이 저를 출세시켜주실 위치에도 있지 않으니 청탁을 하려고 온 것도 아니고, 돈도 없을 것이니 박사님 돈 뜯으러 온 것도 확실한 사실이 아니지요?"

"그것은...! 그렇지만 이상하지 않아요? 솔직히 생판 모르는 사람에게 친절을 베풀고 있으니 이해가 안 될 수밖에..."

"박사님, 오늘은 그냥 식사하시고 술 한 잔 가볍게 하시는 것으로 해요. 같은 직장의 후배가 사는 것으로..."

"알았어요. 알았어. 그럼 우리 다시 브라보 한번 합시다."

두 사람은 주거니 받거니 포도주 두병을 다 마시고 식사도 마저 끝내며 조건 없이 헤어진다.

다음날, 데라우치는 그의 오랜 동료인 연구소의 행정부장에게 전화를 걸어 리노아에 대하여 여러 가지 물어본다. 행정부장의 답변은 아주 긍정적이다. 그녀는 성실한 회사원이며 전혀 하자가 없는 처자라는 것이다. 그는 최근 이슈가 되고 있는 공안청의 보안 강화에 대해서도 묻는다. 즉 그녀가 최근 연구원이나 행정직원들에게 압박을 가하고 있는 공안청의 끄나풀이 아니냐는 질문이다. 그 점에 대해서도 행정실장은 전혀 근거가 없는 일이라고 말한다. 데라우치는 리노아를 사실상 자신을 감시하고 있는 공안청의 끄나풀로 생각하고 있다. 즉 어제 자신과의 접촉은 자신의 근황을 파악하기 위한 자리였다고 생각한다. 어찌되었든 그는 여러 가지 면에서 조심해야겠다고 생각하며 자신의 현실과 처지를 모두 잊어버리고 연구에 몰두해야 한다고 다짐한다.

이틀이 지난 날, 그녀를 퇴근 시간에 또 만난다. 퇴근 차는 데라우치가 근무하는 병동에서 먼저 출발하기 때문에 항시 그가 먼저 탑승하여 자리에 앉아 있다. 이번에도 그녀는 옆에 앉으면서 가볍게 인사를 한다.

"안녕하세요, 박사님!"

"아, 예! 이리 앉으세요."

"박사님, 오늘 저녁은 어떻게 하실 거예요?"

리노아가 자리에 앉아 안정이 되자 직설적으로 묻는다. 데라우치는 그녀의 돌연한 질문에 순간 당황하였지만 '이거 정말 당돌한 여잔데, 만만치 않아!'라고 속으로 생각하며 겉으로는 여유 있게 대답한다.

"뭐, 매일 먹는 저녁밥 특별한 것이 있나요, 리노아와 함께라면 더욱 좋지요."

그는 대답하는 중에도 이 젊은 여자하고 더불어 살면 어떨까 순간적으로 생각해보고 그것도 좋은 일이라고 혼자 미소지어본다.

"좋아요, 박사님. 오늘은 박사님이 밥 사요. 하지만 주머니 사정이 있으니깐 우리 간단히 먹어요. 값이 싼 음식으로. 오야코 돈부리(닭고기와 달걀이 든 덮밥) 어때요?"

"아! 좋아요 좋아. 그 정도는 내가 살 수 있지."

두 사람은 사람과 자전거만이 드나들 수 있는 좁은 거리에서 빽빽하게 좌우로 들어찬 방 한 칸 정도 크기의 수많은 음식점 중에서 한 집을 찾아 늘어진 발을 젖히고 들어가 자리를 잡는다. 좌석이 10여 개뿐인 간이음식점 같은 허술한 식당이다. 하지만 서민들이 이런 음식점에서 값싸게 허기진 배를 채우려 점심과 저녁에는 줄서서 기다린다.

이곳이 이렇게 북적대는 이유는 밥값이 팔백 엔으로 아주 쌀 뿐만 아니라, 밥을 여러 가지 채소와 닭고기를 섞고 볶아내어 큰 접시에 수북이 올리고 그 위에 크게 계란으로 부침을 만들어 덮어씌워내, 값 대비 영양이나 여러 가지 면에서 한 끼 식사로 충분하기 때문이다. 여기에 구수한 미소 된장국이 따라 나와 거친 입을 어우러지게 하니, 노동자들의 한 끼 식사로는 최고라서 식사시간만 되면 길게 줄을 지어 참을성 있게 기다린다. 아직 본격적인 식사 때가 아니라서 줄은 안 서도 되고 빈자리가 많아 바로 주문을 받고 있다. 음식이 나오기를 기다리는 동안 사람들이 점점 불어나고 몇 사람이 줄을 서기 시작한다. 두 사람은 식사를 마치고 바로 나온다. 식사가 끝나면 지체 없이 자리를 비워주어야 한다. 줄을 서서 기다리는 사람들 때문에 더 머무를 수 없다.

"박사님, 조용한 카페로 커피 마시러 가요. 술은 그만 드시고."

"그럽시다. 왜, 술 한잔하면 좋을 것인데..."

두 사람은 가까운 곳에 있는 커피 집에 들어가 아메리카노 두 잔을 주문한다.

"이 커피는 제가 사겠어요. 커피가 몸에 좋대요. 박사님 같은 과학자들이 연구한 결과 하루에 두세 잔은 몸에 아주 좋대요. 대신 설탕이나 인공 감미료 그리고 크림 같은 것을 넣지 말고 순수하게 걸러진 커피를 마시라고 했어요."

"그래요! 한두 잔은 좋을지도 몰라요. 하지만 너무 많이 마시면 부작용도 있을 겁니다. 지나치면 모자라는 것보다 못하다는 말이 있지 않아요? 나는 최근에서야 그 말의 의미를 깨달았어요. 커피 마시는 것도 이 말을 명심해서 마셔야 해요."

"커피를 부작용이 생길 정도로 많이 마시는 사람들도 있나요?"

"있지요! 사무실 근무하는 샐러리맨들이 많이 마시지요."

그녀의 등 뒤에 엉거주춤 서 있는 박사는 커피가 나오는 과정을 지켜보며 즉석에서 원두를 기계에 갈아 만드는 커피를 받아 들고 의자에 앉는다.

"그래도 딱 술 한 잔 생각이 나네요."

"박사님 몸 생각하셔야지요. 개인적인 좋지 않은 일에 정신적으로 많이 고통스러워도 술은 인간이 순간적인 고통에서 벗어날 수 있게 하지만 육체는 술이 만들어내는 독성에서 벗어날 수가 없어요. 육체와 정신은 한 몸이지 않아요? 어떤 사람은 분리될 수 있다고 생각하는데... 저는요, 육체라는 그릇에 정신이 살고요, 육체가 사라지고 없어지면 정신도 사라진다고 생각해요. 곧 영혼이라는 개념도 정신과 동일한 것이라서 육체를 이탈한 영혼도 혼자 존재할 수 없고 이탈 순간에 영혼은 소멸된다고 생각해요."

"허허 나도 그렇다고 생각해요. 정신만큼 육체도 중요한 것이니 심신을 항상 깔끔하게 유지하는 삶이 중요한 것이지요."

"그러니깐 술은 정신적인 도피를 위하여 육체를 학대하는 도구요 물질이지요. 순간은 잊어버릴지 몰라도 잊어버린 순간이 상승작용을 하여 갈수록 정신적으로 더 많은 압박을 가하는 것이지요. 그렇게 몸이 쇠해지면 정신도 박약해져 삶의 의미나 목적이 사라져버려 살아 있는 것이나 죽은 것이나 마찬가지의 결과를 가져오지요. 안 그런가요? 그리고 아까 말씀하신 지나치면 안 된다는 말씀..."

"리노아는 철학을 전공하는 사람처럼 말을 잘도 하는군요. 좋아요. 이제부터는 술 좀 줄이겠어요. 육체와 영혼을 좀먹는 술을... 그리고 '과유불급'을 명심하겠어요."

"호호호호. 박사님 제가 꼭 박사님 사모님처럼 말을 했네요. 호호호.. 그런데 그렇지 않나요? 남의 말도 들을 줄 알아야 한다. 시행착오를 하면 너무 늦을 때도 있다."

"그렇지, 그래요. 지금까지 공부와 연구 빼놓고 나 자신이 제대로 인간답게 살지 못하였어요. 도박과 술에 정신적으로 피폐해졌고 돈에 노예가 된 상태였지요. 나의 지난 과거가."

"박사님, 제가 오늘 박사님을 이 자리에 모신 것은 빅딜(Big Deal)을 제안하기 위해서예요."

그녀는 갑작스럽게 단호한 태도로 얼굴을 약간 들이밀면서 데라우치를 동정어린 눈으로 바라본다. 데라우치는 그녀의 눈빛과 태도 그리고 말에 크게 놀란다.

"빅딜? 빅딜이란 것이 뭐요? 리노아와 내가 빅딜할 것이 뭐가 있나요? 뭔가 번지수를 잘못 짚은 것이 아닐까요?"

"번지수는 딱 맞아요. 박사님은 빅딜을 할 좋은 물건을 가지고 계세요. 제가 제안을 하지요. 빅딜이 성사되면 박사님이 지니고 있는 모든 빚을 청산할 자금을 지원하고 여분의 생활비와 집도 제공할 수 있어요. 어때요? 제 제안이..."

"예~에? 내가 빅딜을 할 물건을 가지고 있다고? 나는 아무것도 가진 것이 없어요. 연구하고 그 결과로 밥 먹고 사는 사람이 뭐가 있겠어요? 나는 빈털터리예요."

그는 놀라서 약간 몸을 뒤로하며 대답한다.

"박사님! 제가 직설적으로 말씀을 드리지요. 박사님이 가지고 계신 물건은 지금 하고 계시는 연구가 바로 그것입니다."

"예? 지금하고 있는 연구?"

박사는 잠시 어리둥절하면서 자신의 최신 연구를 떠올려본다. 최신 연구란 정부에서 내준 광석 분석밖에 없다.

"그것이 그렇게 중요하단 말인가요? 그리고 결과가 나오려면 아직 멀었고 그 결과도 어떻게 나올지 장담할 수 없는데, 그게 그렇게 값진 연구라고요?"

"그 연구 결과가 값어치가 있는지 없는지 어떻게 될지 무엇인지 저 역시 몰라요. 그런데 저한테 부탁한 의뢰인이 빅딜을 거침없이 제안하였지요."

"의뢰인? 혹시 의뢰인이 누구인지 아십니까?"

"알 리가 없지요. 의뢰인은 제3의 제안자에 의하여 나한테 전달만 한 것이지요. 다만 그 제안자가 돈 많은 사업가라는 것만은 알고 있어요. 사실 돈 많은 사업가에게는 박사님께 제공하려는 빅딜의 자금은 아무것도 아니지요. 푼돈일 수도 있어요. 제가 생각할 때는 그 연구 결과를 사버리려고 그러는 것 같습니다. 일종의 투자지요."

돈 많은 사업가의 투자라고 말하니 데라우치는 일시적인 긴장감에서 잠시 빠져 나온다. 그리고 지금 진행 중인 연구에 대하여 다시 생각해본다. 돌을 분쇄하여 함유된 광물질의 종류와 함유량 그리고 성질을 규명하는 크게 어렵지 않은 작업이다. 지금 벌써 30퍼센트 정도의 공정이 진행되고 있다. 공안청에서는 어떠한 연구 결과도 극비를 유지하라고 하고 있는데 바로 이 연구를 두고 말하는지도 모른다. 그리고 그녀가 제안한 돈도 생각해본다. 자신의 모든 빚을 갚아주고 집도 살 수 있는 자금과 생활 여유 자금도 준다고 하니 그는 순간적으로 돈의 규모를 계산해본다.

'은행 부채가 3억 엔이고, 개인 부채가 1억 엔, 살만한 집값이 2억 엔, 생활 여유 자금을 2억 엔으로 하면 모두 8억 엔. 내가 앞으로 최대 10년 더 근무한다고 하면 한 해에 1억 엔을 벌고 있으니 총 10억 엔을 벌 것이고, 그 중에서 세금과 의료비 등 모든 공과금을 제외하면 남는 것은 6억 엔, 10년 생활비 총 2억 엔을 빼면 4억 엔이 남고 은행에 3억 엔을 주고 개인 부채를 갚으면 하나도 남는 것이 없다. 10년을 근무하여 하나도 남는 것이 없다면 그 이후에는 거지 생활을 할 수밖에 없다. 그런데 모든 부채를 갚아 주고 집 살 돈과 여유 돈도 준다니 구미가 당기고 군침이 돈다.' 그의 머리는 순간적으로 컴퓨터처럼 잘도 돌아간다.

"지금 생각으로는 리노아의 제안을 받아들일 수도 거절할 수도 없는 상태요. 내가 며칠 더 고민을 하겠으니 그때까지 기다려주시오."

"예, 좋습니다. 당연히 그래야지요. 심사숙고하셔야지요. 갑작스럽게 박사님께 심려를 끼쳐 죄송합니다. 사업가는 돈이 될 만한 것에 투자를 하지 절대로 헛된 일에 걸지 않아요. 제가 말씀드리는 것은 어떤 사업이 될지는 모르겠지만 아마 사업이 성공적으로 이루어지기 위하여 박사님을 고문이나 경영자로 영입할 가능성이 대단히 많다고 생각합니다. 의뢰인도 그런 말씀을 저에게 하였습니다. 왜냐하면 빅딜에 대한 비밀도 있고 빅딜의 대상에 대하여 박사님만큼 아는 사람이 없기 때문이지요. 그렇게 되면 박사님은 연구소의 직원으로만 끝나지는 않을 것입니다. 물론 지금도 연구소 내에서 높은 위치에 계시지만..."

그녀의 마지막 말이 커피를 다 마시고 자리를 일어서려는 데라우치의 뇌를 강타하고 귀를 후비며 들어온다. '영입'이라고? 나를? 은퇴 후에 나를? 데라우치는 집으로 돌아오면서 리노아의 말을 수백 번 되뇌고 돈 계산을 다시 해본다.

돈은 단지 그녀가 제안한 금액만 남는 것이 아니라 두 배의 개념으로 생각해야 한다고 자신을 상기시킨다. '즉 지금 상태로 간다면 퇴직 후 하나도 남는 것이 없지만, 그녀의 제안을 따르면 집이 생기고 2억 엔의 가용액도 생기는 것이다. 여기에 자신이 갚을 돈 4억 엔이 고스란히 봉급에서 굳어진다. 빚을 갚아버리고 여기서 계속 일을 하면서 벌어들이는 돈은 그대로 남는다. 즉 총 6억 엔의 현금이 생기고 집이 생긴다. 더군다나 퇴직 후에도 좋은 일자리를 얻을 수 있다니 얼마나 좋은 제안인가? 아니야, 그렇게 많은 돈을 한꺼번에 준다고 하니 뭔가 함정이 있을 수 있어 지금 유지하고 있는 직책마저 잃어버린다면 나는 어디로 가지? 그리고 만약 내가 정보를 제공했다는 것이 발각되면 나의 인생은 끝나겠지. 아니야, 내가 정보를 제공했는지 누가 알고 어떻게 알아! 증거를 철저히 없애는 거야. 반드시 문서로 하지 말고 말로 하고 그것도 전화나 메시지로 전달하지 말고 비밀리에 직접 만나서 말로 하는 거야. CCTV가 없는 극비의 장소에서... 아니지, 내가 직접 가면 내 차나 나의 행적이 어디엔가 잡히겠지 그러면 어떻게 하지?'

그는 수많은 잡념과 방법론에 사로 잡혀 하룻밤을 날로 보내버린다. 그렇게 고민하면서 며칠을 보낸다. 그러고는 최종적으로 결심한다. 여러 조건을 걸어 자신이 불리해지는 것을 막고 만약의 사태에 대비하기로 한다. 그는 다섯 가지의 조건을 만든다.

그 조건이라는 것은 대포통장과 총 입금액 18억 엔, 돈 입금 방법, 연구 결과 통보 방법, 회사 설립 시 영입문제, 계약종료 등에 대한 내용을 꼼꼼히 만든다.

그는 다섯 가지의 조건을 내밀 때 문제점은 없는지 다시 한 번 확인해본다. 본인이 생각해도 다섯 문항이 그럴듯하다. 그는 또다시 이틀을 자신이 만든 문구에 대하여 생각하고 정리한다. 이 조건을 주고 확약을 받아야 안심할 수 있을 것 같다.

데라우치는 연구소 내 전화번호를 확인하여 리노아에게 전화를 건다. 아직 그녀의 휴대전화 번호를 알지 못하고, 휴대전화로 통화를 하다간 공안청 감청에 걸릴 염려도 있지만 구내전화는 아직 감청 대상이 아니라서 이용이 가능하다.

두 사람은 퇴근 후 한산하다고 생각되는 한 일본 전통음식집에 들어간다. 일본 전통요리와 차를 팔고 있는 정원식으로 된 '○○○옥(屋)'이다. 통상 일본식 전통음식을 표방하면서 '○○○옥'이라고 된 간판을 내건 음식점은 대부분 대문을 들어서면 휘어 늘어진 향나무나 기괴하게 자란 소나무 등 정원수가 가득 들어차 있고, 한쪽에는 자그마한 연못을 만들어 금붕어가 유유히 헤엄치게 만들어놓고 있다. 또 한편에는 뒤나 앞 배경으로 대나무를 심어 사철 푸른빛을 감돌게 하여 한 발씩 놓인 섬돌을 밟고 들어서는 손님으로 하여금 한적하고 여유로움을 느끼게 만든다.

두 사람은 종이로 만들어진 밀창을 밀어서 열고 방에 들어가 낮은 식탁을 사이로 방석을 놓고 일본식으로 앉다가 이내 가부좌로 앉는다. 일본식으로 앉는 방식은 무릎을 꿇고 앉아야 하니 요새 젊은 일본인들은 의자와 침대 생활을 많이 하여 채 5분을 앉아 있을 수가 없는 한마디로 불편하고 약간은 인간성을 앗아가는 고리타분한 전통 방식이기도 하다.

"리노아, 편하게 앉아요. 이렇게..."

아직도 무릎 꿇고 있는 그녀에게 발을 펴고 편히 앉으라고 권한다.

"아, 예. 박사님 고맙습니다."

이때 도우미가 들어와 음식을 주문받는다. 두 사람은 전통 스시를 주문한다. 잠시 후에 도우미가 차를 가지고 들어온다. 진한 녹차 두 잔이 앞에 놓인다.

"이 차는 한국의 보성 산 녹차입니다. 향이 무척 진하지요."

도우미는 녹차가 한국의 보성에서 나는 진짜배기라고 은근히 선전한다. 도우미가 차를 따라놓고 나간다.

"아—에 또, 리노아 씨, 나를 죽이려고 만나자고 그랬습니까?"

"호호호 박사님을 죽이다니요. 그 반대예요, 반대. 아마도 박사님의 삶에 반전의 기회가 온 것이라고 저는 생각합니다만......"

"나 잠 많이 못 잤어요. 솔직히 한 사람의 운명이 걸린 일이 닥쳐왔는데 제대로 잠을 잔다는 것은 불가능한 일일 겁니다."

"그렇겠지요. 그렇지만 그 고비를 넘기면 장도가 펼쳐지고 영원한 평화가 오는데 또 그것을 마다할 사람은 없겠지요. 호호"

데라우치는 이 여성과 대화를 하면 할수록 무서움을 느낀다. 그녀는 항상 어딘가에 날카로운 비수를 숨기고 사람의 정곡만 쑤시고 다니는 젊은 여자 야쿠자 같기도 하다. 그래서 그는 자신의 행동에 대하여 더욱 신중함을 유지해야 하며 더 이상 약점을 잡혀서는 안 된다고 생각한다. 혹시 이 여자 간첩이 아닐까 의심도 해본다.

"여기요, 리노아 씨. 이 글 좀 읽어보세요."

데라우치는 호주머니에서 두 번 접어 넣어둔 A4 절반짜리 종이를 꺼내어 리노아에게 내민다. 거기에는 며칠을 심사숙고하여 만들어낸 다섯 가지의 조건이 메모되어 있다.

"뭐예요, 이거?"

그녀는 받아들면서 의아스럽다는 듯 물어본다.

"읽어보시면 아실 거예요. 얼른 읽어보아요."

리노아는 두 번씩 반으로 접어진 종이를 펴서 읽기 시작한다. 천천히 그러면서 신중하게 다 읽어본 리노아가 말한다.

"박사님, 그러니까 이 조건들이 제가 제안한 일을 수행하는 조건인가요? 그렇지요?"

"그 그 그래요, 나로서는 종이에 쓰여 있는 그 이상의 어떠한 행동도

할 수가 없다는 것을 의미하기도 해요."

"박사님 입장은 십분 이해해요. 하지만 자금을 출자하는 제안자의 입장도 생각해야 될 것 아닙니까? 만약 제안자가 박사님께 드리려는 돈이 그가 동원할 수 있는 자금의 전부라면, 그 제안자는 박사님을 상대로 큰 도박을 하고 있는 거예요. 즉 불확실성이 큰 연구 결과에 대략 8억 엔의 자본을 투입하는 투자 아닌 투기가 되는 것인데, 박사님이 생각하는 그 정도 의무사항으로 투자자가 이해하고 투자를 하기는 어렵지요. 쉽게 말씀드려 입장을 바꾸어 박사님이 수중에 돈이 좀 있어 투자를 한다고 할 때에 그런 조건의 일에 투자를 할 수 있을 것 같습니까? 대답은 '아니요'일 것입니다. 삼척동자도 다 '노!'라고 대답할 것입니다. 그런 불확실성이 큰 사업에 박사님을 믿고 박사님을 구제하려고 투자하는데 본인만 생각하는 조건서는 조금 수정이 되어야 한다고 생각합니다. 왜냐하면 박사님을 믿고는 있지만 연구 결과를 거짓으로 얼렁뚱땅 둘러댈 수도 있으니까요. 그렇지 않나요 박사님?"

그녀의 반박 몇 마디가 이번에는 긴 칼이 되어 그의 심중을 아예 베어버린다. 사실은 자신도 최후에 뭔가 잘못되었을 경우 대략적인 연구 결과만 알려주고 위기를 모면하려는 생각도 해본다. 기가 막히게도 그녀는 그것을 들추어내고 있다. 자신의 머릿속에 들어 있고 머리 꼭대기에 앉아 있다. 그는 할 말이 없어 잠시 머뭇거린다.

"그 그럼 어 어떻게 해야 되나요."

"박사님의 입장에서 보면 잘된 문서지만 제안자의 의견도 넣어야 할 것 같아요. 이렇게 해요. 구두 서술 대목 1번 항 총 18억 엔을 10억 엔으로 바꿔요. 제가 협상에서 위임받은 최고액이에요. 그 이상이면 협상결렬이에요. 그리고 3번 항을 이렇게 고치면 좋겠어요. 여기요, 이 3번 항을요.

「3. 연구 결과는 구두로 '리노아'에게만 통보한다. 리노아는 구두 통보를 현장에서 받아 적을 수 있고 본인이 받아 적은 결과를 확인해준다. 이때 확인 서명은 하지 않는다.」를 이렇게 수정하면 제안자도 결코 서운하지 않을 거여요. 읽어보세요.

「3. 연구 결과 통보는 문부과학성에 보고하는 연구소 소장의 직인이 찍힌 문서를 1부 복사하여 리노아에게 전달한다. 중간 통보는 연구 부분 결과가 나올 때마다 리노아에게 구두로 전달한다.」"

수정된 문장을 읽어본 데라우치는 순간 몸서리쳐진다.

'이거 오늘 내가 잘못 걸렸구나. 이미 이 여자의 그물에 걸렸으니 빠져서 살아나갈 구멍은 딱 한 가지뿐이로구나. 이거 거절할 수도 없고 그렇다고 그만둔다고 할 수도 없고.'

여러 가지 상황이 영화 필름 돌아가듯 장면이 나타났다가 사라진다. 자신이 결과 보고 문서를 컴퓨터에서 복사하다가 걸리는 장면, 컴퓨터 칩을 그녀에게 전달하려다 공안청 감시직원에게 발각되는 장면, 엉뚱한 결과를 건네려다 리노아에게 망신을 당하거나, 의뢰인에게 협박당하는 장면 등. 그는 괴로웠다. 그래서 머리를 세차게 흔들며 모든 것을 지우고 이기려든다. 그러다 하마터면 큰소리를 지를뻔했다.

"모두들 왜 그래! 나를 놓아줘 좀!"

두 번이나 세차게 머리를 흔드니 그제야 현실로 돌아온다. 리노아가 만면에 웃음을 머금고 있다. 마귀할멈이나 악귀처럼 보이던 그녀가 서서히 미녀로 변하고 있다.

"박사님 고민은 그만 하세요. 단순히 생각하세요. 사나이가 죽으면 한 번 죽지, 두 번 죽지 않아요. 그렇지요?"

'이제 사나이라고 하면서 나를 조롱하고 있구나.'

그는 속으로 답변을 하지만 말은 입속에서 맴돌고 그녀를 찬찬히 응시한다.

"리노아 알았어. 내 그렇게 하지!"

마침내 그녀 앞에 무너진다. 항복이다. 이제 그녀의 노예, 포로가 된다.

"박사님, 우리 이렇게 해요. 여기 적힌 다섯 가지 조건들을 서로 이행한다고 생각하고 이 종이를 태워버리겠어요. 박사님과 저와의 약속은 이 문서보다 마음이 더욱 중요하다고 생각해요. 물론 저는 박사님이 요구하시는 것을 다 철저히 이행하겠어요. 이 문서를 없애면 박사님은 아주 자유스럽게 행동을 하실 수 있을 것입니다. 하지만 박사님도 문서가 공개되어 있다고 생각하고, 그리고 자신의 의무사항을 성실히 이행하실 것으로 생각하고 제가 불태워버리겠어요."

리노아는 종업원에게 라이터를 달라고 하여 즉석에서 종이를 불태워 재를 만들어버린다. 며칠간 고민하여 작성한 조건이 연기로 사라져버린다. 대신 그는 다섯 가지 중에 세 번째 사항을 성실히 이행할 책임을 지게 되었다. 하지만 오히려 홀가분해진다. 그러한 문서가 훗날 발각이 되면 더 큰일로 번질 수가 있으니 물증이 될 수 있는 것은 사전에 다 없애는 것이 좋다.

"내일 당장 현금을 넣으라고 하겠어요. 보안상 별도로 전화는 하지 않겠어요. 대신 내일 점심시간에 정문 밖에 있는 XX 외국 은행에 가보세요. 은행에 들어가시면 박사님을 알아보고 접근하는 사람이 있을 것입니다. 그 사람과 함께 은행 일을 마치세요. 박사님이 원하시는 방향으로 돈이 입금되고 비밀번호와 여러 가지 사항이 입력될 거예요. 박사님만 알고 박사님만 인출이 가능한 계좌를 만드는 것이지요. 그런 다음 정확하게 두 시간 후부터 현금 50퍼센트가 입금되기 시작할 것입니다. 오후 세 시 이후면 입금 여부를 확인할 수 있을 것입니다. 그런데 한꺼번에 5억 엔이 입금되면 계좌추적을 당할 수 있으니 하루 5,000만 엔씩 10일에 걸쳐 입금될 예정입니다. 이 점 알고 계세요. 의문 나는 것이 있으세요?"

그녀는 예견하고 준비한 것처럼 일사천리로 은행 일과 입금에 대하여 말한다.

“그러니까, 내일 XX 은행에 나가면 계좌 등 모든 것이 해결된다는 말이지요? 몸만 나가면 되는가요?”

“그런 셈이지요. 계좌에는 박사님의 신분증과 도장이 다른 사람 이름으로 되어 있을 것이지만 박사님의 지문과 비밀번호를 사용하여 개설될 것입니다. 그러니까, 제3의 가공인물로 계좌가 개설되지만 돈 인출은 박사님만 가능한 것입니다. 박사님이 그렇게 비밀스럽게 원하시는 착수금이 최초로 입금이 되는 것이지요. 5억 엔이나 호호호... 호호호”

그녀는 웃을 일이 아닌데도 길게 웃고 있다. 이것이 사탄의 꾐일까? 아니면 마녀의 웃음일까? 지옥에 온 것을 환영한다는 저승사자의 비웃음일까? 데라우치는 밤새 고민한 것이 한 순간에 바뀌어버린 오늘 그녀와의 만남이 어떻게 지나갔는지 얼떨떨하기만 하다. 한 남자를 지남철의 자력권에 흩어져 있는 쇳가루처럼 꼼짝 못하게 만든 그녀, 그녀는 N-2이다.

일본 공안청 조사국

일본 행정부 공안청에서는 현재 진행되고 있는 독도의 원석 분석에 관한 결과가 누설되지 않도록 보안을 위하여 나름대로 대책을 마련하고 있다. 4개 연구소에 근무하는 수천 명이나 되는 연구원과 관계자들의 개인별 사찰보안은 이번 공안청에서 할당한 보안요원 10여 명을 가지고는 어림없다. 따라서 개인 밀착 보안은 어렵다고 판단하고 그룹별 보안을 하기로 한다. 그룹별이란 연구원 그룹과 연구를 지원하고 있는 행정그룹으로 나누어 각 연구소에 그룹별로 한 명씩 투입하여 전화감청과 부서별 홍보, 지도를 통하여 연구 결과가 새어나가지 않도록 한다는 방침이다. 따라서 아예 공안청 요원 두 명을 각 연구소에 파견하여 근무토록 한다. 공안청에서 파견된 두 명의 보안요원들은 유인물을 만들어 모든 연구 관계자들에게 어떠한 연구 과제나 결과에 대하여 한마디의 말도 일절 나가지 않도록 유의해달라고 계도한다. 공안청은 모든 연구원과 관계자에 대한 개인 감청도 한다. 개인 감청 결과 조금이라도 이상이 있다면 개인에게 경고장을 발부하기로 한다.

그렇게 보안을 강화하고 있던 어느 날, 감청을 통하여 연구원 중 몇 명에게서 이상 징후를 포착한다. 오사카 핵물리 연구소의 이시하라 간지라는 중견 연구원이 최근에 어떤 여자와 자주 통화하고 만난다는 사실이 포착된 것이다. 이 사실은 공안청에서 오사카 핵물리 연구소에 파견 나온 보안요원에게 즉각 통보되고, 공안청 상부에서는 다음 두 가지 특명을 그에게 내린다.

첫째, 이시하라 간지와 만나는 여자의 신상파악, 둘째, 그 여성에 대하여 현재 연구하고 있는 모든 실상을 일절 발설하지 못하도록 사전에 조언하고 경고한다.

공안청 파견 보안요원 타다요시는 불같고 직설적인 성격이라 위의 두 가지 특명을 직접적인 방법으로 즉시 수행한다. 먼저 그는 이시하라 간지의 연구실에 불쑥 찾아간다.

"안녕하세요. 공안청에서 파견 나온 보안요원입니다."

"아, 예! 어서 오세요. 전화로 하셔도 될 텐데 제 사무실까지 직접 와주시니 뭔가 일이 있는가 보지요……"

"아니요, 큰일은 아니고 박사님께 조언 좀 드리려고 왔습니다."

"아하, 그래요? 여기 좀 앉으시지요."

이시하라 간지는 3인용 소파에 그를 앉히고 자신도 마주 앉아 벨을 눌러 비서 겸 연구원에게 커피를 주문한다.

"아니, 커피 안 마셔도 됩니다. 박사님 바쁘실 터이고 저도 시간이 없으니 제 할 말만하고 가겠습니다."

"좋으실 대로 하시지요. 저야 큰 문제가 없습니다."

"다름이 아니라 박사님이 최근에 어떤 여자 분을 만나신다고 소문이 나 있습니다."

"나야 상처하고 혼자 살고 있으니 당연히 여자가 필요할 테고 여자를 만나야 그 필요를 충족할 수가 있지 않을까요?"

"그야 그렇지요. 그런데 그 여자가 하필 중대한 연구를 수행하고 있는 요즈음 박사님을 접촉한다는 것이 매우 수상합니다!"

"그럼 댁은 그 여자를 스파이 영화에 나오는 비밀을 수집하는 첩자라도 된다고 생각하시나요? 그리고 내가 만나는 모든 사람을 의심하지 왜 유독 그 여자만 걸고 넘어 지나요?

"아니요, 아직 그 여자분 첩자라는 징조는 파악되지 않았습니다. 그렇지만 다른 사람들은 대부분 박사님과 옛날부터 면식이 있는 사람이고요. 그 여자 분만은 요 근래 처음 만나기 시작하였기 때문에 주의하셔야 된다는 말씀을 드리려 합니다. 그리고 박사님께서는 그 여자뿐만 아니라 어느 누구에게도 이번 연구에 대하여 한 마디도 누출해서는 안 된다는 것도 다시 한 번 강조하기 위하여 왔습니다."

"그 여자가 첩자인지 아닌지 확증을 가지고 있지도 않은 것 같은데 도대체 왜 나에게 그런 말을 하고 나와 그녀를 감시하고 있지요? 그렇다면 아예 나를 철창에 가두어놓고 퇴근도 시키지 말고 연구하도록 하지 왜 출퇴근을 시키고 여타의 사람들을 만나게 하면서 보안에 유의하라고 협잡을 하고 있는가요? 그 연구가 그렇게 중요하다면 연구 끝날 때까지 아예 수용소나 교도소 같은 곳에 가두어놓고 연구를 시켰어야지... 그렇지 않나요?"

"그건 정부의 방침이지 저는 모르는 일입니다. 여하튼 어떠한 사람하고도 연구에 관한 대화를 하지 않는 것이 박사님의 신상에 이로울 것입니다. 대화의 상대가 박사님의 자제라고 해도요."

"여보시오, 그것은 나를 협박하는 말로 들리는데 그렇다면 나는 이번 연구에 빠지겠습니다. 일부러 연구 내용을 발설하려 그 여자를 가까이한 것도 아닌데 이러한 분위기에서 연구 활동을 못하겠습니다."

"저는 그것에 대하여 어떤 말씀을 드릴 수 있는 위치에 있지 않습니다. 저의 임무는 어떻게 흘러가든 연구에 관한 자그마한 내용이라도 밖으로 누출되는 것을 막는 것입니다. 그래서 그 여자 혹은 어떠한 제3자에게라도 절대 누설하지 말 것을 부탁드리고 경고하는 바입니다."

타다요시는 이시하라 간지의 연구실을 나오면서 마지막으로 덧붙인다.

"이제부터 제가 그 여자의 정체를 확인하여 박사님께 알려드리겠습니다. 기대해보시지요. 다음에 뵙겠습니다."

이시하라 간지는 기분이 매우 찝찝하고 언짢아진다. 도대체 보안을 이유로 남의 사생활에 관여하고 협박하고 왜들 그러는지 이해가 되지 않는다. 이시하라 간지는 퇴근 후에 치하루에게 만나자고 메시지를 보낸다.

퇴근 후에 그는 치하루를 만나 저녁식사를 같이하면서 오늘 있었던 보안요원과의 일을 자세히 이야기해준다.

"호호호. 별 일도 다 있네요. 아마도 보안요원이기 때문에 아무나 의심해보고 자기들이 만들어놓은 틀 속에 넣어보려고 그러는가 보지요."

"글쎄 그게 간단히 넘어갈 사안은 아닌 것 같구려. 그가 떠나면서 나에게 치하루의 뒷조사를 한다고 그랬습니다."

"호호호. 제 뒷조사를요? 아마도 뒷조사하고 깜짝 놀라겠지요. 국가에서 훈장을 받아야 할 테니까요. 걱정하지 마세요. 저는 죄진 것 하나도 없고 뒤가 구린 짓을 한 것도 하나도 없어요."

"본시 그런 친구들은 가끔씩 남을 해코지 하는 일이 있어서 그래요. 얄팍하게 남의 자그마한 약점을 잡고서 그것을 꼬투리 삼아 뭔가 이익을 보려고 시도하는 자들이 더러 있어요. 물론 다 그런 것은 아니지만…"

"아무튼 조심하겠어요. 고마워요, 알려주셔서."

"저… 치하루. 사실 오늘 치하루에게 할 말이 있어서 겸사겸사 나오라고 한 것이에요."

"그래요? 보안 문제가 아니라 다른 것이 있다고요?"

"예, 사실 난 그동안 치하루에 대하여 많이 생각했어요. 치하루 씨의 모든 것이 점점 좋아져 마침내 치하루와 함께 일상생활을 공유하면 어떨까 혼자 곰곰이 생각해보았어요. 우리는 공통점이 많아요. 그리고 나는, 나 자신뿐만 아니라 아이들 때문에 배우자가 꼭 필요하답니다. 그 아이들의 엄마가 되어주고 내 곁에도 머물러주는 대화의 상대가 있다면 얼마나 좋을까 혼자 생각도 하고 같이 있는 상상을 자주했어요. 치하루 씨 그게 가능할까요?"

"…… 저를 그렇게 생각해주시니 정말 고마워요. 그동안 20여 년을 혼자 생활해왔는데 다시 누군가와 함께한다는 것은 제 자신이 힘들고 어려울 것 같아요. 이제 혼자 사는 것이 너무나 익숙해져버렸어요. 슬프게도…"

"여하튼 오늘 당장 이 자리에서 결심을 받아낼 생각은 추호도 없습니다. 천천히 생각하시면서 말씀해주세요. 기다리겠습니다."

두 사람은 식사 후 차를 한 잔 하고 나서 헤어진다. 치하루는 일단 자신의 목표가 달성되고 있는 것에 대하여 마음속으로 쾌재를 부른다. 그러나 마음 한쪽 구석에서는 자신의 정체를 숨긴 채 순수하고 때가 묻지 않은 한 인간을 속이고 있는 첩자의 운명이 슬프기도 하다. 비극을 만들어내는 비련의 제조사라고나 할까, 여하튼 정상적인 삶의 방식이 아닌 방법을 동원하는 자신의 처지도 별반 나은 것이 없는 것에 마음속으로 한탄한다.

하지만 언제까지 이런 감상적인 일에 젖어 있을 수 없다. 오늘 하마터면 그 남자의 제의를 받아들일 뻔하였다. 그것은 스파이의 길이 아니다. 내가 아직 완벽한 첩자가 되지 못하고 있다는 것을 스스로 증명하고 있다. 그렇다면 앞으로 어떻게 해야 할까? 여기서 물러날 수는 없다. 임무가 끝날 때까지 남자와 동거를 하다가 임무가 종료되면 어디론가 사라질까? 아니면 끝까지 현 상태를 유지하면서 임무를 수행할까? 그녀 자신도 명확한 길을 선택하지 못하고 주저하고 있다.

이제 보안요원에 대하여 어떻게 자신을 방어할 것인가 생각해본다. '이 휴대전화는 무용지물이다. 나의 모든 통화나 메시지, 일거수일투족의 상황이 보안요원에 의하여 파악될 것이다. 그렇다면 차라리 그에게 숨어 있으면 보안요원들의 감시를 피할 수 있지 않을까? 나는 20년을 혼자 살아왔고 지금 이 상태라면 나이 들어서도 변화가 없겠지! 그래서 더 나이 들기 전에 어디라도 정착지를 만들어 대비해야 하지 않겠는가? 늙어서 등이라도 긁어줄 사람이 필요한 시간이 오겠지...... 그렇다면 나의 첩자 생활, 늙어서 안주할 곳을 고려할 때에 그 남자의 그늘에 숨어 있다면 간단히 이루어질 수 있지 않을까?' 치하루는 끝없는 번민에 사로잡힌다.

여자 혼자 판단하기 어렵다. 오사카 지부장과 상담을 하고 싶어도 그렇게 하면 모든 것이 수포로 돌아갈 위험이 매우 크다. 여성 첩자가 이런 심리적 고통의 상황에 빠지면 첩자로서의 생명이 끝나는 것이나 마찬가지여서 버리는 카드가 될 것이다. 그래서 그들이 버리기 전에 새로운 임무를 받길 거부하기도 했다. 치하루는 보안요원에 대하여 방호벽을 치기 시작한다. 일상적인 통화 외에는 절대 휴대전화를 사용하지 않는다. 새로운 휴대전화를 마련하고, 지부장과는 독립 작전을 하기로 한다. '외로운 기러기 작전'이라 하여 스파이가 자신의 신분이 노출될 염려가 있을 때 행동하는 것으로 한때 어디론가 사라지는 것이다. 치하루는 마침내 사라질 곳을 찾았다. 이시하라 간지의 그늘 밑이다.

며칠 후, 두 사람은 퇴근 후 만나서 여느 때처럼 저녁식사를 한다. 그 자리에서 마침내 치하루는 이시하라 간지와 합치기로 결정을 하고 그의 제안을 받아들인다.

"그동안 여러모로 생각을 하였습니다. 제가 박사님의 제안을 받아들이기로 하였답니다."

"그래요?! 정말이지요. 야아 만세...!"

그는 자리에서 일어나 치하루를 포옹하려다가 주변에 사람이 있다는 것을 의식하면서 악수만 청한다. 치하루가 손을 내밀자 그녀의 손을 잡고 두 손으로 쓰다듬는다.

"고맙습니다. 정말 눈물겹습니다. 당장 식사 후 집으로 가지요. 집이 누추합니다만 치하루가 쉴 수 있는 공간은 있습니다."

두 사람은 식사 후 그의 집에 갔으며, 늦게 들어온 아이들의 얼굴까지 대한다.

"간지 씨! 나 오늘은 집에 가서 여기로 올 준비를 하겠습니다. 지금은 맨몸으로 왔으니 내일 간단히 짐을 꾸려서 오겠습니다."

"그렇게 하시지요. 내일 퇴근시간에 맞춰서 오면 내가 도와 드리리다."

이시하라 간지는 신이 났다. 삶의 모든 것이 이루어진 것 같은 느낌이다. 다음날 학교에 가기 위하여 일어난 두 아이에게 지금까지의 경과를 간단히 설명하고 토요일인 내일 점심식사부터 같이 하자고 말한다. 두 아이들도 새로운 엄마가 들어왔다는 사실에 대하여 어안이 벙벙하였지만 아버지가 선택하여 집에 들어온 새로운 식구라고 인식하기 시작하고 기대에 부푼다. 왜냐하면 그동안 어머니의 공백이 너무나 커서 새로운 엄마가 그 공백을 잘 채워주리라는 기대를 하기 때문이다. 두 아들 딸은 말없이 고개를 끄덕이며 수긍한다.

한편, 보안요원 타다요시는 치하루의 뒷조사를 시작한다. 우선 그녀의 출신에 대하여 살펴본다. 그녀가 살고 있는 지역의 행정관청에 가서 그녀에 대한 기록을 찾아본다. 그녀의 부모는 벌써 타계한 상태이며 가족으로는 동생 한 명이 홋카이도에 살고 있다. 최근에 서로 왕래한 흔적이 보이지 않는다. 그녀의 조상에 대하여 조사해보니 임진왜란 때 건너온 도공의 후예였다. 모계 쪽을 보아도 여느 일본인과 유사했다.

이번에는 그녀가 근무하는 보험회사에 가서 그녀가 직접 작성한 개인 신상에 대하여 알아본다. 행정관청에서 알아낸 가족 내용과 일치하고 혼자 사는 것으로 기록되어 있다. 그녀의 상사인 보험 팀장을 만나 그녀에 대하여 질문한다. 그녀는 10여 년을 이 회사에서 근무한 아주 성실한 회사원이라고 딱 잘라 말한다. 그녀의 보험판매 실적도 보통 회사원 이상이고 출퇴근도 정확히 하고 있으며 근태에 하자가 없다는 답변이다. 타다요시는 실망한다. 2주일을 낭비하면서 치하루의 과거와 현재에 대하여 추적하였지만 이 여자는 평범한 일본인이다. 다만 혼자 사는 여자일 뿐이다.

그래서 마지막으로 그녀의 근래 동향에 대하여 파악하기로 한다. 최근 1년간 통화기록을 분석하여 포착하는 방법이다. 그래서 우정청에 지급으로 치하루의 모든 통화내용을 복사해달라는 요청서인 협조문을 발송한다. 그런데 문제가 발생한다. 우정청에서 개인의 통신기록을 함부로 녹화해줄 수 없다는 답변이 2주 후에나 온 것이다.

그는 실망하였지만 수상의 지대한 관심사항이며 국가적인 극비에 관한 수사이니 적극 협조해달라는 문서를 공안청장 이름으로 보낸다. 공안청의 보안국장을 직접 대면하여 현 보안 상황에 대하여 보고하고, 이번 원석 분석에 대한 수상님의 '보안준수철저' 지침에 대해서 실천하는 중요한 인물이니 협조해달라고 우정청에 직접 전화한다. 수상의 이름으로 전화와 협조문을 보내니 우정청장으로부터 '다시 한 번 절차를 검토하여 최대한 협조를 하겠다.'라는 답변을 얻어낸다. 하지만 우정청의 실무자들은 검사에 의하여 기소된 사람에 한하여 판사의 판결문이 있어야만 통화기록을 발행할 수 있지만, 공안청에서 나중에 책임을 진다는 조건으로만 발행할 수 있으며 그러한 문서를 보내달라는 답변이다.

이러한 과정이 거의 한 달이나 소요되었다. 통신기록을 겨우 받아들고 분석을 하는데 결과는 90퍼센트가 보험내용이고 나머지는 친구들과의 일상적인 대화였다. 타다요시는 대단히 실망하여 며칠간 칩거하고 고민하다가 자신의 접근방법이 틀렸음을 인정하고, 이제는 예방 보안을 실행하는 방법으로 전환하겠다고 생각한다. 즉 그녀를 철저히 감시하고 통화 내용을 감청하겠다는 것이다. 그런데 문제가 생긴다. 그녀가 행방불명이 된 것이다. 그녀의 행적을 찾을 수가 없다. 그리고 그녀의 전화를 감청하려 해도 아예 전화기가 꺼져 있고 통화를 하지도 않는다는 것이다. 그녀의 이름으로 된 다른 전화번호를 의뢰하였지만 전화국에는 그녀의 이름으로 된 전화가 아예 없다는 답변이다. 이미 전화기를 바꾸어버린 것이다. 타다요시는 하는 수 없이 이시하라 간지를 감시할 수밖에 없다고 판단하고 그의 모든 구내 통화까지 감청하기 시작한다.

메이코의 사랑

메이코는 이제야 삶의 의미를 찾은 것 같다. 누구를 사랑한다는 것이 이토록 마음 설레고 기쁘고 일상이 즐거울 수가 있는 것인지 40여 평생을 살아보았지만 이런 기분 처음이라고 한마디로 요약할 수 있는 심정이다.

그녀는 하루하루가 즐거웠다. 대신 연구에 대해서는 조금 소홀하게 된다. 연구를 하는 동안에도 자주 그 남자의 환상이 잡히고 남자와의 즐거운 로맨스를 생각하면 일이 제대로 잡히지 않는 경우가 다반사이다. 하루는 연구부장이 그녀에게 조용히 다가와서 말한다.

"메이코, 요즈음 집에 무슨 일이 있나요?"

"어... 없어요. 전혀 없어요. 뭐 어떤 문제가 있나요?"

"내가 볼 때는 꼭 무슨 일이 있는 것 같은데... 뭐 좋아요. 그건 메이코의 사생활이니까. 내가 간섭해서는 아니 될 프라이버시 침해가 될 수 있으니 여기서 더 이상 말하지 않겠어요. 그렇지만 어떠한 개인적인 일이라도 연구 활동에 지장을 초래해서는 안 된다는 것도 메이코는 잘 알고 있을 겁니다. 두 달 전의 메이코가 아니라서, 많이 달라진 메이코를 보고 말하는 것이니 이 점 각별히 생각하여 연구 활동에 매진하시기 바랍니다."

"아! 알겠습니다. 주의하겠습니다."

연구부장실에서 나온 그녀는 무슨 의미인지 금방 알 수 있었다.

'내가 그렇게나 그 남자를 생각하였는가?' 하고 자신의 행동을 돌아본다. 하지만 그렇게 크게 잘못한 것은 없는 것으로 생각했다. '여자가 이성 남자를 일하던 중간에 좀 생각하다 약간 일에 집중을 못한 것뿐인데 뭐가 그렇게 대수냐?' 이렇게 치부해버리며 한편으론 연구 시간인 일과 중에는 자기의 행동이 드러나지 않게 정말 조심하면서 연구 활동에 매진해야겠다고 생각한다.

한편, 도쿄 핵물리 연구소에도 보안요원의 활동이 두드러지고 있다. 연구 활동이 절정에 도달하면서 모든 연구요원에 대한 감청이 하루 24시간 동안 이루어지고 있고, 특별 임무 요원에 대해서는 개인 미행이나 사찰을 하기로 결정하여 인원도 두 명씩을 더 늘렸다. 대학의 연구부장과 연구 활동을 주도하고 있는 메이코를 주된 목표로 삼아 미행하기로 한다. 특히 아직도 미혼이고 그 원인이 신상에 있다고 일반적으로 생각되는 메이코의 단점을 누군가가 붙잡고 늘어질 수 있다고 판단하고, 일단 일주일 동안 퇴근 후 생활에 대하여 미행, 사찰하기로 한다. 사찰 결과 보안요원은 그녀가 연구 활동을 누설할 수 있는 개연성이 충분하다고 판단하고 사전에 방지해야 된다고 생각하여 그녀를 불러 경고한다.

"메이코 씨! 요즘 사랑에 빠진 것 같은데 어때요? 좋아요?"

"예에? 사 사 사랑?"

순진한 메이코는 순간 그 남자 아베 신조를 떠올리며 어떻게 그것을 알아내어 말하는지, 그리고 그 남자를 자신이 어떻게 생각하고 있는 것인지 마음이 들켜버린 것처럼 화들짝 놀라며 말을 잇지 못한다.

"메이코 씨. 우리는 당신이 데이트하고 있다는 것을 잘 알고 있습니다. 개인의 사랑, 애정 활동에 우리가 관여할 바는 아니지만 지금 우리가 진행하고 있는 연구 결과가 누설이 될까 심히 염려스럽습니다. 따라서 당분간 그 남자를 만나지 말기를 우리는 강력하게 주문합니다."

"예? 만나지 말라고요? 주문한다고요?"

"그렇습니다. 만나지 마세요. 당분간 아니 영원히..."

"영원히?"

"그렇습니다. 대일본 제국을 위하여 메이코 씨는 그 남자를 만나지 말아야 합니다."

"그럼 내가 그 남자에게 연구 결과를 누설하고, 그 남자가 첩자라도 된다는 말인가요? 그리고, 당신이 뭔데 남의 사생활을 이래라 저래라 통제하나요?"

"물론 그렇지는 않습니다. 그 가능성도 많다고 할 수 없습니다. 그러나 그러한 제로에 가까운 확률도 제거해야 하는 것이 우리들의 임무입니다. 무슨 말인지 잘 아시지요? 이것은 수상각하의 직접 지시입니다. 우리 보안요원이 할 일이 없어 메이코 당신 같은 과학자를 감시하고 있겠습니까? 다 국가와 메이코 당신 자신을 위한 행동이라 이해하십시오. 그리고 절대 사생활의 통제가 아닙니다. 그 일로 인하여 신체적 구속도 예견되기 때문에 내가 적극적으로 말리는 것입니다."

'대일본제국이라... 대일본제국... 시대가 어느 때인데 대일본제국이라고 하는가?'

신체적 구속이라는 말에 그녀는 순간 마음속으로 황당하다고 생각하나 아니라고 부정할 수 있는 상황도 아니다. 그리고 이런 사람과는 더 이상 말을 섞기가 싫어서, 말을 해봐야 쳇바퀴처럼 제자리에 맴돌기 때문에 그냥 겉핥기식으로 대답하고 만다.

"알았어요. 생각해보지요. 연구 결과를 누설하지 말라는 이야기는 지금까지 수없이 들어왔어요. 그런 일은 절대 없을 것이니 신경을 좀 누그러뜨리기 바랍니다. 감사합니다. 조언해주셔서."

그녀는 사무실을 나오면서 힐끗 뒤돌아보니 보안요원이 씽긋 미소를 지어 보인다. 순간 꺼림칙하고 마음에 덜컥 걸린다.

'그 남자가 나에게 접근하는 목적이 보안요원의 말대로 뭔가를 나에게서 얻어내려고 그랬을까? 남자의 각본대로 내가 연구 비밀을 누설하고 그의 꼭두각시가 되고 있다는 말인가? 그가 정말 나에게서 무엇인가를 얻어내려는 스파이란 말인가? 스파이? 호호홋 스파이라! 나에게 스파이가 접근하고 있다. 이거 재미있는데? 그런데 그렇다면 그는 일본인이 아닌 어느 나라 국적이란 말인가? 정말 외국인일까? 아니야, 그가 말하는 언어는 완벽한 일본어였고 사투리도 똑같았단 말이야. 그럼 나에게 그가 접근한 것은 무슨 이유였을까? 모든 남자가 나에게 말도 제대로 걸지 않는데 그 남자만 유독 나에게 그림자처럼 다가와 나의 한가운데에 파문을 일으키며 마음을 사로잡은 이유는 무엇 때문일까? 그가 정말 나를 좋아하고 있는 것일까? 그가 나를 만나는 이유는 나를 사랑해서가 아니고 어떤 목적이 있는데 그것이 보안요원이 집어낸 것과 같은 것일까? 그렇게 순수하고 멋지게 보이는 남자가 첩자라면 나는 어떻게 해야 할까?

메이코의 뇌리에는 수많은 생각이 번개처럼 이어지며 화면이 바뀐다. 그녀는 몇 번 머리를 세차게 저으면서 부정을 긍정으로 바꾸려 한다. 결국 그녀는 남자를 만나서 담판을 지으리라 생각한다. 만나면 단도직입적으로 나에게 무엇을 기대하느냐고, 그리고 기회를 보아 첩자인지도 물어보고 싶다. 그녀는 최종적으로 이공계 엘리트 지식인답게 냉철한 결론을 내린다.

며칠 후 퇴근 때 그를 만난다. 아직 그 남자의 전화번호도 모르고 있다. 그래서 남자가 전철역에서 다가올 때에만 만나야 한다. 내가 먼저 만나자고 할 수도 없이 완전히 남자의 마음과 시간에 달려 있다. 그렇지만 그녀는 그것이 좋다. 거기에는 항시 의외성, 기다림, 설렘, 반가움이 있기에 어쩌면 그녀는 그것을 즐기고 있는지도 모른다.

"아베 신조 씨! 난 아베 씨에 대하여 아무것도 몰라요. 왜 아베 씨는 저를 빙빙 돌고만 계신지 저는 그게 정말로 궁금합니다. 오늘은요, 저와의 관계를 완전하게 정립하였으면 좋겠어요. 어때요, 제 제안이?"

"메이코 씨! 꼭 그렇게 사람 관계가 이렇다 저렇다 정의를 해야만 하나요? 꼭 둘이 사랑하는 연인 사이다. 아니면 친구 사이다, 하고 못을 박아야 하나요? 먼저 이 질문에 답을 해주세요!"

"아니에요. 꼭 그렇게 사람과의 관계를 정해버리지 않아도 되지요. 그냥 편안하게 자기가 원하는 그런 관계와 방법으로 살아도 되지요. 자유스럽게 아무런 제약도 받지 않고 안 그런가요?"

"그래요, 맞지요! 바로 그거예요. 난 메이코 씨하고 당분간 그런 관계를 유지하고 그냥 편안하게 자유스럽게 만나고 싶으면 만나고 보고 싶으면 만나고, 내 편한 방식으로 살고 싶어요. 어때요?"

"그래요! 나도 어디에도 얽매이어 이러쿵저러쿵 말 많이 나오고 변질되어 서로에게 상처를 주는 그러한 소용돌이 속에 살고 싶지는 않아요."

"바로 그거예요. 메이코 씨와 나는 바로 그 점에서 일치점을 찾아냈고, 그 공통점이 비록 얼마 시간이 되지는 않았지만 지금 이렇게 이어지고 있는 것입니다. 그렇지요, 안 그런가요?"

"뭐 그건 그래요. 우리 편하게 만나요. 조건이 변하더라도..."

메이코는 남자의 궤변에 넘어가고 있는 자신을 보고 있다. 그러다 자기가 질문하고자 하는 것, 즉 알고 싶은 것을 하나도 알아내지 못하고 있다는 것을 깨닫고 다시 질문을 쏟아낸다.

"저, 그런데요. 만나는 사람의 신상은 좀 더 알아야 공통점을 많이 찾아낼 수 있지 않을까요?"

"그래요? 메이코 씨는 나의 뭐가 그렇게 궁금하신가요?

메이코는 일시 냉정함을 되찾고 자신이 알고자 하는 것을 말한다.

"난 먼저 아베 씨의 가정에 대하여 알고 싶어요. 정말 혼자 살고 계신지, 우리 일본인인지, 아니면 제3국인인가?"

"하하하! 그게 그렇게 중요해요? 그렇다면 대답을 해드리지요. 난 순수 일본산 일본인, 나이 40이 넘었지만 아직 미혼이면서 부모님으로부터 독립하여 혼자 살고 있습니다. 연로하신 부모님은 규슈에서 농사짓고 계시고, 제 위로는 누나가 한 분 계시는데 시모노세키에 살고 계십니다. 나는요, 지금 무역회사에서 팀장으로 재직하면서 밥값을 하고 있지요. 어때요, 해명이 되었는가요?"

"아, 좋습니다. 좋아요. 내가 너무 의심한 것이군요. 난 아베 씨를 의심했다고요. 사실 나같이 못난 여자를 여자라고 생각해주는 아베 씨가 이상하다고 생각했어요. 무슨 목적이 있지 않을까 하고요."

"메이코에게서 알아낼 것이 뭐 있겠어요. 과학자니깐 메이코가 연구해낸 결과? 그런데 그게 나하고 무슨 관계가 있겠어요. 전혀 무지한 분야의 연구 결과를 알아서 누구에게 팔아먹나요? 표절이 되지 않아요? 표절! 요즈음 과학계에서 남의 연구를 절도해서 논문을 게재했다간 큰코다치잖아요. 게다가 그 과학 분야에 대하여 많은 지식이 있어야 도둑질한 논문을 이용해먹지. 나 같은 일반인에게는 너무나 어울리지 않아요. 그러한 논문 표절이라고 하는 것들이... 그렇지 않을까요?"

"허긴 아베 씨의 말이 맞긴 맞네요."

"세부적인 연구 결과도 아니고 제목이나 간단한 결과 발표는 연구자들이 일상적으로 하는 것이잖아요. 자신들의 연구를 만방에 알리려고요. 그리고 그것을 여러 학술지에 보고하고 게재하잖아요. 사이언스지나 네이처지에는 좀 더 자세히, 그것도 자랑스럽게..."

"하기는 그렇지요. 극비를 유지하는 일반적인 학문 연구가 아닌 무기에 관련된 연구나 혹은 신소재 개발 등 미래 전략 산업이 될 수 있는 항목들이 대부분 비밀을 유지하면서 연구 개발이 진행되고 있지요."

메이코는 이런 대화를 하면서 자신들이 요즈음 채근 받고 있는 연구 활동에 대하여 생각해본다. 지금 진행하고 있는 연구 즉 원석의 성분을 분석하고 그 활용도를 찾아내는 것은 극비가 될 수 없다는 생각이 먼저 든다. 그렇다면 왜 그렇게 일반적인 연구 활동에 대하여 그렇게 호들갑을 떨면서 극비니 보안이니 할까? 그녀는 그것이 궁금해지기 시작한다.

"아베 씨! 내가 오늘 아베 씨에게 이러한 것을 물어보는 것은, 어제 우리 연구소 담당 보안요원이 나를 불러서 아베 씨를 당분간 연구 끝날 때까지 만나지 말라고 해서예요. 아니 영원히 만나지 않는 것이 좋을 것이라고 그랬어요. 내가 그래서 그 보안요원에게 '그럼 아베 씨가 첩자인가?'

를 물어보고 싶었지만 참고 나왔어요. 그리고 최근 연구 활동이 왜 그렇게 극비 사항이 된 것인지, 아베 씨가 혹시 그 연구 결과를 뽑아내려고 나를 만나고 있는지 의심이 들었어요. 왜냐면 아베 씨가 그 연구 활동 이후에 나를 만나기 시작했기 때문이지요. 그리고 나를 진정으로 사랑하지 않고 다소 거리를 유지하고 있다는 느낌을 강하게 받았기 때문이에요."

메이코의 당돌한 질문과 보안요원에 관한 사실을 직설적으로 말하자 아베는 속으로 아차 하였으나 침착히 대응해야 한다고 생각한다.

"하아! 그런 속사정이 있었군요. 메이코 씨의 일시적인 오해나 나에 대한 질문을 이해할 수가 있겠네요. 내가 메이코라고 해도 그런 의심 정도는 기본적으로 가질 것으로 생각합니다. 하지만 사람을 모두 그런 방식으로 의심을 한다면 이 세상에 가까이 할 수 있는 사람이 하나도 없지요. 안 그렇습니까? 모두가 사기를 치려 접근하는 사기꾼이요, 자신의 이익만을 추구하려는 자들이 가득 차 있다고 생각하고 의심하며 서로를 믿지 못하면 우리가 사는 세상은 불신의 사회가 되겠지요. 그렇다면 앞으로 메이코를 더 이상 만나지 말아야겠지요. 연구 활동이 끝날 때까지, 아니 영원히... 부처님은 길 가다 옷깃만 스쳐도 인연이라고 했다는데 이제 몇 번 만나지도 않았고 메이코에 대하여 자세히 알지도 못하는 그런 사이인데 더 정이 들기 전에 이제 그만 '안녕'이라고 말해야겠지요."

'아니, 이 남자가? 내가 그런 말을 했다고 헤어지자고?'

"아베 씨! 혹시 쫌 씨는 아니지요?"

"예? 쫌 씨라뇨?"

"거 있잖아요. 남자답지 않게 마음이 아주 좁은......"

"아 예 예, 거 잘 보셨어요. 좀 씨, 난 쫌 씨예요. 하지만 내가 물러서지 않으면 메이코 당신이 다칠 가능성이 많아요. 명백해요. 정보기관에 근무하는 자들에게 한번 잘못 찍히면 평생을 감시받고 살아가야 하니까요. 지금까지 층층이 얼마간 쌓아올린 탑이 모두 무너져버리면 메이코는 나를 심대하게 원망할 거예요. '저놈이 나에게 귀신처럼 붙어 떨어지지 않고 악의 수렁으로 몰아넣는구나!' 하고 죽을 때까지 원망할 거예요, 아마도. 혹시 귀신이 되어 나의 혼에 계속 달라붙어 있으면 어떡해요, 난."

"호호호. 아베 씨 주술적이네요. 염려 말아요. 그냥 지금까지 하던 대로 하세요. 내가 보안요원을 떨쳐버릴 테니깐. 나를 버리지 마세요......!"

"버리다니요. 내가 그럴 수 있나요? 그러한 위치에 있나요?"

"충분히 있어요. 이제 나의 마음도 가져가세요, 아베 씨!"

"좋아요, 고려해보겠어요. 조금은 시간이 흘러가야겠지요?"

"아무려면 어때요. 좋아요."

"보안요원이 떨어질 때까지 잠깐 잠수 탈 테니까 혹시 연락이 되지 않는다고, 보이지 않는다고 하더라도 참고 계세요."

"알겠습니다, 아베 씨. 기다리겠습니다."

"우선 이렇게 해요. 대포폰을 하나 만드세요. 나도 만들 거니까... 앞으로 나하고 통화는 그 대포폰으로만 합시다. 그리고 대포폰 번호는 전철에서 슬쩍 옆에 서서 쪽지로 주고받는 것으로 해요. 3일 후에 전철에서 승객으로 만나 비밀리에 교환을 해요. 딱 전화번호 숫자만 기입하세요. 그리고 당분간 메시지로 통화만 해요, 대포폰으로... 알겠지요?

"아 알겠습니다. 대 대 대포폰."

그녀는 대답하지만 이거 꼭 스파이 놀이처럼 해야 하는 자신의 처지가 점점 이상해져가는 것을 느낀다. 3일 후 두 사람은 전철 안에서 만나 다른 사람이 눈치 채지 못하도록 대포폰 번호를 주고받는다. 그리고 말없이 헤어진다. 이때 두 사람이 옆에 서 있다가 아무 대화 없이 헤어지는 광경을 멀찍이 쳐다보는 사람이 있다. 보안요원이다. 그는 머리를 갸우뚱거린다. 두 사람이 그냥 헤어져 각자 집에 가버린다는 것이 이상하다. 정말 자신이 경고한 것처럼 영원히 혹은 일시적으로 사이가 단절된 것일까? 의심을 해보고 앞으로 2주일을 계속 미행하기로 한다. 그리고 그동안 두 사람의 전화를 계속 감청한다.

보름을 계속 미행하고 있으나 메이코는 그 남자를 만나보지 않고 그냥 집으로 향하며 남자와는 통화 한 번 하지 않는다. 그 남자, 아베의 전화를 감청해도 친구나 업무에 관한 일상적인 통화를 할 뿐 메이코와 통화하는 내용은 하나도 없다. 보안요원은 아베 신조에 대한 신상 파악에 들어가기로 한다. 과연 어디에 근무하고 무엇을 하는 젊은 사람이 그렇게 마음대로 생긴 여자를 홀리고 있는지 알고 싶었다. 분명히 무슨 목적이 있을 것이라 판단한다. 보안요원은 그가 다니고 있는 회사에 대하여 알아본다. 규모가 비교적 작은 수출입 상사로, 일본과 한국을 오가며 여러 가지 잡화를 수출입하고 있는 회사다.

아베 신조는 팀장으로 한국을 오가며 돈이 될 만한 상품을 찾아내고 한국인들이 잘 찾는 일본 상품을 파악하여 신용장을 개설하는 임무를 맡고 있다. 그러한 통상 업무를 수행하기 위하여 한국을 한 달에 두 번, 많게는 서너 번씩 오간다. 보안요원은 팀장인 아베 신조가 한국을 자주 오가는 것이 약간은 미심쩍으나 수출입 상사라 일상적인 업무를 수행하고 있는 것이라 생각한다. 그렇다고 이 시점에서 어떤 혐의도 없는 그를 따라 한국까지 가서 미행하고 그의 행각을 알아보는 것은 무리라고 생각한다. 그는 예방 보안으로 전환하기로 한다.

한편, 아베 신조는 보안요원의 내사를 눈치 채고 전화를 또 하나 만들어 서로 전화번호만 교환한 후에 일절 통화하지 않고 단순한 인사와 소식만 메시지를 이용하여 주고받는다. 그는 자칫 자신의 신상이 밝혀지면 일본 내에서 앞으로의 활동이 어렵다고 판단하고 일단 한 달 정도 잠잠할 때까지 잠수를 타기로 한다. 그리고 첩보수집 방향을 달리하기로 한다. 즉 그녀에게 자세한 연구 결과를 알아내는 것보다는 대략적이며 일상적인 대화를 통하여 자신도 모르게 결과를 말하도록 유도하는 방법을 택하기로 한 것이다. 그러려면 대화의 형태와 방법, 분위기 유도, 대화 소재 선택 등에서 상당히 연구하고 신경 써야 한다.

사실 그가 일본인이면서 한국을 위하여 일하고 있는 것은 과거 대학생 때부터 지금까지 많은 돈을 현금으로 지원받았기 때문이다. 원래 그의 집은 아주 빈한한 농가였지만 한 한국인으로부터 논 한 필지 제대로 갖지 못한 부모님에게 몇 필지의 논을 경작할 수 있도록 해주었고, 자신과 누이의 학자금과 심지어 누이의 결혼자금도 마련해주었다. 그래서 큰 은혜로 생각하고 적극적으로 협조하고 있다. 그는 대학교 3, 4학년 때 교환 학생, 석사 2년 과정도 한국에서 마쳤다. 그는 휴강기간을 이용하여 특수 전문기관에 가서 첩자 교육 훈련을 받고 나서 일본에 돌아와 지금의 회사에 취직한 것이다.

자신을 지금의 위치에까지 있도록 한 것은 자신이 다니는 회사의 사장님 덕분이다. 회사에 입사한 뒤에는 팀장 봉급 이외에 봉급의 50퍼센트에 상당하는 특별 활동비를 매달 받고 있다. 그렇게 하여 그는 십수 년을 근무하면서 많은 돈을 저축하였고, 이제 당당히 자립할 수 있는 단계에까지 와있다. 하지만 지금까지 활동하였던 첩자 생활을 그만둘 수는 없다. 집안 전체가 사장님의 은혜를 입고 누리고 있고 자신의 과거가 그를 강력하게 끌어안고 놓아주지 않기 때문이다. 따라서 이번 일도 절대 자신의 신분이 노출되지 않도록 조심해서 은밀히 추진하고 있다. 그런데 벌써 보안요원이 뭔가 낌새를 챘다고 하니 일단은 2보 전진을 위하여 1보 후퇴하기로 한다.

오사카 성

미우와 함시황은 토요일 저녁에 데이트하러 나온다. 여름이 지났더라도 도톤보리는 몰려드는 사람들의 숨소리와 빌딩숲 사이로 아직도 가시지 않은 후덥지근하고 끈끈한 여름 냄새로 뒤덮여 있다. 오사카 성은 도톤보리와 얼마 떨어져 있지 않지만 도심보다 비교적 덜 복잡하고 나무가 우거져 있어 훨씬 쾌적하다. 청춘남녀가 데이트하기에 최적지다. 게다가 날이 어두워지면 성 안팎에서 비추는 오색찬란한 조명은 젊은이들의 마음을 이상향으로 추켜올리고 있다. 땅거미가 길어지고 석양이 빨리 당겨오며 쉽사리 사라져버리는 가을 언저리에, 숨죽였던 나무 잎새들도 마지막 푸르름으로 계절의 바뀜을 알려주고 있다. 두 사람은 여느 연인처럼 돌로 높다랗게 쌓인 성벽과 바로 밑에 깊게 판 해자를 바라보며 손을 잡고 걷는다.

“하무 상! 여기 참 시원-하네요, 그렇죠?”

“예. 이제야 여름이 끝나나 봐요. 그동안 몇 개월 참 더웠지요?”

“그러게 말이에요. 살 수가 있어야지요, 정말. 갈수록 습하고 더워지니 여름에는 집이나 사무실 밖에 나와 돌아다니기 힘들어요.”

“다 사람들 때문이지요. 적당히 먹고살아야 하는데 돈을 쌓아놓고 자기만 많이 오래 먹고살려고 과욕을 부리면서 지구를 망조 들게 하고 있거든요.”

“그래요. 지구 신이 노해서 머지않아 지구인들을 쫓아낼 거예요.”

“그럼 어떻게 하죠?”

“오염된 지구를 벗어나 딴 별로 가야지요. 우주 방랑을 시작해야겠지요? 수십 년 전 영국의 유명한 천문학 박사가 그랬다고 하지 않아요? 천 년 안에 인간은 지구를 탈출해야 한다고!”

“못하게 되면 어떻게 될까요?”

"멸망하겠지요, 멸망. 그리고 이 지구는 쇄신을 하겠지요."

"어떻게요?"

"자연으로 돌아가는 것이지요. 처음 창조할 때로의 원점회귀."

"그럼 이 지구상에 남아 있는 동물과 식물은?"

"환경에 적응하는 동식물만 남겠지요. 예를 들어 바퀴벌레나 땅 밑에 세 들어 사는 작은 동물과 세균들은 나름대로 적응하여 살겠지만 고등동물들은 거의 멸종하겠지요. 그러니깐 지구는 탄생 이후 십수억 년이 흐른 상태로 다시 돌아가겠지요."

"그거 흥미롭지요? 그러다가 새로운 고등동물이 또다시 만들어질 가능성도 있고 인간형태의 동물도 등장할지 모르지요. 신인류라 할까..."

"그때의 동물들은 지금처럼 두 발 혹은 네 발, 두 눈을 가진 것이 아니고 여러 다양한 형태의 머리와 손발을 가진 형태로 등장할지 몰라요."

"여하튼 우리 과학자들이 나서서 지구를 구해야 해요. 돈 쌓아놓고 남보라고 거들먹거리면서 죽기만을 기다리는 그 사람들을 각성하게 만들어 더 이상 지구가 피폐하지 않도록 만들어야지요. 지구 신은 자정능력이 있으니까요."

"지금까지 발전한 과학으로는 지구별 탈출은 어림없는 얘기예요. 가까운 화성이나 달 등 태양계에서는 아직도 여기 지구처럼 마음 놓고 살 수 없으니까요."

"그런데 나는 지구멸망을 그렇게 단순하게 생각하지 않아요."

"그럼 어떻게 될까요?"

"내 생각에는 이 지구가 태양계에서 떨어져나가 어디론가 한 없이 우주에서 방황할 것 같은 느낌이 들어요. 왜냐하면 우주의 메커니즘이 파괴되어 태양계가 흩어져버리는 것이지요. 어쩌면 또 하나의 블랙홀이 우리의 은하계에 들어오거나 새롭게 형성되어 태양계의 별들을 하나씩 잡아먹는 거예요."

"그러면 우리가 은하계나 태양계로 탈출해봐야 소용없는 일이 아닌가요?"

"그렇지요. 은하계 자체가 서서히 블랙홀에 빨려 들어가니 탈출하려면 우리 은하계를 탈출해야지 은하계나 태양계 내에 있어봐야 부처님 손바닥 안에서 헤매고 있는 것이지요."

"그래서 결론은 현재 살고 있는 지구를 아끼고 지켜서 지구가 존속하는 한 여기서 살도록 노력해야지, 화성이나 금성, 목성 혹은 멀리 수십 광년 떨어진 우리 태양계나 은하계 내의 다른 별에 가 봐야 똑같은 결과가 나올 것이라고 생각한다 이 말이지요?"

"그렇지요! 그런 말이지요. 지구! 지구를 잘 보존하여 인간이 생존하는 한 여기서 살아야 된다, 그거지요."

"네, 모두들 각성해야겠네요. 달, 화성 개발이나 우주 탐색도 계속해야 겠지만 먼저 지구 환경 개선이 선행되어야겠네요."

"그런데 미우 씨. 거의 두 달 동안 칩거하다시피 한 것 같은데 그렇게 연구가 어려웠고 할 일이 많았나요?"

"아, 예! 그럼요. 정부에서 닦달을 하니 연구원들이 주말도 쉴 사이 없이 연구가 계속 진행되고 있지요."

"그렇게 중요하다면 미리미리 연구 과제를 던져줄 것이지... 그리고 몇 개월 만에 연구를 마치도록 하는 과제가 또 어디 있단 말인가요? 중고등학교 학생들 수학문제 푸는 것도 아니고 과학계에서 말이지요..."

"글쎄... 그렇지요? 그런데 이번 연구는 약간 성격이 달라요."

"성격이 다르다니요?"

"글쎄 큰 돌덩이 한 무더기를 주고 성분을 분석해서 활용 방안을 내놓으라는 것이지요."

"그래요? 그거 얼마 어렵지 않잖아요? 쉬운 과제인데?"

"그런데 문제가 생겼대요. 문제가..."

"큰 문제가요?"

"이거 하무 상만 알고 계세요. 그 돌덩어리에서 추출한 여러 가지 성분 중에 원석의 주성분을 이루는 금속이 있는데 그 금속의 이름이 밝혀지지 않았다는 것이지요."

"하아, 그래요? 그렇게 과학 원소에 대하여 문외한인가요? 아니면 분석이 잘못되었을까요? 아니면 우리가 모르는 새로운 것일까요?"

"지금 막바지 단계에 와 있어요. 원소의 기본 배열이 기존의 어떤 금속과도 다르다는 것이지요."

"어떻게 다르다는 것이지요?"

"지금까지 원소기호는 118번까지 나와 있고 원자량이 가장 많은, 질량이 가장 무거운 원소는 기호 117, 118번인 우눈셉튠(Uus), 우누녹튬(Uuo)으로, 원자량 294를 가졌다는 것을 하무 상도 잘 알 거예요. 그런데 이 물질은 모두 인공으로 합성한 거예요. 즉 자연 상태에서는 존재하지 않고 핵분열이나 융합 혹은 인위적인 원자의 변형에 따라 형성되는 것이지요. 그런데 문제가 생겼어요. 그 돌덩이에서 추출한 금속성의 물질이 지금껏 발표된 주기율표 어느 곳에도 해당사항이 없다는 거예요."

"그래요? 그렇다면 새로운 물질의 발견이 되겠네요?"

"말하자면 그렇지요. 그런데 그 물질에 대한 성질이 밝혀진 게 역시 하나도 없어요. 처음이니까... 그래서 지금 연구진들은 새로운 발견에 대해 흥분 상태에요. 지금까지 사용했던 주기율표에 맞지 않는 새로운 금속, 현재까지 밝혀지지 않은 전혀 새로운 성질의 물질이 나온 것이지요."

"그거 노벨상 감이네요, 그럼."

"그렇지요. 그런데 더욱 가관인 것은 그 물질의 중량이 우라늄의 두 배가 된다는 것이에요 우라늄 235, 236, 238 등은 모두 원자의 수가 그만큼 들어 있다는 것을 의미하는데, 이번 물질은 우라늄 235의 딱 두 배인 470이라는 거예요. 산소가 질량 16이니까 산소보다 거의 30배 이상 무거운 것이고. 금으로 따지자면 금의 질량이 197이니깐 금보다 두 배 반이 무겁다는 거예요. 지금 그 원소 이름을 FRxx라고 명명했어요."

"그렇다면 굉장히 무거운 중금속 중 하나네요. 그런데 FRxx가 무슨 약자인가요?"

"Future Resource Extreme Unknown인데, Extreme Unknown을 XX로 표현하여 FRxx로 임시 명명한 것이지요."

"그런데 그런 원소를 발견한 것이 그다지 대단한 것은 아니잖아요? 그것이 우리 외국인 학생들을 제외시키고 연구할만한 사항인가요?"

함시황은 외국인 학생이 연구에 제외된 것에 대한 섭섭한 감정을 간접적으로 표현한다.

"그런데요... 문제가 또 하나 있어요. FRxx의 물리적 성질이에요."

"왜, 자연적으로 없어지나요? 아니면 엄청나게 해로운 결과를 가져오나요? 아니면..."

"하무 상, 이건 절대로 발설하면 안 돼요. 우리 연구진은 그 물질을 순도 5퍼센트로 농축하였어요. 원자로에 사용하는 우라늄 농축과 유사하게요. 그리하여 많은 원석을 분쇄하여 순수 농축물질 60킬로그램을 얻었지요. 원석에는 의외로 많은 FRxx가 함유되어 있었어요. 함유량은 대략 원석의 무게에 비하여 2퍼센트 정도 되었어요. 자연계에서 이 정도의 함유량은 자연 상태인 철이나 구리 외에는 찾아볼 수 없는 드문 경우지요. 아니 아예 찾아볼 수 없어요. 우라늄이 보통 0.01~0.02퍼센트 정도거든요."

"그렇지요. 대부분 자연 상태로는 아주 적게 존재하지요. 상당수의 금속이 이에 해당되지요. 그러니 이 FRxx는 함유량이 굉장히 높은 것이네요."

"예, 그래요. 원석의 무게도 같은 양이 함유된 철광석 돌덩어리 무게보다 엄청 무겁지요."

"그렇겠지요. 같은 양이라면 철은 원소 질량이 56이니까 470이면 8.5배 이상이 무거울 거예요. 엄청난 중금속이에요."

"여기서 특기할만한 사항이 있었어요. 우리 연구소가 원자력 연구소잖아요. 그래서 농축된 FRxx에 중성자를 쏘아봤어요. 우라늄 235에 중성자를 쏘아주면 핵분열을 하니까 이 금속도 과연 그런지 원자로처럼 실험 삼아 쏘아보았지요."

"이거 흥미로운데요? 그래서 어떻게 되었나요?"

"모두가 환호하고 놀라 자빠졌어요. 왜냐하면 우라늄과 똑같이 핵분열을 하면서 열량은 열 배나 더 나오고, 방사능은 500분의 1만큼만 나오는 것이에요. 하마터면 실험 원자로가 열에 녹아내릴 뻔했지요. 다행히 시료를 조금만 가지고 실행하였기에 망정이지 많은 넣고 실험하였다면 원자로가 녹아내리고 불이 옮겨 붙어 연구실이 소실될 가능성도 있었지요."

"그거 큰일 날 뻔하였네요. 방사능 누출 염려도 있었고요. 그런데 한편으론 그거 놀라운 연구 성과인데요? 잘하면 인류의 에너지난을 해결할 또 하나의 방편을 만들 수가 있겠네요."

"그렇지요. 그뿐만 아니라 방사능이 적게 나오기 때문에 방사능 제어가 쉬워서 활용 분야가 무궁무진하지요."

"그런데 방사능 반감기 같은 것은 밝혀진 것이 없나요?"

"아직 연구 중이에요. 지금 우리가 막바지로 연구하고 있는 분야가 반감기와 방사능 종류, 혹시 지금까지 알려진 방사능 외에 또 다른 방사능이 존재하는지, 그리고 어떻게 하면 이 금속을 인류 발전에 이용할 수 있을지 고심하고 있어요. 2~3개월이면 아마 연구도 끝이 날 것이고 하무 상도 다시 합류할 수 있을 거예요."

"대단합니다. 박사 논문을 이 물질을 규명하는 것으로 바꾸어야겠네요.

안 그런가요?"

"호호호. 그렇게 해도 무리가 없을 듯해요. 자연 속에 존재하는 핵분열 가능 물질로, 방사능이 아주 적고 열량이 풍부한 금속. 인류가 찾아야 할 미래의 물질 중에 하나이기에 충분히 노벨상을 더블로 받을 수 있는 작품이 되겠지요."

"아하! 그래서 우리 외국인을 제외한 듯합니다그려."

"그렇겠지요. 소문에는 작년에 이미 1차 분석을 어느 국립 연구소에서 완료하였는데, 그때는 시료가 적고 핵 전문연구기관도 아니고 결과도 확실치가 않았대요. 그래서 이번에는 대량으로 원석을 채취하여 여러 연구소에 의뢰하였다고 해요. 우리 말고 원자력 연구소 몇 군데서 동일 연구를 진행하고 있다는데... 몰라요, 그곳의 연구 정보는. 내가 볼 때는 동일한 결과가 나올 거예요. 확실히..."

두 사람은 어느덧 오사카 성을 한 바퀴 돌았다. 성 안의 옛 궁과 같은 방은 주간에만 관람이 가능하기 때문에 조명 덕분에 꿈속의 아방궁으로 보이는 성 건물을 뒤로하고 출구에 붙어 있는 찻집에 들어간다.

"하무 상, 우리 아이스크림 먹어요. 터키 아이스크림."

"좋아요, 아이스크림 한입에 먹고 아메리카노 한잔 어때요?"

"좋아요. 아메리카노 연하게."

두 사람은 카운터에서 아이스크림과 아메리카노를 받아 나온다. 가로등이 졸고 있고, 한가하게 앉을 주인을 찾고 있는 큰 나무 밑 벤치에 앉는다.

"하무 상! 그런데 하무 상은 이번 박사 코스가 끝나면 한국으로 돌아가시나요? 아니면 이곳 일본에 남아 있을 건가요?"

"아, 저... 한국에 돌아가야지요. 일본에서는 어디 취직도 힘들고 받아주지도 않을 것이고... 사실 난 한국 돌아가서 취직을 빨리하여 부모님을 돌보아야 해요. 농사짓고 계신 부모님의 힘을 덜어드려야 합니다."
순간 미우의 얼굴에는 어두운 그림자가 지나가며 한숨을 쉰다.
"허! 참 아쉽네요. 하무 상이 가버리면 난 무엇을 하고 살죠?"
"예에? 그게 무 무슨 말인가요?"
"하무 상이 한국으로 떠나가 버리면 난 누구를 의지해 살아가란 말이에요? 하무 상은 그런 것도 몰라요?"
갑자기 그녀가 나직하면서도 책망 섞인 목소리로 말하며 큰 눈이 튀어 나올 듯 하무 상을 뚫어지게 쳐다본다. 순간 함시황은 당황한다. 전혀 예상하지 못한 이 상황을 어떻게 수습할까!
"미우 씨. 나 많이 좋아하는군요."
"꼭 말로 해야 되나요, 그것을?"
함시황이 다시 한 번 그녀의 당돌한 말에 당황한다. 그렇지만 그도 그녀가 사랑스럽다. 그녀를 그냥 놔줄 수 없다. 그는 한숨을 푹 쉬며 그러나 미소 띤 얼굴로 찬찬히 미우의 얼굴을 다시 들여다본다.
"미우 씨, 그럼 나랑 한국에 가요. 우리 한국에 가서 살아요. 나 한국에서 돈 벌어 미우 씨 먹여 살릴 수 있어요. 자신 있어요. 어때요?"
미우는 한국에 같이 가자 하고 먹여 살릴 수 있다는 말에 감동하고 가슴이 벅차올라 한동안 말을 잇지 못한다. 한국에 가자는 것은 자신의 모든 것을 받아들인다는 의미가 아닌가.
"좋아요. 내년 초가 되겠군요. 나 일본 떠날 각오가 되어 있어요. 어때요? 한국에서 살면 선조, 조상의 나라에 가서 산다는데 아마도 한국 정부에서도 거절 못하고 살게 허락할 거예요."
"아니요. 미우 씨 같은 인재는 웰컴일 겁니다. 집안 좋지요, 과학자지요, 내가 사랑하는 사람이지요. 그러니까 200퍼센트 환영할 겁니다. 하하하하"
그러면서 함시황은 미우에게 얼굴을 서서히 들이밀면서 두 눈을 뚜렷이 쳐다보며 입술을 내민다. 미우도 두 눈을 지그시 감고 입술을 내민다. 두 입술이 가볍게 마주치자 함시황은 와락 미우를 껴안고 미우의 얼굴을 품에 안으며 뜨겁게 입맞춤한다.

사랑의 에너지

사랑은 모닥불처럼
갑자기 피어오르는 그리움입니다.
마음속에 가득히 그리다가
끝내는 넘쳐흘러 타오르는 애틋한 마음입니다.
사랑은 먼발치로 그리운 이를 기다리며
아가페 에로스적 정감을 모두
흔적으로서 영원히 남기고자 합니다.

사랑의 에너지가 넘쳐납니다.
사랑은 주어야 합니다.
무엇이든 사랑을 해야 하고
또한 받기도 해야 합니다.
넘쳐흐르는 사랑의 에너지를
주고받아야 합니다.
조건 없이 주고받는 사랑이 가득 찬
따스한 세상이어야 합니다.

사랑은
서로의 마음이 빛처럼 쏟아지다가
드디어 맞부딪혀 폭발하는 광풍의 에너지랍니다.
사랑은 세월 따라 식어가는 것이 아니라
시간이 존재하지 않는 공간속에서

마냥 변화되어가는 것입니다.
사랑은 세상을 풍만하게 해주는
자신이 발산하는 마음의 에너지입니다.

데라우치 / 리노아의 위기

나고야 핵 연구소의 데라우치 연구원은 나이로 따지자면 연구원들 가운데 열 손가락 안에 꼽히는 고참 연구원이다. 그의 경력과 나이로 보면 지금쯤은 부장직함을 가지고 있을만하지만 전력 때문에 승급의 기회를 잃어버리고 말았다. 그는 원석 분석 작업을 하면서 스스로 놀라움을 금치 못한다. 별것 아닌 돌덩어리로 생각하였는데 분석을 해보니 새로운 원소가 발견되고 그 활용 가치가 어마어마하다는 것을 알게 된 것이다. 과연 누구인지는 몰라도 나한테 10억 엔을 투자할만한 가치가 있다고 생각한다. 그리고 이런 비밀을 알고 나에게 알려달라고 한 투자가가 정말 선견지명이 있다고 감탄한다.

그는 가끔씩 점심시간에 구내식당에서 리노아를 만나 대화하면서 연구 성과를 간단히 귀띔해준다. 리노아는 말로 듣는 성과는 정보가치가 떨어진다고 생각하고 애초에 약속한 것처럼 연구소장의 직인이 찍힌 보고서를 복사한 USB를 요구한다. 데라우치는 그동안 비밀계좌를 통하여 5억 엔을 받았고 최근에는 중도금 30퍼센트도 선납 받았으며, 이제 마지막으로 복사 칩만 보내주고 최종 잔금 20퍼센트만 받아내면 모든 것이 깨끗이 정리되고 끝날 것이다. 그리고 그동안 지긋지긋하였던 채무의 족쇄를 벗어날 수 있어 해방을 맞이할 것이다.

연구원들은 결과를 정리하느라 막바지 작업을 수행하고 있다. 각 파트

별로 결과를 종합하고 보고서를 만드느라 분주하다. 보고서는 두 가지로 만들어야 한다. 하나는 과학자가 논문 발표식으로 만든 보고서, 또 하나는 수상에게 전달하는 보고서다. 특히 수상에게 보고하는 보고서의 표현은 과학 문외한도 이해할 수 있도록 일반적인 문장으로 쉽게 표현해야 하기 때문에 각 부서에서 작성해온 보고서를 부장들과 행정부장이 회합을 거쳐 최종으로 작성한다. 데라우치도 이 작업에 참여하면서 종합한 두 가지의 최종문서를 USB에 비밀스럽게 복사해둔다. 다음날 그는 식당에서 리노아를 만나 USB를 몰래 넘겨준다. 그리고 모든 것이 종료되었음을 선언한다. '이제 끝났다. 이제 연구도 끝났고 모든 것이 해결되었으니 내일 이후로 휴가나 가야 되겠다.'고 생각하고 사무실에 들어간다.

다음날 아침 정상 출근한 데라우치는 내일부터 휴가를 내어 며칠 쉴 것을 생각하고 행정실에 가서 휴가를 신청한다. 이때 보안요원 기무라가 그를 찾아와서 잠깐 같이 사무실에 가자고 한다. 데라우치는 속으로 덜컥 하지만 감쪽같이 복사한 USB를 누가 알 수 있을까 하는 배짱으로 그를 따라간다. 기무라는 자신의 사무실에 들어가자마자 컴퓨터 앞에 앉으며 데라우치를 옆 의자에 앉게 한다.

"데라우치 님, 의문사항이 있어 몇 가지 물어보려고 오시라고 했습니다. 잠시 화면을 보시지요."

"아, 하이! 하이!"

컴퓨터 화면이 돌아간다. 데라우치의 사무실 내에 부착된 CCTV가 찍은 화면이다. 화면엔 그가 컴퓨터로 열심히 작업하고 있다가 작업이 끝나자 작업 결과를 컴퓨터에 자그마한 USB를 집어넣고 복사한 후 칩을 호주머니에 살짝 넣는 장면이 나온다. 순간 그는 몸이 얼어붙는다.

"데라우치 씨는 연구소 보안 규정을 위반하였습니다. 절대 해서는 안 되는 컴퓨터 작업 내용을 복사하였고, 복사한 칩을 개인이 소지한 것입니다. 복사한 칩을 어떻게 처리하였는가요?"

데라우치는 화면에 모든 행동이 찍혀 있는 관계로 복사하지 않았다고 차마 시치미를 잡아떼지 못한다.

"아, 하이! 개인적으로 참고를 하려고 잠시 복사를 해서 집에 보관하고 있습니다."

"그래요? 집에 보관하고 있다고요?"

"그렇습니다."

"그렇다면 집에 가서 그 칩을 직접 가져와서 반납하세요."

"아, 알겠습니다."

"내가 차를 태워드리겠으니 같이 갑시다."

"아니, 나 혼자 갔다 와도 충분합니다."

"내가 무엇을 믿고 당신 혼자 보냅니까? 같이 가야지요."

"난 절대 도주는 하지 않습니다. 믿어주십시오."

"더 이상 회피하려는 언사는 하지 마세요. 같이 가야 합니다."

"……"

두 사람은 기무라의 차를 타고 데라우치의 집으로 향한다. 그는 집에 가는 길을 대충 안내한다.

'이거 큰일인데? 이 상황을 어떻게 벗어나지?'

집으로 가까이 다가갈수록 그의 마음은 타들어간다. 그는 순간적으로 머리를 굴린다.

'집에 가면 뒷문으로 도망쳐서 리노아와 통화하고, 현재 상황을 이야기하여 리노아에게 다른 USB로 복사하게 한 후에 내가 가면 원래 USB를 달라고 하고, 사무실에 되돌아가서 그것을 보안요원에게 건네겠다.'

시나리오가 순간적으로 번개처럼 그의 머릿속에 떠오른다.

마침 단독주택인 집 화장실의 한쪽 문이 부엌과 연결되어 있다. 화장실에 간다고 하고 들어간 후 부엌으로 나가 리노아에게 택시를 타고 가면서 전화하겠다는 생각이다. 이런 시나리오를 생각하는 데라우치의 얼굴에 비로소 미소가 살짝 지어진다. 집에 도착한 데라우치는,

"기무라 씨, 여기서 조금만 기다리면 금방 가지고 나오겠습니다. 잠깐이면 됩니다."

"나 한가한 사람 아닙니다. 현관까지 같이 들어갑시다."

"예, 그러면 들어오십시오."

데라우치는 서재로 들어가서 아무 USB를 하나 들고 나와 기무라에게 손을 들어 USB를 보여준다.

"이것입니다. 아노— 잠깐 화장실에서 일보고 나가겠습니다."

"알겠습니다. 현관 밖에서 기다리겠습니다."

기무라는 현관문을 나선다. 데라우치는 화장실을 통하여 부엌으로 나간 후에 뒷문으로 집을 빠져 나간다. 속보로 그는 큰 거리로 나가면서 리노아에게 전화를 건다. 아무런 보안 대책도 없이 다급하게 통화한다.

"내가 복사한 것이 들통났소. 지금 그것을 반납해야 하니 내가 준 USB를 나에게 돌려주시오."

들통났다는 데라우치의 말에 그녀는 자신도 자칫 잘못하면 엮어 들어갈 가능성이 많아 신중에 신중을 기한다. 아직 수중에 있는 USB를 어떻게 처리할까 생각해본다. USB를 복사할 것인지 아니면 그냥 되돌려줄 것인지 판단을 내려야만 한다. 여러 정황을 고려한 결과 복사본을 지금 당장 지부장에게 전달하는 것이 임무를 완수하는 길이고, 자신의 흔적을 지워버리는 일이라고 생각한다. 그리하여 다른 USB에 복사해놓은 다음 데라우치에게 바로 돌려주고, 비상요원에게 SOS를 하여 자신에게 날아오는 화살을 중도에 잘라버리도록 해야겠다고 마음먹는다.

리노아는 추가로, 알리바이를 만들어 데라우치와 전혀 상관없는 사람

으로 꾸며 더 이상 보안요원의 추적을 막아야겠다는 복안도 세운다. 그녀는 USB를 복사한 후 모든 증거 자료를 없애버린다. USB에 남아 있을 지문이나 개인 컴퓨터의 복사기록 사실 등을 완벽하게 지워버리고 데라우치가 오면 즉각 돌려줄 준비를 한다. 복사를 해놓고 기다리고 있는데 채 10분이 지나지 않아 데라우치에게서 전화가 온다.

"택시를 타고 가고 있으니 5분 정도 후에 도착할 것이오. 정문 옆 은행 골목 입구에서 만납시다."

리노아는 즉시 약속장소로 나간다. 그녀가 도착하고 거의 같은 시각에 택시 한 대가 골목 앞에서 멈춘다. 일그러진 표정을 한 데라우치가 내리며 리노아를 알아보고 다가간다. 리노아는 아무 말 없이 흰 종이에 가볍게 싼 USB를 주고 무표정하게 자기 사무실로 들어가버린다. 데라우치는 흰 종이에 싸인 것을 펴보더니 자기가 건넨 USB가 그대로 있는 것을 확인한다. 그냥 휙 돌아서 가버리는 리노아를 잠시 물끄러미 바라보며 한편으로는 적이 안심하며 사무실로 들어간다. 그는 전화기를 가까이 끌어다 놓고 기무라에게 전화한다.

한편, 기무라는 몇 분을 기다려도 데라우치가 나오지 않자 집안 화장실문을 열어본다. 아무도 없다. 즉시 밖에 나가 주변을 살펴보아도 데라우치의 흔적을 찾을 수 없다. 기무라는 자신의 불찰을 탓하며 '이런 무례한 놈이 있는가! 고노야로, 빠가야로!'를 소리 높여 허공에 외친다. 차를 몰고 다시 연구실로 발길을 돌리면서 별의별 생각을 다 해본다.

왜 그놈이 그걸 빼돌리려 했을까? 연구 결과가 어떻게 되었는지 신경을 쓰지 않았는데 일단은 그 연구 결과부터 대충 알아야 비밀 누출 시도의 원인을 파악할 수 있을 것 같다. 그가 여러 가지로 생각하면서 차를 몰고 연구소로 돌아가고 있다. 그때 휴대전화 벨소리가 울려서 받아보니 데라우치였다. 그는 큰 소리로 꾸짖고 욕을 하고 싶었으나 참는다. 이내

부드럽지만 단호한 목소리로 따지듯 묻는다.

"하이! 어떻게 된 거요? 왜 도주를 하였는가요?"

"도주라니요. 가만히 생각하니 내가 사무실에 넣고 온 것을 깜빡 잊고 집에다 놓은 것으로 착각하였습니다. 그래서 부랴부랴 사무실에 와서 찾아내어 전화하는 것입니다."

"뭐요? 사무실에 두었다고요? 그러면 나에게 이야기하고 같이 오면 되었을 텐데 왜 그렇게 아무 소리도 없이 도주했습니까? 그리고 집에서 USB를 찾았다고 보여주며 손을 흔들었잖아요?"

"화장실에서 생각해보니 그 USB가 아니고 사무실에 두고 온 것이 생각났고, 내가 다시 사무실에 두었다면 횡설수설한다고 믿지 않을까 봐 직접 찾아보고 있으면 반환하려고 하였지요."

"일단 알았습니다. 내 사무실에서 봅시다."

잠시 후 기무라의 사무실에서 두 사람은 만난다.

"일단 USB를 봅시다."

"여기 있습니다."

데라우치는 호주머니에서 문제의 USB를 꺼내어 건넨다.

"이 칩이 어제 복사한 그것과 같은 것이겠지요."

"아, 예. 그렇습니다. 같은 것이지요."

"잠깐 기다려보세요. 내가 CCTV 녹화한 것을 확인할 테니."

기무라는 CCTV 녹화 화면을 다시 켜서 돌려보고, 데라우치가 USB를 컴퓨터 본체에 밀어 넣는 동작에서 화면을 멈추어놓는다. 복사할 때의 USB 색깔과 형태를 확인하면서 손에 들고 있는 USB와 대조해본다. 같은 USB다. 기무라는 데라우치를 의자에 앉게 하고 취조를 시작한다.

"에에- 또! 내가 이번 연구 결과에 대하여 좀 알아야겠소. 내 질문에 답변을 좀 잘해주셔야겠소이다! 무엇을 연구하였소?"

"아, 예 예... 뭐 제가 아는 한도에서... 하지만 기무라 씨, 내가 알고 있는 연구 결과에 대하여 말하게 되면 그것도 비밀을 누설하는 것이오. 그러니 이곳 소장님에게서 알아내는 것이 좋겠소. 사실 나도 정확한 것을 모르오. 나는 내 분야만 알 뿐이고 전체는 잘 모르오. 원래 그것이 이 연구소의 생리지요."

"그래요? 그렇다면 왜 자기 연구 분야도 아닌 모든 연구 결과를 반출하려고 하였소?"

"반출하려는 것이 아닙니다. 모든 연구원은 자신이 연구한 결과를 전반적으로 알기를 원하고 있고 그것은 당연한 일입니다. 사실 방금 말하였지만 난 내가 연구한 분야밖에 모르고 있으니, 다른 분야의 연구 결과를 알고자 하는 것은 지극히 당연한 일이며, 아마 여러 연구 과학자들도 다 그럴 것이오."

"흐음... 그래요? 과학자는 전체를 모두 다 알고 싶어 한다... 여하튼 데라우치 씨는 연구소의 규정을 어기고 그것을 복사하였소. 징계위원회에 회부할 것입니다."

"뭐라고 해도 난 할 말이 없소. 규정을 어기었으니까......"

데라우치는 기무라의 사무실에서 나와 자신의 사무실로 가면서 일단 위기를 모면한 데 대하여 크게 안도의 숨을 쉰다. 그리고 리노아가 USB를 다른 데 가져다주지 않고 그때까지 소지하고 있었다는 것을 다행으로 생각한다.

한편, 기무라는 연구소장을 찾아가 데라우치에 대하여 자초지종을 이야기하고 징계하도록 품신한다. 그리고 이번 연구에 대하여 대략적으로 물어본다. 연구소장도 정확한 것은 말하지 않고 대충 이야기해준다. 그러니까 물리학 판도를 바꿀 수 있는 새로운 원소를 찾아낸 것으로, 앞으로 과학 연구 학술지에 발표될 것이라 말한다.

'그렇다면 이 연구는 큰 비밀이 될 수가 없지 않은가?' 하는 의구심도 든다. 앞으로 공개적으로 개봉할 것을 왜 그렇게 비밀이라고 하여 보호하고 있는지 기무라로서는 이해되지 않는다. 다만 이 광물질을 이용하면 에너지 문제가 해결된다는 말에 조금은 이해할 수도 있을 같고, 비밀을 유지해야 할 명목이라는 생각도 든다.

다음날 기무라는 어제 감청한 데라우치의 통화 자료를 청취해본다. 자신한테 전화한 것밖에 없다. 그러면서 데라우치 사무실의 CCTV에 녹화된 화면을 면밀히 들여다본다. 화면에 특별한 사람이 드나든 것도 아니었고, 데라우치가 자신을 따돌리고 와서는 책상이나 서랍 등을 뒤지지 않고 곧바로 전화하는 장면이 나왔다. 분명히 자신의 서랍에서 다시 꺼냈다고 했는데 이것은 앞뒤 말이 다르지 않는가? 기무라는 화면을 보고 여러 가지를 생각해본다. 문제의 USB가 복사된 이후부터 자신에게 돌아올 때까지 데라우치의 몸 안에만 있었을까? 아니다. 24시간 이상이나 흐른 동안 데라우치의 몸에만 있었을 것으로 생각되지는 않는다. 그 시간 동안 여러 사람들의 손을 거쳤을 수도 있다. 그런데 왜 그가 거짓말을 하였을까? 머리 좋다는 연구원인 그가 복사한 USB를 집에 가지고 갔는지 책상 서랍에 넣어 두었는지 그렇게 기억력이 없을까? 다음에 참고하려 복사했다는 그의 변명이 명확하지 않다.

그렇다면 왜 그것을 복사하였을까? 혹시 누구한테 협박을 받았거나 어떤 대가를 바라고 정보를 팔았던 게 아닐까? '에너지 문제가 해결된다'는 소장의 귀띔과 결부시키면 정보를 팔아먹으려 시도했다는 추측이 설득력을 가진다. '그거다, 바로 그거다. 바로 그것이 범행의 동기다!' 기무라는 무릎을 치며 수사의 방향을 잡았다고 생각한다.

다음날 기무라는 상부에 건의하여 한 명의 수사관을 긴급히 보완하고 데라우치를 불러 심문한다. 다른 한 명의 보안요원은 수색 영장을 받아 데라우치의 은행계좌를 추적하고 재무 상태를 확인한다. 그리고 집안을 수색하여 컴퓨터 관련 물품과 사무실 및 신체를 수색하여 휴대전화 두 대를 압수한다. 또한 문제의 USB에서 지문을 감식하고 정밀 DNA를 검출해 보려고 과학수사연구소에 의뢰한다. 기무라는 데라우치를 보안 분소로 압송하여 심문한다.

"데라우치 씨, 우리는 당신의 진술을 가급적이면 신뢰하고 완전한 보안을 기하려고 시도하였소. 그런데 당신의 진술은 앞뒤가 맞지 않는 거짓 진술로 가득 찼고 그동안 나를 기만해왔소. 왜 그런 것이오?"

"예에? 기 기만이라니요. 그 그런 일이 없습니다."

"그런 일이 없다고요? 그럼 어제 왜 집에서 도주를 하였지요?"

"그것은 어제 말하지 않았소! 내가 착각을 하여 사무실에 놓아두었는데 집에 가지고 간 것으로 오인을 했다고요."

"내가 알기로는 두뇌가 명석함에 있어서는 둘째가라면 서운해 할 사람인데 그것을 어디에 두었는지 잊어버렸다고요? 그렇다면 사무실에 들어와서 USB를 찾지 않고 바로 나에게 전화한 것은 무엇을 의미하는 것인가요? 한번 설명을 해보세요. 그 USB에 발이 달려서 당신의 품속이나 손안으로 제 발로 걸어 들어간 것인가요?"

"...... 그... 그것은... 나 나이가 들면 그렇게 되 된답니다. 일종의 건망증이지요."

"건망증이요?"

이때 노크소리가 들리며 감청 직원이 들어와 기무라에게 잠깐 와보라고 손짓한다. 기무라는 '뭔가 중요한 것을 잡았구나' 생각하며 신속하게 나간다. 그가 직원을 따라 감청실에 들어가자 감청 직원은 기무라의 제2의 휴대전화에서 녹화된 같은 대화를 들려준다.

"내가 복사한 것이 들통났소. 지금 그것을 반납해야 하니 내가 준 USB를 나에게 돌려주시오."

"알겠어요."

"5분 후에 도착할 것이니 정문 옆 은행 골목 입구에서 만납시다."

기무라는 회심의 미소를 짓는다.

'이거 잘하면 대어를 잡는 것 아니야?'

그는 내심 흥분됐지만 이 건을 어떻게 요리할지 찬찬히 앞으로의 계획을 세운다. 사실 그동안 보안 분야에서 기무라는 아웃사이더였다. 그는 지금까지 특별한 공로를 세우지 못하여 진급에서도 동료보다 많이 뒤처져 있다. 같이 입사한 동료보다 직급이 두어 단계나 낮은 상태에 있어 불만도 상당히 많다. 이 상태로 3~4년 더 지나면 낮은 직급으로 정년퇴직을 해야 한다. 그는 이번 기회에 단박에 만회하고 싶다.

'대어를 잡자, 대어를. 이것은 수상 각하의 특별 관심 사항이기도 하니 잘하면 훈장도 받을 수 있으리라. 훈장을 받으면...... 흐흐흐흐'

기무라는 감청요원에게 데라우치의 전화통화를 녹화해서 녹음기와 함께 취조실에 넣어달라고 한다. 그리고 수신전화를 분석하여 수신지역과 수신자를 알아내도록 지시한다. 취조실에 돌아온 기무라는 여유 있게 미소 지으며 데라우치를 바라본다.

"데라우치 씨! 나는 당신을 해코지할 하등의 이유가 없고 당신과 원수진 것도 없으며, 당신과 전에 만난 적도 없습니다. 그러니 당신 사생활이나 업무에 관여할 까닭이 하나도 없소이다."

"아, 예에. 그 그렇지요..."

"그것을 인정한다면 데라우치 씨는 이번 비밀 누출 사건을 나에게 소상히 알려주어 비밀이 누출되지 않도록 막아야겠소. 수상님의 지대하신 분부요 관심사항이외다. 알겠습니까?"

"하이! 그 그러지요 그렇게 하지요."

"그렇다면 데라우치 씨, 어제 집에서 나와 누구와 만났습니까?"

"아 아 아무도 만나지 않았습니다. 곧장 사무실에 왔습니다."

기무라는 갑자기 오른손을 들어 탁자를 꽝 내리친다.

"여보세요, 데라우치 씨! 나는 언제까지나 인간적으로 이 문제를 해결하려고 합니다. 그렇게 거짓으로 책임을 면할 생각을 하지 마세요. 다시 한 번 잘 생각해서 사실을 대답하세요."

"……"

"다시 한 번 묻겠소. 누구를 만났습니까?"

"아무도 안 만났습니다."

"허허 이 사람 안 되겠구만."

감청원이 녹음기를 들고 들어온다.

"잘 왔습니다. 아예 틀어놓고 가시지요."

"예, 그렇게 하겠습니다."

감청원이 녹음기 스위치를 누른다.

녹음기가 지지직거리며 몇 초 지나더니 이내 데라우치의 통화가 깨끗하게 흘러나온다. 이것을 듣고 있는 데라우치는 몸이 얼어붙어버린다. 어디다 몸을 둘까 어찌할 바를 모르고 얼굴은 붉어진다.

"그 그 그게 내 내 목소리 맞아요?"

"당연하지요. 당신이 나를 따돌리고 집을 나와서 어느 여성과 통화한 기록 그대로입니다. 당신의 휴대전화에서 나왔습니다. 만약 당신이 이 녹음을 신뢰하지 않는다면, 이 전화에서 오간 모든 대화를 통신회사에 의뢰하여 더 많이 다시 찾아낼 수 있습니다. 그때는 상대방이 누구인지도 밝혀지겠지요. 괜히 시간을 낭비하지 말고 어서 솔직히 털어놓는 것이 신상에 이로울 것입니다. 자신을 방어하세요. 이제는 협력하는 것만이 자신을 방어하는 최대 수단이라는 것을 아셔야 됩니다. 자, 다시 한 번 들어보세요."

기무라는 녹음기 스위치를 다시 누른다. 데라우치는 어찌할 바를 모른다.

'이 난관을 어떻게 극복할까? 리노아의 존재를 말해야 하는가? 아니면 계속 모르쇠로 나가야 하는가? 그렇다. 일단, 자신은 아무것도 모르며 아무런 일도 하지 않았다. 단지 내가 소지했던 것을 다른 사람에게 전달하였다고 핑계대려고 그랬다고 얼버무리자. 일단은 시간을 끌어야 내가 유리하겠지. USB를 지금 이놈에게 주었지 않은가? 그렇다면 전화 내용을 부정하면 내가 복사한 것, 단지 그것만 문제가 되지 누출은 문제가 되지 않을 것이다.'

"난 그런 내용 통화한 적이 없소. 그거 내 목소리 아니오."

"아니, 뭐라고? 내 목소리가 아니라고? 그런 적이 없다고?"

"그렇소. 난 USB를 복사는 하였지만 누출은 하지 않았소. 내가 잠시 가방에 지니고 있었던 것인데 집에 가져간 것으로 착각을 하여서 다시 사무실로 온 거요. 오다가 내 차에 두고 내린 가방에서 USB를 찾아 다시 당신에게 준 것이오."

"그래요? 그렇다면 이 통화 기록은 뭐요?"

"난 그런 통화를 한 적이 없고, 어떤 전화에서 누구의 전화에서 감청한 것인지는 몰라도 난 감청 자체를 인정하지 않습니다. 난 지금부터 묵비권을 행사할 것이오. 당신은 수사관도 아니고 보안요원인데 나를 심문할 자격이 없어요."

"뭐? 뭐라고? 내가 수사관이 아니라고? 허허 이 사람이 이젠 적반하장이네. 얼마나 버틸 수 있는지 본때를 보여주겠소."

기무라는 데라우치의 신병을 확보하고 관련 경찰에 인계하기로 한다. 자신이 고문을 한다든가 여러 물리적 방법을 동원할 수도 있겠지만 만약 그러한 취조 과정이 들통난다면, 이번에는 전세가 역전되고 수세에 몰려 자신이 다치는 결과를 초래할 가능성도 있기 때문이다. 원래 보안요원은 제도상 수사권만 있고 기소권이 없어 부득불 경찰에 인계해야만 한다. 그는 즉시 공안청과 연계되어 있는 경찰에 전화하여 데라우치에 대하여 자신과 공동 수사를 하고 기소하도록 자초지종을 이야기한다. 그리고 자신은 데라우치와 통화한 여자에 대하여 수사에 들어가기로 한다.

한편, 리노아는 데라우치를 만나 USB를 주고 곧바로 지부장 산하의 제3인물을 만난다. 그는 지역을 총괄하는 나고야부 지부장이고 모든 활동에 대하여 지시받고 결과를 보고하는 총책 라인이다. 리노아는 지급으로 N-1과 통화한다.

"N-2입니다. 안전지대로 들어가야겠습니다. 이번 사업을 수행 중에 약간의 잡음이 발생하였습니다. 이번 연구 결과를 복사한 USB를 확보하였습니다."

"알았습니다. 30분 후에 항시 만나는 장소로..."

"네."

30분 후 ○○○ 커피숍 구석진 곳에서 두 남녀가 작은 둥근 탁자를 사이에 두고 커피를 마시며 여느 연인처럼 이야기하고 있다.

"정보 제공자인 데라우치가 보안요원에게 들통났다고 USB를 다시 달라고 해서 복사한 후에 돌려주었습니다. 아주 다급한 목소리였으며 아마도 보안요원이 데라우치가 USB를 복사한 의도를 눈치 챈 것 같습니다."

"그와 통화한 전화가 어떤 전화입니까?"

"제2의 전화였습니다. 아마 그날도 제2의 전화로 저에게 전화를 걸었을 것입니다."

"이미 통신 감청이 이루어졌을 것이고, N-2의 형체도 눈치를 채고 있을 것으로 생각합니다. 아마도 전화통화를 분석하여 N-2의 신상을 파악하려고 할 것입니다. 다행인 것은 N-2가 통화한 내용과 수신전화 번호로는

N-2의 신상을 파악하기 어려울 것입니다. 제3국으로 나올 것이기 때문에 크게 염려 안 해도 될 것입니다. USB를 나에게 주고 잠잠해질 때까지 안전지대로 가십시오. 그리고 인계된 USB에서 흔적을 다 없앴겠지요?"

"그것은 기본 사항입니다."

리노아는 USB를 그에게 인계해주면서, USB에 아무런 흔적이 없음을 말한다.

"N-2, 지금 당장 홍콩으로 떠나시오. 두 시간 30분 후에 떠나는 비행기 표를 예약해놓고 이미 대금도 현금으로 지불하였소. 홍콩에어라인에 가서 예약을 확인하고 티켓을 받으면 됩니다. 홍콩에 가면 H-1이 N-2 그대를 반길 것이오. 모든 필요한 것을 제공할 것이오. 그동안 수고했어요. 어찌되었건 임무를 달성하였으니... 앞으로 건투를 빕니다."

"예, 잘 알겠습니다. 데라우치는 어떻게......?"

"그건 우리에게 맡겨주십시오. 모든 것을 잊어버리세요!"

모든 것을 잊어버리라는 한마디가 N-2를 가슴 아프게 한다. 그 의미는 모든 것을 끝내버린다는 의미이기 때문이다. N-2는 사무실에 전화하여 장기 휴가를 낼까 하다가 사무실 전화가 감청이 될까 봐 그냥 나고야 공항으로 향한다. 그녀는 평소 자신과 관련된 어떠한 자료도 다 없애버렸고, 컴퓨터에 남아 있을 흔적은 사무실의 컴퓨터를 이용하지 않고 개인 노트북을 이용하였기 때문에 사무실에서는 그녀에 관한 어느 것도 찾을 수 없을 것이다.

다음날, 데라우치는 경찰에 출두하여 조사를 받는다. 아직 기소가 되지 않았기 때문에 구속은 되지 않고 혐의도 확정되지 않아 경찰 특수부에서 조사를 받는다. 경찰 취조요원과 보안요원 기무라는 데라우치를 취조한다. 네 가지 사항이 그들이 알아내야 할 것들이다.

첫째는 USB를 주고받고 통화한 그 여자는 누구인가?

둘째, 왜 그 여성에게 자료를 건네주었는가?

셋째, 그리고 그 대가는?

넷째, 돌려준 USB가 복사되어 다른 곳으로 유출이 되지 않았는가?

"데라우치 씨! 이제 모든 것을 이실직고하는 것이 신상에 이로울 것입니다. 어때요, 그만 고집 부리고 당신이나 우리나 괴로우니깐. 우리는 당신의 의도를 모두 알고 있소. 지금까지 당신의 행동을 파악한 결과 당신은 그 연구 결과를 팔아먹으려고 시도한 것이오."

"나는 지금부터 묵비권을 행사하고 변호사를 선임하겠소."

"그래요? 알겠소. 변호사 선임하세요."

데라우치는 횡설수설한다든지 모르겠다고 하여 어떤 일이 있어도 리노아에 대하여 끝까지 입을 다물기로 한다. 그녀가 걸려들면 자신이 받은 돈 10억 엔이 발각되고, 신에너지 정보를 팔아먹고 유출한 것이 되어 모든 일이 수포로 돌아갈 것이기 때문이다. 비록 자신이 감옥에 가더라도 통장의 돈은 그대로 남아 있고, 최악의 상황으로 비밀누설죄가 적용된다고 하더라도 1~2년만 살고 나면 될 것이다. 그때는 빚 갚을 의무도 없어지니 10억 엔이 그대로 남아 여생을 여유 있게 살 수 있다.

열 시간을 취조해도 별다른 진전이 없자 뒤늦게 선정된 변호사가 이의를 제기한다. 즉 결정적인 증거를 내놓지 못한 채 피의자 진술에 의한 심문은 더 이상 신변 억류를 할 수도 기소를 할 수도 없기 때문이다. 변호사의 이의에 수사관들은 일단 그를 집으로 돌려보내고 증거를 보완한 후에 다시 소환키로 한다.

우선 계좌 추적이다. 그런데 이미 계좌를 추적하고 있는 보안요원에 의하면 아직까지 그의 계좌에서 뭉칫돈이 발견되었다든가 그의 집에서 돈이 많이 들어 있는 통장이나 현금이 발견되지 않았다는 것이다. 그리고 USB에서도 제3의 지문이나 DNA가 검출되지 않았다는 과학수사연구소의 통보가 온다.

기무라는 실망하며 도대체 그 여자는 누구일까 생각해본다. 그리고 시간의 퍼즐을 맞추어보기로 한다. 즉 데라우치가 통화하고 그 여자를 만난 시간이 불과 10여 분 정도밖에 되지 않았고, 만나기 10분 전에 5분 후에 만나자고 했다. 그리고 데라우치가 여자를 만나고 사무실에 들어오는 시간이 5~6분 간격밖에 되지 않으니 그녀의 위치를 추정할 수 있다. 그러니까 여자의 위치는 만난 장소에서 불과 5분 거리에 있다. 데라우치의 사무실에서 불과 5~6분 거리에 있는 것이다. 사람의 걸음걸이로 5~6분이면 400~500미터 거리밖에 되지 않는다. 젊은 남자의 속보가 1분에 120보, 거리로 따지자면 100미터 정도이니 5분이면 500미터이다. 그런데 여자다. 여자의 걸음걸이로는 400미터쯤일 것이다.

정문 옆 은행 골목 입구는 연구소의 정문 옆에 있는 골목을 지칭하는 것이다. 그는 즉시 차를 몰고 연구소 정문을 향한다. 차를 연구소 정문 옆에 주차해놓고 은행 옆에 골목이 과연 있는가를 확인해본다. 있다. 그렇다면 이곳이 두 사람이 만난 장소이고, 여자는 이곳을 중심으로 반경 400미터 거리에 있다는 것을 의미한다.

연구소 정문을 나가 좌측에는 연구소 담장이 100미터쯤 이어지다가 차 한 대 지나갈 골목이 있었고, 그 옆에 그리 높지 않은 3~5층짜리 빌딩이 십여 동 서 있다. 그 앞에는 인도가, 그리고 4차선 도로가 나 있으며 건물에는 은행과 병원 슈퍼마켓, 차 정비소 그리고 몇 개의 음식점 등이 들어차 있다. 도로 반대편에는 넓은 공원이 들어서 있었고 연구소에서 오른쪽으로 1킬로미터 정도 가야 주택가가 자리 잡고 있다. 그렇다면 여자는 이 몇 개의 빌딩 중에서 거주한다든지 연구소에서 근무를 한다고 추정할 수 있다. 그는 등잔 밑이 어둡다는 속담을 상기하며 연구소 내의 인물임이 틀림없다고 판단을 내린다. 기무라는 연구소 정문 CCTV 기록을 압수한다. 그리고 정문 옆에 있는 은행 측에 과거 5개월까지의 CCTV가 녹화된 내용을 요청한다.

기무라는 CCTV 분석을 통하여 문제의 연구소 직원이 누구인지 심증이 가게 된다. USB를 주고받은 문제의 그날 그 시각 30분 전부터 데라우치가 들어오는 시간까지 CCTV에 찍힌 여자는 세 명이다. 기무라는 모두 퇴근한 상황이라 다음날부터 세 명의 여자를 소환하여 취조할 예정이다. 특별히 세 여자 중에 한 명이 연구소 정문을 10여 분 안에 나가고 들어온 화면이 나왔다. 그 여자에게 제일 혐의점을 둘 수 있으며 거의 확정적이라 장담한다. 은행에서 입수한 CCTV 자료는 방대하여 며칠 더 걸려야 정리가 될 것 같다. 다행히 세 명의 여자와 데라우치를 특정하여 분석하게 되니 시간이 많이 단축될 것이다. 아니 의외로 빨리 끝날 것으로 예상한다.

기무라는 감청 직원에게 지시한 녹음 분석과 수신지, 수신자에 대하여 알아보려 감청반에 들어간다. 담당 감청반원은 퇴근하였고 다른 사람이 대신 그에게 전한다.

"여기서는 그것을 알 수 없고 개인의 통신에 관한 사항을 알아보려면 우정청에 문서를 내어서 요청해야 한답니다. 수신 전화번호가 데라우치 전화번호에 남아 있긴 한데, 우리가 사용하는 일반 전화번호가 아니라서 우정청에 기록된 사항을 보아야 알 수 있답니다. 그래서 오늘 우정청에 전화번호에 대한 조회를 요청하고 담당자는 퇴근하였습니다."

"그래, 혹시 며칠이나 소요되는지 아십니까?"

"글쎄요. 적어도 보름은 걸리지 않을까요?"

"보름씩이나요? 그렇게 많이 걸리나요?"

"……"

기무라는 하루 종일 CCTV 분석에 매달려 여러 가지로 가정과 추측을 하면서 시간을 보내니 머리가 아파온다. 그리고 감청의 결과도 2주 이상 걸린다고 하니 힘이 쭉 빠진다. 어느덧 퇴근 시간이 세 시간 이상 흘러 밖은 완전히 어두워진다. 기무라는 평소와 마찬가지로 자가운전을 하여 집에 도착한다. 그가 대문 바로 옆에 주차를 하고 시동을 끈 다음 차문을 열고 밖으로 나오는 순간 검은 옷을 입은 남성이 나타나 전기 충격기를 기무라에게 발사한다. 기무라의 귀에 '따라락 따락 따라라라' 소리가 가늘게 들리면서 동시에 그는 힘없이 그러나 상당한 고통을 느끼며 쓰러진다.

그가 쓰러지자 어둠 속에서 또 한 명의 남성이 나타나 검은 옷을 입은 남성과 함께 기무라를 들쳐 업고 가까이에 주차해놓은 차문을 열고 쑤셔 넣듯이 밀어넣는다. 그리고 미리 준비한 짱짱한 검정테이프로 두 손을 뒤로하여 묶고 두발도 모아서 묶어버린다. 또한 두 눈을 보지 못하게 동일한 검정테이프로 머리 앞뒤를 몇 바퀴 돌려서 붙여버린다.

기무라는 의식이 깨어났지만 몸을 제대로 움직이거나 볼 수 없다. 숨은 쉴 수 있어서 다행이다. 순간 수만 가지 생각이 그의 뇌리를 스쳐 지난다.

차는 30여 분 동안 달리더니 한적한 곳에 멈추어 선다. 남자들은 이번에도 기무라를 전기 충격기로 기절시킨 다음, 다른 큰 차의 뒤 트렁크에 옮겨 싣는다. 마치 살인청부업자가 준비하듯 미리 다른 차를 대기시켜 완벽하게 추적을 따돌리려는 의도이다. 이번에도 30여 분 동안 줄곧 달리다가 멈춘다. 의식을 회복한 기무라의 코에 바다 냄새가 물씬 풍겨온다. 검은 복장의 두 남성은 기무라를 뒤 트렁크에서 끌어낸다.

주변에 있는 적당한 크기의 돌덩어리를 기무라의 다리와 허리, 어깻죽지에 올려놓더니 검은 테이프로 감아서 고정시킨다. 그러고는 한 사람이 기무라의 묶인 팔을 잡고, 다른 한 사람은 다리를 들더니 십여 미터를 질질 끌고 가서 내려놓는다. 벼랑 끝이다. 발밑으로 이십여 미터나 됨직한 수직 절벽이다. 두 사람은 벼랑에서 기무라를 밑으로 굴려버린다. 기무라는 낭떠러지 바위에 부딪히며 끝없이 추락한다.

밑으로 잘 굴러 떨어진 것을 확인한 그들은 아무 일도 아니라는 듯 장갑 낀 두 손을 털더니 침을 한번 퉤 뱉고는 차를 몰고 사라져버린다. 우연의 일치인지 아니면 사전에 치밀하게 계산했지 기무라는 만조시간에 바닷속으로 가라앉으며 파도에 떠밀려 간다.

데라우치는 다음날도 경찰서에 불려간다. 그런데 웬일인지 기무라가 보이지 않는다. 추측건대 자신의 뒷조사를 하려고 동분서주하는 것이려니 한다. 경찰 특수부에서 하루 종일 종전과 같은 지루한 문답이 오간다. 나중엔 지쳐버린 변호사가 동일한 질문을 계속 나열하면 더 이상 조사에 응하지 않고 경찰서에도 출두하지 않겠노라고 말한다. 경찰은 보안요원의 활약에 힘입어 수사를 진행하고 있는데 기무라가 경찰서에 나타나지 않는다. 하는 수 없이 데라우치를 집에 돌려보낸다.

첩자들의 사랑

사랑의 고백

함시황은 주말에 줄곧 미우를 만나 데이트를 즐긴다. 만나면 만날수록 미우가 예쁘게 보이고 모든 것이 마음에 든다. 그녀는 박사학위 과정을 밟으며 과학자의 길을 걷고 있는 인텔리 여성이며, 약자를 보호할 줄 아는 마음 씀씀이도 한결 고운 여성이다. 집안이야 더 이상 말할 필요 없이 그녀의 부모 모두 훌륭한 가문 출신이었다. 함시황은 미우를 자주 만나면서 그녀가 좋다면 한국으로 같이 가서 생활하려고 마음먹고 있다.

“미우 씨, 나 미우 씨에게 할 말이 있어요.”

“뭐예요? 하세요. 말씀하세요. 하고픈 이야기는 입 밖으로 내버려야 스트레스가 쌓이지 않아요. 거침없이 말씀하세요. 그것이 불가능하고 이루어지지 않을 일이라도...”

“예, 알았어요... 사실 나 미우 씨를 사랑하게 되어버렸어요. 어때요? 미우 씨 나랑 영원히 함께 같이 있을 수 있어요? 그리고 난 이곳 일본이 아니라 한국으로 돌아가야 하는데 같이 한국에 가서 살 수 있겠어요?”

“......”

미우는 대답 대신 함시황을 사랑이 가득 담긴 눈으로 쳐다본다.

"미우 씨가 나와 함께한다면 미우 씨를 행복하게 해줄 자신이 있어요. 어때요? 나랑 결혼해주실래요?"

미우는 한숨을 쉬며 잠깐 생각에 젖더니,

"사실 나도 하무 상이 좋아요. 결혼도 하고 싶어요. 그런데..."

"아, 무슨 말인지 알겠어요. 부모님이 문제가 되고 있군요."

"맞아요. 그래요. 부모님이 강력하게 반대를 하고 있어요. 어느 날 난 부모님께 살짝 하무 상 이야기를 꺼냈어요. 처음엔 담담히 듣고 계시다가 '강코쿠노' 출신이란 말을 듣더니 안색이 싹 변하시는 거예요. 그러더니 하고 많은 젊은 남자 중에 왜 하필 '강코쿠노' 놈을 선택하느냐는 질책이 따랐지요. 사실 난 그 질책에 합당한 대답을 못하였지요. 그 후로 난 부모님과 남자나 결혼에 대하여 아무런 대화도 하지 않았어요. 일단 박사학위를 받고 그런 다음에 무엇이든 해야 되겠다는 생각이었어요. 그렇지만 지금 부모님은 내가 학위를 받더라도 아마 그 마음은 전혀 변하지 않을 거예요."

"미우 씨 그 마음 내가 충분히 이해가 됩니다. 한마디로 진퇴유곡에 빠져 있군요. 나도 마찬가지일 거예요. 일본 여자와 결혼한다고 하면 우리 부모님도 마찬가지로 반대할 것이 분명한 일이지요. 나는 줄곧 미우 씨를 만나면서 어떻게 이 난관을 뚫고 나가느냐, 고민 끝에 결국은 인식의 전환이 난관을 이겨내는 열쇠라는 것을 깨닫게 되었지요. 내가 생각한 인식의 전환이란 아주 간단한 거예요.

일본인과 한국인은 뿌리가 같기 때문에 견원지간으로 살 필요가 없으며, 평화를 위하여 서로 협력하고 신뢰하면서 살아가야 할 사람들이라고 생각하는 것입니다. 한국 속담에 '처가와 측간은 멀리 떨어져 있어야 한다'는 말이 있지요. 이 속담을 풀이하면 '결혼은 멀리 떨어져 있는 사람들과 하면 우생학적으로 인류의 번창에 도움이 된다'로 해석할 수 있답니다.

그러니 일본과 한국의 현재 간격은 처가나 측간보다 더 많이 떨어져 있으니 인간 삶의 목표 중 하나인 2세 형성에 더 좋은 유전인자를 가질 수 있다는 것이지요. 북반구에 사는 어느 부족은 외부인이 오면 부인과 동침을 허락하는 것이 인사고 예의라고 하지요. 우생학을 아는 것이지요. 지금도 의학이 그렇게 발전하였지만 생전 듣도 보도 못할 희귀병을 가진 아이들이 많이 태어나지 않아요? 그러한 것들은 모두다 유전자의 이상결합으로 발생하는 것이지요. 우리 한국에서는 최적의 유전자 조합을 '궁합이 잘 맞는다'라고 표현하고 있어요.

그리고 이제 우리 나이가 부모님의 동의를 받고 안 받고 할 때가 아니라는 것입니다. 스스로 생각하고 결정에 만족하면서 살아가야 할 나이가 되었고 그런 시대에 살고 있는 것이지요. 여러 가지 장황하게 이야기하였지만, 결론은 우리가 그렇게 서로의 출생을 굳이 따질 필요가 없다는 이야기를 하고 싶어요. 결국은 자신들 당사자의 문제니깐 우리 둘이 서로 사랑만 하면 모든 것을 다 이겨낼 수 있다는 말을 하고 싶어요."

"네, 맞아요. 듣고 보니 황당한 이론은 아닌 것 같군요. 결국은 자신이 결정해야겠군요. 그래서 결정이 어렵다는 거지요. 차라리 다른 사람이 결정한 길이라면 따라가기만 하면 된다지만, 다른 관련 있는 사람들의 눈치를 보며 스스로 개척한다는 것이 그리 명쾌하거나 상쾌한 길은 아니니까요. 아무래도 찝찝하겠죠?"

"난 결정했어요. 미우 씨를 내 사람으로 하겠다고. 어때요?"

함시황은 이 말을 하고 미우를 사랑스러운 눈빛으로 바라본다. 그 순간 미우의 얼굴이 홍조를 띠며 발그레해진다. 그녀는 자신의 마음이 들킨 것처럼 부끄러워하며 고개를 슬며시 돌리지만 두 사람이 잡은 손에는 더욱 힘이 들어간다.

"하무 상! 만약 내가 한국에 가면 어디에 취직할 수 있을까요?"

"그럼요. 미우 씨 같은 고급 인력은 언제라도 쌍수를 들고 환영을 하고 있지요."

"한국 사람들이 좋아하지 않을 것인데도요?"

"한국 사람은요, 실력 있는 자를 인정하고 있어요. 상당히 개방적인 민족이에요. 옛날하고 달라졌어요. 실력이 있으면 모든 것을 극복할 수 있어요."

"내가 무슨 실력이 있습니까?"

"내가 볼 때는 이번 연구 결과를 가시화하면 될 것 같아요. 새로운 원소에 대하여 아는 사람이 한국에는 한 명도 없잖아요. 이곳 일본 과학자 몇 명을 제외하고 세계에서 아무도 없잖아요?"

"그것은 사실이지요. 이 연구실과 몇몇 연구실이 처음이니까."

"그래서 난 미우 씨에게 제안하고 싶어요. 이번 연구에 대하여 좀 더 자세히 알고 그것으로 학위를 받으라고... 아니면 상세히 자료를 챙기든가 머릿속에 넣든지 하면 앞으로 요긴하게 사용될 것이라고... 그렇지 않나요? 새로운 미지의 금속에 대한 세계 최고의 권위자 미우 씨! 참으로 멋진데...!"

"그게 좋겠네요. 좋아요, 그렇게 해요. 앞으로 이번 연구에 대하여 좀 더 세밀히 파악해야겠어요."

"어차피 이번 학기로 끝나니 내년에는 한국으로 돌아가서 취직을 하고 내년 말이나 우리 결혼해요. 어때요?"

"좋아요 그렇게 해요. 그런데 하무 상은 한국에 돌아가면 취직이 되나요?"

"하하하하. 난 이미 갈 곳이 정해져 있어요. 걱정하지 마세요."

"그럼 나는요?"

"아까 말하였지만 미우 씨도 최고로 좋은 대우를 받고 스카우트될 것이라고 내가 장담을 하지요."

"그래, 알았어요! 그 연구 결과를 모두 머릿속에 넣어버리지요."

"그게 좋겠어요. 그것이... 하하하"

두 사람은 자신들의 미래가 훤하여지는 것을 느끼며 두 손을 잡고 마주보고 웃으며 두어 바퀴 빙글빙글 돈다.

한편 메이코와 아베 신조는 간간이 전화 통화만 하였을 뿐 한 달 이상 만나지 못하고 있다. 메이코는 자꾸 만나자고 하였으나 아베 신조가 좀처럼 만나주지 않는다. 메이코는 왜 그런지 생각해본다. '그럼 그 남자가 정말 스파이가 맞을까? 보안요원이 그 남자를 추적하고 있을까? 그렇다면 한번 물어보아야지...'

"아베 씨, 안녕!"

"예, 메이코. 잘 있었어요? 뭐, 나야 잘 있지요. 그동안 별고 없었지요?"

"예! 별일 없어요. 그런데 나 아베 씨 많이 보고 싶어요. 하늘만큼!"

"예, 그렇게 많이 보고 싶어요?"

"그럼요, 많이많이요. 그런데 왜 통화만 하고 안 만나주시나요?"

"메이코 씨, 그것은 메이코 씨가 잘 알고 있지 않나요?"

"예에? 잘 알고 있다니요? 그럼... 그 보안요원 때문에?"

"난 정말 기분이 나빠요. 나를 감청하고 나의 행동을 감시하고 있는 그 보안요원 정말로 답이 없어요. 어떻게 해야 할지..."

"그럼 이렇게 해요. 우리 만나서 연구 이야기 안 하면 되지 않나요? 대신 다른 사는 이야기만 하고. 그렇게 하면 몇 번 감청하다가 별 볼일 없다고 자진해서 떨어지겠지요! 그리고 그러한 개인 불법 사찰을 법에 호소하여 중단시킬 수는 없나요?"

"그랬으면 좋겠는데 그게 그렇지 않아요. 원래 보안요원이란 찰거머리예요. 한번 붙으면 떨어질 줄 몰라요. 그래서 난 아예 처음부터 거머리를 붙이지 않으려고 그러는 것이에요. 왜냐하면 지금하고 있는 연구를 메이코가 계속할 때까지 그럴 것이니까요. 그리고 경찰이나 법원에 청원을 한다고 해도 시간이 몇 개월 지나가 버리니깐 의미가 없어요. 그리고 판결도 개인 사찰을 그만두라고 관청에 문서만 넘기면 끝이니까요."

"그럼 내가 그만둘까요? 이제 막바지에 접어들었지만......"

"그럴 수는 없지요. 아예 초기단계라면 내가 적극 그만두라고 하겠는데 이제 조금만 지나면 끝이 나는데 그럴 필요가 있나요? 그리고 메이코씨는 그 연구 과제에 대하여 이제 너무 많은 것을 알고 있어서 결코 정부에서 놓아주지 않을 거예요."

"하긴 그 말이 맞네요. 그럴 필요성이 없네요! 그런데 연구가 끝나도 보안요원이 그만둘까요?"

"글쎄요, 그게 문제지요. 아마도 어느 일정기간 동안은 메이코를 그리고 메이코와 사귀고 있는 나를 계속 감시할 수 있으니까요."

"그럼 우리 이렇게 해요. 데이트만 하는 거예요. 도청이나 감청을 못하도록 건물에 들어가서 이야기를 하거나 혹은 전화로 어떠한 이야기도 주고받지 말고 단순히 만나자는 것만 전화로 하면 어떨까요?"

"그것이 좋은 생각 같습니다. 그럼 이번 주말 토요일 점심시간에 데이트하면 어떨까요?"

"좋아요. 어디서요? 신주쿠(新宿)! 거리가 복잡하고 사람이 넘쳐나니 우리를 알아보지 못하게 아예 신주쿠 한복판에서 만나 점심을 하면 어떨까요?"

"좋아요! 신주쿠 역, 1번 출구에서 열한 시 30분에 만나요. 어때요?"

"좋아요. 그렇게 해요."

메이코는 신이 났다. 앞으로 전화 통화는 감청에 대비하여 만나자는 말만 하고 자주 시내에서 데이트를 한다는 사실에 흥이 절로 난다. 그녀의 일주일은 더디게 간다. 그렇지만 연구를 소홀히 할 그녀는 아니다.

'내 2세는 아마도 머리 부분은 완벽하게 태어날 것이다. 외모? 살아가는 데 그게 뭐 대수더냐. 그렇지! 이번 연구가 끝나고 나면 한국에 가서 성형을 해야 되겠다. 그래서 예뻐지면 아마 유전인자가 바뀔 수도 있을 거야. 바뀔 거야. 암 바뀌어야지. 그러면 욘사마 같은 그와의 사이에서 태어난 아이들은 완벽할 거야. 완전한 외모에 천재의 머리를 가지겠지. 소크라테스가 크산티페에게 한 말이 나에게는 예외일 거야. 그렇지?!' 그녀는 혼자 질문하고 답변하면서 일주일이 얼른 가라고 마음속으로 소리친다.

드디어 토요일 아침, 메이코는 화들짝 잠에서 깨어난다. '이거 늦은 것 아냐?' 얼른 침대에서 일어나 커튼을 젖혀보니 창문 밖은 아직도 깜깜하다. 휴대전화 시계를 본다. 새벽 세 시 반. '휴대전화 시계가 틀린 것은 아니겠지?' 그녀는 이번에는 손목시계를 본다. 오전 세 시 반이 맞다. 그녀는 다시 침대에 드러누워 이불을 끌어당겨 덮는다. 그런데 잠이 오지 않는다. 큰 인형을 죽부인 삼아 끌어안고 이리 뒹굴 저리 뒹굴 하며 잠을 청해보지만 수만 가지 생각이 몰려와 잠을 내쫓아버린다. 그렇지만 즐겁다. 그 남자를 만나는 상상을 하니 더욱 즐겁다. 잠을 못자도 즐거운 상상 속에 있으니 잠이 대수가 아니다. 하룻밤을 설쳐도 문제없다.

'그 남자와 만나서 데이트를 한다. 무슨 이야기를 해야 하나? 내 이야기, 내가 걸어왔던 이야기, 내 인생이야기? 우리 집 가계 이야기? 우리 엄마 아빠 이야기? 연구소 이야기? 현재 수행하고 있는 연구 이야기? 자신의 박사논문 이야기? 남자에게 당신은 누구냐고 물어보고 어떻게 살아왔는지, 그리고 왜 지금까지 그 나이 되도록 결혼은 안 하였는지...'

그녀는 또 한 번 소스라지게 놀란다. 상상에 젖어 또다시 간(間) 잠을 잔 것이다. 커튼 사이로 들어오는 빛이 환하다. 얼른 일어나 커튼을 완전히 좌우로 밀어 젖혀본다. 수평 이상으로 올라온 태양빛이 주변을 훤하게 비추어주고 있다.

매일 아침밥 먹으라는 어머니의 목소리도 들리지 않는다. 시계를 본다. 8시가 넘었다. 그녀는 침대 이불을 정리하고 세수를 한 후 오이 마사지 등 여러 기초화장을 한다. 시간이 없다. 적어도 출타 두 시간 전에는 기초화장을 끝내야 하는데 조금 늦었다. 입을 옷을 미리 선정해놓지도 않았다. 옷장에 있는 여러 가지 옷을 하나씩 끄집어내어 몸에 대보고 이 옷이 좋을지 저 옷이 좋을지 가늠해본다. '이럴 줄 알았으면 어제 자기 전 미리 옷이라도 챙겨놓을걸.' 그녀는 최종적으로 연보라색 투피스를 집어낸다. '역시 미혼여성에게는 보라색이 어울리지.'

어머니의 밥 먹으라는 소리가 그제야 들려온다. 건성으로 알겠다고 대답만 하고 출타 준비에 여념이 없다. 준비를 마치니 열 시가 넘었다. 서둘러 가야 신주쿠까지 겨우 열한 시 반에 시간을 맞출 수 있다. 그녀는 즐거운 표정으로 휘파람을 불면서 전철을 탄다. 신주쿠 역까지는 한 시간 이상 걸린다. 전철에 타고 오르내리는 사람들 모두 행복하게 보인다. 그런데 자세히 보니 시무룩한 얼굴을 한 사람도 있다. 자신이 즐거우니까 다른 사람도 즐겁게 보인다.

드디어 신주쿠 역에서 내려 사뿐히 1번 출구로 나간다. 계단을 올라가 사방을 돌아보니 남자가 보이지 않는다. 그녀는 시계를 본다. 아직 10분이나 남았다. 사방을 둘러보니 아직 신주쿠 거리가 한산하다. 10여 분이 지나니 오가는 사람들이 눈에 띄게 많아진다. 이제 법석이려는가 보다. 정각 열한 시 30분이 되니 그 남자 욘사마, 멋진 남자가 나타난다. 반가움에 그녀는 손을 들어 부른다.

"아베 씨! 여기요 여기!"

남자도 손을 흔들며 다가온다. 그는 메이코를 보고 순간적으로 이리저리 외모를 훑어본다. '어? 이 여자 꾸미니까 그런 대로 볼만한데? 역시 화장발은 참으로 여자를 변신시키는 마술 같은 것이구만!' 속으로 그녀의 변화에 대하여 한숨을 쉬며 '남자들이여! 여자의 무엇을 보려는가?' 하고 자칭 철학자가 되어 슬며시 웃음을 내어보인다. 욘사마가 미소를 내보이자 메이코는 자신의 아름다움과 자신을 사랑해서 웃는 것으로 오인하면서 욘사마에게 바짝 달라붙어 손을 잡는다. 욘사마도 그녀의 손을 지그시 잡는다. 솔직히 욘사마도 얼굴만 빼고 다른 모든 것은 예쁠 것 같은 메이코가 싫지는 않다.

"많이 기다렸어요?"

"아니요. 쪼금…"

"아, 다행이네요. 늦잠을 자다가 그만 시간에 늦을뻔했어요. 그래도 난 시간을 잘 지키는 편이에요. 거의 99퍼센트를 지키지요."

"저도 그래요. 내 시간이 귀중하면 상대방의 시간도 중요하니까 지켜주어야지요. 안 그래요?"

"메이코는 머리도 좋지만 마음도 천사네요. 남을 그렇게 배려하고…"

"호호호 천사는 아니에요. 노력은 하는 편이지요."

"우리 이렇게 이 거리를 걸어요. 수많은 사람들 사이로 걸어가면서 얘기해요. 어때요? 다리가 아플까요?"

"호호호 좋아요. 다리 아플 때까지만 걸어요. 몇 시간이 될지 모르겠지만."

"여기는 언덕진 곳이 거의 없으니 한 몇 시간은 끄떡없을 것 같은데요?"

"호호호 나 운동 많이 해요. 일주일에 세 번은 꼭 워킹을 해요."

"그래요? 일주일에 세 번 이상 운동하기가 참으로 어려운데 그것을 지키다니 인내심이 참으로 좋네요."

"인내심이 좋다고 평판을 좋게 해주시니 고마워요. 제가 과학자잖아요. 과학자는 항상 새로운 것을 밝혀내고 창조해야 하므로 두뇌도 항상 새롭게 하고 신선하게 유지해야 해요. 과학을 하는 두뇌는 우뇌에서 나오지만 우뇌는 좌뇌의 도움도 받아야 해요. 좌뇌는 운동과 감정적인 분야를 담당하는데 좌뇌를 발달시켜 우뇌를 자극하면 더욱더 창조적인 사고가 나온답니다. 제 지론이에요. 그래서 사람들은 다 운동을 해야 해요. 그래야 튼튼한 뇌가 되고 생활에 필요한 지혜가 나오거든요."

"그래요? 나는 반성 좀 해야 되겠는걸요. 왜냐하면 최근에 운동을 전혀 못했으니까?"

"그럼 예전에 어떤 운동을 하였나요?"

"태권도요. 우리는 가라테라고 하는데 한국의 태권도가 원조라서... 태권도를 하였지요."

"예, 뭐든 좋아요. 일주일에 최소한 세 번은 땀이 나게 운동을 하는 것이 건강에 아주 좋답니다. 물론 이론에는 30분이라도 하라고 되어 있지만 제 생각에 한 시간이 적당한 것 같아요. 대부분 무슨 운동이든지 30분정도 운동을 하면 땀이 나기 시작하거든요. 땀이 나기 시작하는 그 상태에서 조금 더 운동을 하여 땀이 흐르도록 하면 효과가 최고조에 오르거든요."

"아하, 그래요? 한 시간이면 누구든지 하루 24시간에서 짬을 낼 수 있는 시간이네요."

"그렇지요. 많은 분들이 시간이 없다고 하는데 사실은 담배 피우고 술 마실 시간은 있어도 운동할 시간은 없다고 변명을 하거든요."

"그렇지! 담배 한 개비 피우는 데 3분만 잡아도 하루 한 갑이면 한 시간이 되네요?"

"바로 그거예요. 건강을 우선적으로 중요하게 생각하지 않는 사람들의 핑계지요."

"그래요. 건강을 잃으면 천하를 잃는 것이라는 말이 있지요. 나도 그렇게 생각해요. 나는 이렇게 말하고 싶어요. 건강을 잃는다는 것은 지구가 멸망한 것이나 다름없다."

"그래요! 그 표현이 적절하네요. 종교계에서는 인간에게 영혼이 있어서 죽으면 천당 가니 지옥 가니 하는데, 그것은 단지 인간의 상상에 의한 환상에 불과한 것이고, 실제는 영혼이 육체를 이탈하면 육체와 영혼이 둘 다 동시에 사라진다고 봐야죠."

"아하! 메이코 씨는 그러면 영생을 믿지 않는군요."

"그렇지요. 현실이 중요하지요. 영생은 관념입니다. 현실과 영생의 두 관념은 때로는 서로를 의지하고 합심하지만 때로는 이율배반적이기도 합니다."

"저런! 그럼 믿는 종교는 없나요?"

"종교? 없어요. 아마 아베 신조 씨와 같을 거예요. 우리 일본인들은 솔직히 조상신을 믿지 않아요? 그렇지 않나요?"

"그렇지요. 사실 아득한 조상이 오늘의 우리를 있게 하였으니 그가 창조주나 마찬가지지요. 가깝게는 부모님이 우리들의 신이나 마찬가지라고 생각하는데요."

"글쎄 인간이 생각하기에 달려 있지요. 꼭 신이라고 하늘에 있는 것은 아니지요. 왜냐하면 우리 지구가 하늘이니까요."

"우리 지구가 하늘이라니요?"

"상대적이라는 말이지요. 멀리 떨어진 다른 행성이나 위성에서 보면 지구가 하늘위에 떠있는 신비한 별이에요. 사실은요, 지구는 별도 아니에요. 별이란 명칭은 태양처럼 자신이 빛을 만들어내야 별이라고 부를 수 있는 자격을 가지는 거예요. 그렇게 보면 구는 별 축에도 못 들어가는 우주 속 하나의 자그마한 소행성이에요. 다른 은하수에서 보면 우리 은하계 내 태양계는 조그맣게 반짝이는 하늘의 한쪽 구석을 하얗게 장식하고 있는 은하수의 일부이니까요. 그런데 다른 우주에서 보면, 예를 들어 우리가 잘 알고 있는 오리온이나 안드로메다 성운에서 보면 우리 지구는 하나의 하늘이 되고, 그 지구 속에 지금 현존하고 미래에 계속 존속할 수 있는 우리는 모두 하느님이에요. 왜? 인간이 인간을 창조하고 우주를 상상하고 그것의 실체를 알고 있으니 우리 모두는 창조주 자격이 있는 거예요. 그렇지 않나요?"

"그 그런 셈이지요. 그럼 나나 메이코도 창조주, 하느님?"

"아직은요. 예비 창조주. 호호호 그러니까 인간은 하늘이고 신이다."

"그것 어디서 많이 듣던 사상인 것 같은데..."

"내가 알기로는 한국에 어느 종교도 이런 사상을 가지고 있고 일본에도 있다고 들었어요."

두 사람은 오래간만에 이성을 만나서 끝없이 대화한다. 이상하리만치 대화를 하면 할수록 끌리는 매력이 뿜어져 나오는 그런 여자다. 그들은 한 시간을 걸은 후 점심식사를 하고 커피숍에서 커피를 마시며 음악을 듣는다. 자신들이 듣고픈 음악도 신청한다. 다리를 흔들거리고 흥얼흥얼거리며 즐긴다. 커피숍에는 디스크자키가 있어 손님이 메모지에 듣고 싶은 음악을 신청하는, 1950~80년대에 유행한 거의 100년 전의 복고풍 커피숍이다. 메이코는 "부베의 연인"이란 영화 주제곡을 신청한다.

"이 음악을 잘 들어보세요. 이 곡은 이탈리아 한 시골의 '마라'라는 처녀가 빨치산 지하 운동을 하는 '부베'와의 순애보 사랑을 그린 카를로 카놀라 원작의 "부베의 여인"을 영화화한 작품이랍니다. 당시에 전 세계 모든 연인의 심금을 울린 순애보 영화의 주제곡이랍니다."

이런 음악을 어떻게 알았는지 처음 들어보는 음악의 내력에 대하여 설명하는 메이코가 또 한 번 달라 보인다. 음악은 담백하면서도 애잔한 사랑을 담아낸 것처럼 들린다. 꼭 '당신을 사랑하며 기다리고 있습니다'라고 속삭이는 것 같다. 두 사람은 그렇게 오후 내내 데이트를 즐기며 헤어져 집으로 각자 향한다. 이 여자, 대화를 하면 할수록 매력이 넘친다. 꼭 양파껍질 벗기듯 매력을 벗기면 또 나오고 또 나온다. 그러면서 오랜 시간 대화를 통하여 귀중한 정보를 또 하나 얻게 된다.

새로운 원소의 반감기다. 반감기가 불과 5년밖에 되지 않으니 35년만 지나면 0.09퍼센트의 방사선만 남아 자연 상태와 동일하게 되는 것이다. 더군다나 방사능이 우라늄의 500분의 1만 나오고 열량은 우라늄의 열 배나 된다니 '이 원소가 인류가 찾는 꿈의 금속'이라고 말할 수 있으리라. 그는 이러한 정보를 지부장을 통하여 보고한다.

메이코는 자신이 태어나서 처음으로 이성에게 자신의 생각을 말하고 상대방의 의견도 들어보는 멋진 자리였다고 생각한다. 그리고 자기도 모르게 남성이란 참으로 필요한 배역이라고 '남성관'을 살짝 바꾼다. 그동안 거의 모든 남성이 자신을 가깝게 하지도 않고 멀리서 보기만 하거나 아예 말도 걸지 않았다. 그래서 남자라고는 자신의 아버지밖에 몰랐다. 그런데 오늘 이 남자가 아웃사이더였던 자신의 마음에 풍파를 일으키고 있다. 가슴이 설렌다. 시원하다.

남자 그것 좋은 놈 아니던가! 꼭 필요한 놈이다. 인간이 스스로 창조주이면서 짝을 만들어 각각 제 역할을 하도록 만들었다. 생물학적으로 영생과 영원한 자기 유전자 전달에 인간의 전체 삶을 걸게 만들었다. 인간은 영생을 위하여 활동하고 살아간다. 남자는 일을 하여 먹을 것을 만들고 그것으로 처자식을 부양하고, 여자는 아기를 낳고 기르고 교육하고 집안을 가꾼다. 그리고 남자가 일을 해서 벌어들인 먹을 것을 요리하여 식구들이 맛있게 먹게 한다. 이것이 남자와 여자가 존재하는 사회의 역할분담이며 메커니즘이다. 메이코는 정말 남자라는 상대역이 있어야 창조주로서의 역할을 할 수 있다고 생각한다.

대 이음

시방 나와 너는
할아버지로부터 손자까지
오대, 육대를 이어가는 중심에 있겠다!
억조창생 삼라만상 생명이 있는 모든 것은
영원한 삶을 이어가고자 숨겨진 본능으로
대를 잇는 생명활동을 왕성히 하는데

동식물의 본능 같이 인간의 유전자 전달 과정이
단지 본질이런가? 아니면 위대한 생명의
"이어감"이런가?
자식이 자식을 낳아 기르는 인간 존재의 계승은
우주속의 하나뿐인 "지구"라는 존재와 다름없는
위대한 창조와 동질이어라.

치하루의 일상

치하루는 이시하라 간지 연구부장의 그늘에서 계속 행적을 감추고 있다. 그녀는 보안요원에게 탐지는 되었지만 '외로운 기러기 작전'을 수행하고 있기 때문에 그녀가 활동하는 것을 일절 알 수 없게 된다. 표면상 그녀는 평범한 주부가 되어 가정에서 일상생활을 하면서 자연스럽게 정보를 수집한다. 그것은 부부간의 대화에서 알게 모르게 오가기 때문에 보안이라는 개념이 전혀 먹혀 들어가지 않는다. 이시하라 간지는 치하루가 집에 들어오면서부터 매일 휘파람을 불며 출퇴근한다. 그녀는 아내, 어머니, 여자로서의 역할을 완벽하게 소화해나가고 있다. 그는 퇴근시간이 즐겁다.

출근하면 시계를 자주 들여다보며 얼른 퇴근시간이 오기를 학수고대한다. 연구가 끝나면 부리나케 집으로 향한다.

그런 연구부장을 지켜보는 보안요원은 참으로 어처구니없다고 생각한다. 하지만 그것은 언제까지나 보안요원의 생각이다. 그는 몇 달간 줄곧 그렇게 행동하고 생활하는 이시하라 간지에게 뭐라고 말할 수 있는 처지도 아니다. 오히려 사생활 간섭으로 잘못 엮일 수가 있으므로 조심하여 처신하기로 한다. 그러나 철저한 통신 감청은 빼놓을 수 없다. 그의 집 전화까지 대상을 넓힌다. 그렇게 3개월을 주시하였지만 자그마한 흠집하나 잡을 수 없어 결국 그에 대한 개인 사찰을 중단한다.

이시하라 간지는 항상 치하루와 저녁을 같이하고 주말에는 아이들과 함께 모여 식사를 한다. 식사시간이 가족 모두의 얼굴을 보며 대화를 주고받고, 자신의 마음을 이야기하고, 가족의 마음을 이해할 수 있는 유일한 기회이기 때문이다. 그리고 집에 들어가면 언제나 치하루가 마중 나오며 상냥하게 그를 받아들인다. 그는 그것이 정말 좋았다. 어쩌면 자신이 그것을 만족해하며 즐기고 있는 것인지도 모른다.

"치하루, 나 왔소! 퇴근하였습니다."

"어서 오세요. 피곤할 텐데... 따스한 차 한 잔 드릴까요?"

"예, 좋~지요. 우리 국화차 한잔 합시다. 날씨도 선선해지고 있는데."

"그래요. 요즈음 국화차가 제 맛과 향이 나지요. 잠시만 기다려요."

이시하라 간지는 가방을 서재 책상에 올려놓고 샤워를 한다. 샤워를 하고 나오니 치하루가 새 내의와 편한 옷을 들고 서 있다.

"이것으로 갈아입으세요. 땀이 차 있을 텐데."

"고마워요, 치하루."

이시하라는 그녀의 볼에 가볍게 키스한다.

"차 끓여놓았어요. 응접실로 오세요."

"예 예, 감사합니다."

이시하라는 옷을 입고 응접실에 들어간다. 응접실 안에 국화차 향기가 진동한다.

"이 국화차는 서리를 맞은 국화꽃을 채취하여 세 번을 그늘에서 말려 적당한 습기를 머금게 하여 2년을 보관한 귀중한 차입니다."

"하아 그렇습니까? 아무 국화꽃이라도 차를 만들 수가 있는가요?"

"아니요. 일반 시중에 유통되는 국화꽃은 차로 만들지 않고요. 야생에서 절로 자라는 감국 꽃이란 야생화가 있는데 그 꽃으로 만든 차가 최고랍니다. 감국 꽃 중에서도 막 피어올라 봉오리가 터지려는 꽃망울은 향기가 더 진하다고 해요."

"오호 그래요?"

"그런데 국화도 한국의 야생에서 채취된 국화꽃이 최고이고요. 그것도 서리를 한번 맞고 막 피어오르는 꽃망울의 꽃이 더욱 좋다고 하네요."

"아니, 그것도 한국 것이 좋답니까?"

"한국이 국화의 원산지랍니다. 그래서 한국에서는 야생화를 감국(甘菊)이라고 하는데 국화가 달다고 하네요. 한편으로는 황국(黃菊)이라고도 하여 노란색을 띠고 있답니다."

"뭐든지 한국에서 나는 것이 좋다고 하던데 이 국화도 그러네요. 한국은 참 복 받은 나라이지요? 그런데 국화차가 어떻게 좋답니까?"

"비타민 C가 풍부하고 노화를 방지하며 활성산소를 제거해준다고 하네요. 꾸준히 마시면 면역력이 높아지고 감기 예방도 좋답니다."

"그렇다면 부작용도 있겠지요?"

"예. 많이 마시면 복통이 일어날 수 있다고 하네요."

"그러니까 뭐든지 '적당히'가 좋군요. 그런데 치하루 씨는 어떻게 그런 것을 그다지도 잘 아세요? 참 상식도 풍부하셔라!"

"그냥 귀동냥했을 뿐이에요."

"귀동냥은 아무나 하는 것이 아니에요. 센스, 육감이 뛰어나야지요. 내가 본 치하루는 육감적이면서 5씨가 골고루 갖추어진 진짜 멋있는 여인입니다그려!"

"아이! 칭찬 그만해요. 부끄럽습니다. 그런데 5씨가 뭐예요?

"마음씨, 맵시(씨), 솜씨에다가 두 가지 씨는 내가 만든 거예요. 외미씨, 지혜씨."

"세 가지는 이해하겠는데 외미씨와 지혜씨는 뭐예요?"

"외미씨는 외적인 아름다움, 이것은 단지 '예쁘다'를 떠나서 내면의 혼이 밖으로 밀려나와 외모와 어울리는 아름다움이라 할까? 여하튼 아름다움에서 풍기는 달착지근함. 일종의 경륜과 연륜에서 풍겨 나오는 아름다움에 대한 표현이지요. 지혜씨는 글자 그대로 지식과 지혜가 풍부한 것을 말하지요."

"호호호 내가 그렇다고요? 어울리지 않네요. 만약 그렇게 보인다면 그게 바로 제 눈에 안경이겠지요? 콩 껍질이 씌었다나 뭐래나. 호호호"

"그러니까 제멋에 산다고 하지 않소. 모든 것은 관점이 어디에 있느냐에 따라 달라 보이니까. 상대적일 때가 참 많이 있지요."

"저녁식사 준비를 해야 하니까. 잠깐만 기다리세요."

치하루는 그가 퇴근하기 전에 이미 준비한 저녁을 식탁에 차린다. 이시하라 간지가 좋아하는 생선구이와 감자, 쇠고기 덮밥이 몇 가지 해산물 반찬과 채소샐러드와 함께 나온다. 여기에 칼칼하고 메마른 입술을 적셔줄 미소 된장국이 곁들여진다.

"자, 식사하세요. 나는 점심에 많이 먹었으니까 자기 많이 먹어요. 일도 힘들고 연구하는 데 신경도 많이 써서 정신이 퍽이나 소진됐을 텐데."

"뭐 특별히 그렇지는 않아요. 연구가 어렵지는 않아요, 지난번에 내가 얘기하였듯이 새로운 원소가 발견되어 그것에 대한 정의가 필요하고, 이번엔 그 원소의 활용방안에 대하여 알아보고 있어요."

"그게 그렇게 중요한 원소인가요?"

"어쩌면 이 원소의 존재를 우리 지구의 땅속이나 해양에서 찾아낸다면 인류가 갈망하는 새로운 에너지가 해결될지도 몰라요."

"그렇다면 대단한 연구가 되겠네요. 그토록 갈망하는 원자력 대체 에너지를 얻게 된다니... 그런데 그게 원자력보다 안전한가 보지요?"

"원자력은 핵분열을 할 때 엄청난 방사능을 내뿜지만 이 금속은 그것의 500분 1만 나와요. 우라늄이나 플루토늄처럼 부수적으로 나오는 치명적인 세슘이나 요오드 등 제3의 물질도 극소량만 방출되지요. 대신 다른 물질이 나오는데 아직 그물질이 무엇인지 분석하고 있어요."

"그럼 원자력 대신 그 금속을 사용하면 아주 안전하고 발전이 가능하겠네요. 후쿠시마 원전처럼 재앙적인 사건이 일어나지 않겠군요."

"그럴 겁니다, 아마. 현재는 그렇게 판단하고 있어요. 막바지로 규명할 연구가 바로 우라늄 대신 활용할 수가 있는지 없는지 확인 단계에 있으니까요. 만약에 그것이 가능하다면 안전한 소형 원자력 발전도 가능합니다."

"그 발전도 원자력 발전이라 말할 수 있을까요?"

"같은 맥락이지요. 어차피 핵분열에 의존해야 하니까 원자력이라 말할 수 있어요. 다만 그로 인하여 나오는 유해한 방사선과 물질이 아주 적게 분출된다는 것만 다를 뿐이지요."

"아주 좋은 결말이 나왔으면 좋겠어요. 인류 평화를 위하여."

"그런데 문제가 있어요."

"무슨 문제요?"

"그 원소를 뽑아낸 원석 즉 원래의 광석이 우리나라가 아닌 한국이 실효 지배하고 있는 다케시마와 울릉도 사이에서 나온다는 점이 아주 마음에 걸립니다."

"그래요? 한국의 독도에서요? 그럼 우리 해역 주변을 탐색하여 찾아내면 되잖아요."

"그 원석이 일본수역에 있다는 보장이 없어요. 원래 금속은 대부분 산출지가 정해져 있어요. 예를 들어 반도체를 만드는 데 필수적인 희토류라는 금속은 현재까지 내몽골이나 캘리포니아 같은 특정지역에서만 나오고 있지요."

"그럼 앞으로 일본의 모든 해역이나 심해저를 탐색하여 동일한 원석을 찾아내야 하는 일이 급선무이겠군요."

"그러니 다케시마가 요즈음 보물섬으로 변하고 있답니다. 한국은 다케시마에서 지금 하이드레이트를 대량생산하고 있어요. 물론 그 자원도 유한하지만..."

"하이드레이트는 우리 일본 수역에서도 발견되었잖아요."

"예. 발견되기는 했어도 경제성이 약하답니다. 지금 기술 수준으로는 양도 많지 않고요."

"그럼 한국과 다케시마에 대하여 어떤 협상이 가능하지 않나요?"

"역사적인 기록에 의하면 우리 일본이 할 말이 없도록 고지도나 여러 기록들이 전부 한국의 영토라고 되어있지요. 하지만 1905년 이후 특히 을사보호조약으로 일본 영토가 되었고, 한국동란 중에 한국의 영토에 넣으려던 미국의 조치에 강력하게 항의했어요. 미국도 한국동란 결과로 한반도가 적화통일이 되면 다케시마가 북한령으로 되기 때문에 이를 견제하기 위하여 한국령에서 제외시켰답니다. 그리고 샌프란시스코 조약에서 한국의 영토에서 제외시켜 우리도 일본의 영토라고 주장할 근거를 마련하였던 것이랍니다. 그런데 이후에 한국의 이승만 정부가 경비대를 파견하여 실질적으로 점령을 해버렸답니다.

우리가 먼저 점령을 하지 못한 것이 천추의 한이 될 수도 있는 사건이었지요. 왜냐하면 우리는 그때 자체 치안만을 할 수 있는 경찰력밖에 가지고 있지 못하였거든요. 1960년대 후반에 들어와 한국 정부와 일한협정을 맺어 우리의 식민지배에 대한 모든 배상을 종료함과 동시에, 비밀 부속조항으로 다케시마를 서로 자국의 영토라고 해도 이의를 제기하지 못하게 하였답니다. 그 후 우리는 다케시마라고 부르며 교과서에 그리고 국방백서에 추가적으로 삽입하였지만 한국은 강력하게 항의하며 자국의 영토라고 온 국민이 노래까지 부르며 나서고 있어요. 우리는 국제사법재판소의 판단으로 가자 하였으나 그러한 대응책은 한국이 응하지 않으면 헛일이 되는 것이지요.

우리는 줄곧 다케시마의 날 행사를 하며 다케시마에 관하여 권리를 주장하고 있으나 역부족이며, 그 외로운 돌섬 주변에서 계속 천연자원이 발견되고 있으니 앞으로 일본이 어떻게 이 문제를 해결해야 할까 주목되고 있어요."

"이제 우리 일본도 세계 몇 위 안에 들어가는 강력한 군사력과 화력을 가지고 있고 평화헌법도 바뀌어 필요할 때 싸울 수 있으니까, 다케시마를 차지하면 안 되나요?"

"그러면 전쟁이지요. 다케시마에 국한된 국지전이 일어날 수 있어요. 그런데 국지전이 확전된다면 큰 문제가 될 수 있지요. 양국 간의 전면전이 될 수 있답니다. 임진왜란 이후 최대 격전이 될 수 있지요. 지금 남북관계도 긴장이 완화되고 상호 경제협력 끝에 북한의 경제가 상당한 수준으로 올라왔어요. 북한이 일부 도와주거나 혹은 국제회의 등에서 남한을 적극 도와주고 남한도 모든 역량을 다케시마로 집중한다면 우리로서는 만만히 볼 상황이 아닙니다."

"그렇다고 해도 우리의 해·공군력은 한국을 압도할 수 있지 않나요?"

"그것은 모르지요. 내가 군사전문가나 전략가가 아니지만 한국의 현국가 능력을 감안하면 소탐대실을 할 가능성이 많아요."

"그렇다면 다케시마의 자원을 공동개발하고 공평하게 이익을 나누어 가지면 어떨까요?"

"한국은 백여 년 전부터 지금까지 기름 한 방울 나지 않고 모든 에너지를 수입에 의존하는 나라 중 하나지요. 물론 우리도 그렇고, 양국 모두 대체 에너지를 개발하고 있지만 아직까지는 미흡한 상태인데 그런 두 나라가 타협을 하겠어요?"

"그러하네요. 옛날 조선에 대한 침략과 식민 지배가 아직도 두 나라 간에 화해할 수 없는 빙탄의 관계가 되어 발목을 잡고 있잖아요. 그리고 다케시마를 우리 일본 땅이라고 강력하게 주장할 수 있는 명분도 부족하지 않아요?"

"사실 거기에는 우리 우익 정치인들도 많이 반성할 부분이 있다고 생각합니다. 아니, 일본인 전체가 그들에게 실질적인 사과를 해야 한다고 나는 판단해요. 과거 우리가 36년 동안 조선을 식민지로 만들어서 조선 민족에 대하여 수많은 착취와 억압, 살인 등의 죄를 저질렀지요. 그들을 탄압하고 전쟁 말기에는 수많은 사람들을 전쟁에 끌어다 죽이고, 강제 노동을 시키고 특히 위안부까지 동원하여 조선을 피폐화해버렸지요. 패전을 한 나라로서 우리는 한국에 제대로 사과도 하지 않고 오히려 위안부 문제 등은 절대 없었다고 발뺌으로 일관하여왔으니 그들이 우리말을 믿겠어요?

같은 추축국인 독일은 잘못을 반성하고 나치 세력을 철저히 배제하고 희생된 사람에 대하여 배상을 다하였지만, 일본은 반성은커녕 한국동란을 기회로 배상금도 아주 적게 탕감 받으면서 오히려 우리가 원폭에 희생당하였다는 말만 되풀이하고 있어요. 그러니 한국인들은 우리를 파렴치한

족속이라고 생각하고 아직도 우리의 죄를 용서하지 않고 있어요. 더구나 일본은 2차 대전에 대하여 국민들에게 진실을 가르치지 않고 전 세계를 대상으로 싸운 대단한 나라였던 것만을 강조해왔어요."

"정말 심각하네요. 2차 대전 후 대여섯 세대가 지나간 지금, 일한간의 관계가 마치 견원지간이나 마찬가지네요. 아직도 나쁘게 진행형인... 그리고 국민 대다수가 조상들이 과거에 흉악한 범죄를 자행했다는 사실을 하나도 모르고 있다는 것이 부끄럽네요."

치하루는 일본이 속죄하며 다케시마를 한국 땅으로 인정하고 나서 에너지 관계를 해결하였으면 좋겠다고 생각한다. 그러면 자신의 임무도 여기서 종료되니 앞으로 평범한 주부로 살고 싶다는 생각도 한다.

"그런데 다케시마에서 나온 원석이 진짜 보물이 될까요?"

"좀 더 연구를 해봐야겠지만 다방면으로 활용할 수 있을 것 같아요. 핵분열 시 열은 별반 문제가 되지 않지만 진짜 문제가 되는 것은 방사능과 그 결과로 나오는 부산물인데, 그러한 것이 우라늄 핵분열 때보다 거의 방출되지 않으니 그것을 섬세하게 제어하여 우리가 원하는 형태의 에너지로 사용할 수 있을 겁니다. 소형 원자로가 가능하면 철을 녹이는 용광로에서도 석탄을 태우지 않고도 고온을 만들어낼 수 있고, 배나 비행기, 잠수함 등에서 이용할 수 있답니다. 결국은 기술이 더욱 발전되면 작은 자동차에도 활용될 수 있겠지요."

"대단하네요. 에너지 혁명이 되겠어요."

"그렇지만 지구상에 존재하는 그 자원의 실제 부존량이 적다면 별 소용이 없어요. 한일 간의 문제에 국한될 뿐 지구촌의 입장에서는 별 도움되지 않는 일이지요."

"지구전체를 다 뒤지면 같은 자원이 나오지 않을까요? 그곳에만 있을 리가..."

“글쎄요. 그렇다면 인류를 위해서 좋겠지만... 모두의 바람으로 끝이 날지도 모르지요.”

치하루는 첩보를 얻어내려고 이시하라 간지의 그늘로 들어왔지만 몇 달 간 이 집에서 살아보니 자신이 필요한 가정이라고 생각한다. 아이들도 자신을 잘 따르는 것 같고 필요하다고 말하니, 임무가 끝나면 냉철하게 모든 관계를 끊을 수 없으리라는 예감도 든다. 그런데 이것은 첩자의 첫째 덕목을 위배한 것이다. 애정에 빠지면 만사 실패라는 것을 귀가 따갑게 들어왔고 지금까지 그렇게 살아왔다. 하지만 이시하라 간지의 행동 또한 자신을 떠나게 만들고 있지 않다. 앞으로 또 하나의 고민에 빠질 것이 분명해 지고 있다. 하지만 미래는 미래고 지금은 지금이다. 수단 방법을 가리지 말고 임무를 완수해야 한다.

그녀는 다음날 모든 식구가 각자 일터와 학교로 떠나자 이시하라 간지와의 대화를 다시 간추려 적고, 라인을 통하여 메모를 지부장에게 보낸다.

기무라의 불행

보안요원 기무라가 이상하게도 행적이 묘연하고 보이지 않는다. 보안 쪽에서는 기무라가 경찰서로 출근하였다고 생각하고, 경찰에서는 보안 쪽에 무슨 일이 있거나 좀 더 보강수사에 들어간 것으로 여긴다. 그렇게 며칠이 흐른다. 여러 날이 지났어도 기무라의 모습이 보이지 않자 경찰에서 먼저 공안청의 보안지소에 연락한다. 기무라 보안요원이 요즈음 경찰서 특수부에 나오지 않고 있는데 특별 사찰을 하거나 수사상 결정적인 증거라도 찾고 있는 것이냐고 물어본다. 공안청에서는 반대로 경찰 특수부에 매일 출근하지 않았느냐고 반문한다.

두 부서는 즉시 기무라 요원에게 무슨 일이 생겼다고 직감한다. 보안지소가 먼저 개인 휴대전화로 그를 호출해본다. 신호가 가지 않는다. 아예 꺼져 있다. 이번에는 공안청에서 지급한 직원 전화기로 연락해본다. 다행히 신호가 간다. 그런데 신호만 갔지 전화를 받지 않는다. 몇 번을 연락해도 받지 않으니 위치 추적에 들어간다. 수신이 되고 있는 위치를 찾아가본다. 위치 추적결과 기무라의 자택 앞이고, 차 앞에서 전화를 걸어보니 주차된 차에서 전화기 벨소리가 들린다.

기무라의 차는 별다른 손상 없이 그대로 있다. 문을 열어 보니 차 문이 잠겨있지 않고 손쉽게 열린다. 그렇다면 기무라가 집에 있다는 것일까? 보안요원 두 사람은 기무라 집 문을 두드려본다. 아무런 대답이 없다. 하는 수 없이 기무라와 같이 수사한 경찰을 불러 집안으로 들어가본다. 기무라의 흔적이 없다. 그는 자취생활을 하였기 때문에 행방을 말해줄 사람도 없다.

다른 동료 보안요원을 통하여 그의 신상을 알아본 결과 본가는 혼슈섬 도호쿠 지방에 있다고 한다. 보안요원은 기무라의 차 내부를 면밀히 수색해본다. 잡동사니 소지품과 공안청에서 지급한 전화가 있을 뿐이고, 그의 행방을 쫓을 수 있는 어떠한 물건이나 증거물은 나오지 않는다. 하는 수 없이 그들은 차를 몰아 공안지소에 가서 기무라가 전화를 하거나 자진하여 돌아오기를 기다린다. 열흘이 지나도 아무런 소식이 없자 나고야 반경 150킬로미터 지역에 실종신고를 하고 수배령을 내리며 사진과 함께 전단지를 만들어 전 경찰서에 통보한다. 그러다 또 3주가 지났을 때 나고야 남쪽 50여 킬로미터에 있는 지타 군의 한 갯벌에서 남자 변사체를 발견했다는 소식이 들어온다.

호주머니에서 발견된 신분증으로 그가 기무라임이 밝혀진다. 경찰 특수부 요원과 보안요원 수 명이 급파된다. 시체의 상태를 확인하고 사인을 밝히기 위하여 일단 면밀히 사체를 검안하고 손과 발, 머리를 묶은 검정 테이프를 증거물로 보관한다. 그리고 호주머니에서 소지품을 모두 꺼낸다. 사체가 부패하기 시작하였다. 국립 과학 범죄수사연구소에 그의 사체를 보내어 부검을 하면 정확한 사인이 밝혀질 것이다. 경찰은 이번 사건과 데라우치의 비밀 누설 시도를 동시에 수사하기로 한다.

경찰은 기무라 변사사건을 최우선 순위에 두고 수사진을 일부 베테랑 형사들로 대거 보강한다. 그리고 그 중 한명을 데라우치 비밀 누설 시도에 대하여 전문적인 수사관으로 임명한다. 사체 발견 3일이 지나 부검결과가 나온다. 사인은 익사다. 그렇다면 산 사람을 그대로 수장시켜버린 것이다. 검정테이프로 여러 번 몸에 둘러쳐진 것을 보니 아마도 돌을 매달아 떠오르지 않게 한 후에 바다에 그대로 던져버린 것 같다. 이런 범죄는 한 사람이 할 수 있는 것이 아니다. 범인은 적어도 두 명 이상의 장정으로 추정된다. 수사담당 형사는 기무라가 왜 그렇게 생으로 수장 당해야 했는지 추정해본다.

기무라는 비밀 누설 방지를 위하여 연구소에 파견된 공안청 소속의 직원이다. 그러므로 그가 죽게 된 것은 비밀 누설과 관계된 것이라고 단정 지을 수 있다. 그래서 기무라와 최근에 수사를 함께한 경찰을 불러 그 동안의 수사에 대하여 자초지종을 세부적으로 듣는다.

새롭게 배당된 베테랑 형사 고이즈미는 기무라의 죽음이 이번 사건과 깊은 관련이 있다고 판단하고 수사 선상에 제1번으로 데라우치를 올린다. 그리고 기무라가 죽은 날을 출근하지 않은 첫 날의 전날 저녁이나 그 이후로 확정한다. 사체의 부패도로 추정하고, 그의 몸에서 나온 휴대전화의 통화기록을 보면 알 수 있다. 기무라가 행방불명된 그날 이후에는 통화가 없다는 것이 기무라가 죽은 날이라고 추정해낼 수 있다. 그리고 그가 퇴근 후에 집 앞에 주차를 하고 행방불명되었기 때문에 집 앞에서 어디론가

끌려간 것으로 유추해볼 수 있다.

고이즈미 형사는 데라우치를 제1번으로 소환하여 취조한다. 데라우치는 몇 번 경찰서에 왔기 때문에 이번에도 전과 같은 내용을 질문할 것으로 알고 온다. 그러나 엉뚱하게도 다른 사항을 질문 받는다.

"데라우치 씨 전화를 먼저 압수해야겠어요."

"그래요? 그렇다면 압수 영장 보여주세요."

"말이 많아요! 데라우치 당신이 기무라를 죽였지?"

"예에? 뭐 뭐라고요? 기무라가 주 죽었습니까?"

"그래! 당신이 기무라를 죽였잖아."

"기 기무라를 내가 왜 죽여요? 그리고 그 사람이 왜 죽어요? 나 난 모르는 일이오."

"그러니깐 당신 전화 이리 내놔."

"내 전화 당신들이 다 가져갔잖아요."

"새로 개통한 전화 내놓으란 말이오. 몰래 새로 만들었잖아."

"그 그 그것은..."

"왜 망설여? 당신이 살해하지 않았다면 내놓으란 말이야."

"예 예. 차 차에 있습니다."

"차 어디에 있어?"

"요 앞 주차장에 있어요."

"차 열쇠 내놓고. 차 번호가 뭐요? 당신 차 며칠 압수할 거요."

데라우치는 살인사건에 말려들고 싶지 않다. 그리고 자신을 수사하고 있던 보안요원이 죽었다고 하니 뭔가 희망의 앞길이 열리는 것 같기도 하다. 그는 호주머니에서 열쇠를 꺼내준다.

고이즈미는 다른 형사에게 열쇠를 내주면서 얼른 눈짓한다. 또 다른 형사는 차번호를 암기하더니 그대로 주차장으로 향한다. 그들은 무엇을 해야 하는지 굳이 말을 안 해도 잘 알고 있다. 주차장으로 나간 두 형사는 먼저 데라우치의 휴대전화를 찾아낸다. 한 형사는 경찰서 안으로 휴대전화를 들고 가 USIM 칩을 제거하고 통화 기록을 확인한다. 다른 형사는 청소기를 들고 차 안에 떨어진 이물질을 흡입하여 모은다. 혹시나 기무라의 머리칼이 떨어져 있다면 어떤 단서를 잡을 수 있을 것 같아서다. 그런 다음, 이번에는 형사 한 명이 더 추가되어 앞뒤 의자시트와 차안 전체를 유심히 살펴본다. 혈흔이나 기타 사건 해결의 단서가 될 만한 흔적이 있는지 세밀히 조사한다.

"데라우치, 당신 ○월 ○일 저녁에 어디 있었어?"

"며칠이요?"

"○월 ○일 목요일!"

"목요일 저녁이면 집에 있었겠지요."

"똑바로 말해요. 집에 있었다면 집에서 뭐했어요?"

"집에서 저녁 먹고 텔레비전 시청하다가 잠잤겠지요."

"그걸 증명할 사람 있나요?"

"누가 있겠어요? 혼자 살고 있는데..."

"그러니까 이상하다는 말이지요. 데라우치! 기무라 씨가 당신을 추적해 들어오니까 그 사람을 죽인 것 아니야?"

"헤에 참말로! 사람을 뭘로 보고... 지금 누구한테 그런 터무니없는 엄포를 놓고 있는 거예요? 증거를 대시오, 증거를! 보자보자 하니까 이제 살인자로 만들고 있구먼. 순순히 수사에 협조적으로 나가니 사람을 바보로 알고 살인 누명까지 씌우려고 그러는구먼."

"그럼 왜 그 여자를 만나고도 만나지 않았다고 하는 거야?!"

"그 여자라니요? 지금까지 쭉 그런 여자는 없다고 말했잖아요."

"그럼 귀신하고 통화를 했단 말이야? 여기 세 여자 사진을 가지고 왔으니 누구를 만났는지 말하시오."

"나는 이런 여자들 몰라요."

"데라우치 당신이 아무리 발뺌을 하여도 그 여자들 중의 한 명이 당신과 만났다는 것이 밝혀졌소. 기무라가 이 여자들을 찾아냈었소. 그리고 바로 그 다음날 행방불명되었소. 기무라가 이 여자들 중에서 뭔가를 파악하고 알게 된 것이오. 바로 당신과 만났다는 증거가 포착된 것이오. 그래서 당신과 이 중 한 여자는 기무라가 압박을 해오자 당신들의 죄가 드러날까 봐 그를 죽인 것이오."

"소설을 쓰시는구먼! 쯧쯧쯧..."

"이 사람이! 이것 고문을 좀 받아보고 맛을 봐야 이실직고를 하겠군."

"나는 이제 오늘 여기서 나가면 더 이상 출두하지 않을 것이오. 내가 필요하면 구속 영장을 가져오세요. 오늘은 변호사하고 연락도 못 취해서 그냥 나만 왔는데 더 이상 당신의 취조를 이대로는 못 받겠소. 지금부터 나는 묵비권을 행사할 거요."

"우리는 오늘, 당신을 집으로 보내지 않을 거요. 유치장 바닥의 차디찬 맛도 좀 보시오. 그래야 정신 차리지."

"그럼 난 지금 이 상황을 방송에 제보하여 무능한 경찰이 시민을 억압하고 있다고 세상에 알리겠소."

"좋도록 하시오."

고이즈미 형사는 정말 데라우치를 유치장에 넣어버리고 USIM 칩 분석 결과를 보러 감청실에 들어간다.

"뭔가 잡힌 것 있나요?"

"지금까지는 없습니다. 집안 식구들과 친구들하고 일상적으로 대화하는 것밖에 없어요."

"혹시 집안 식구 외에 만난 사람들 확인 좀 해보고, 특히 기무라가 행방불명이 되기 열흘 전부터 하루 뒤까지 모든 통화를 잘 듣도록 하시오."

"알겠습니다."

이번에는 데라우치 차에서 이물질을 확인한 팀의 보고를 듣는다.

"차량에 피 흔적이나 거세게 저항한 흔적이 보이지 않습니다. 다만 머리칼을 십여 가닥 정도 찾아냈습니다. 국과수에 이것을 보내어 기무라 씨 것과 일치하는지 확인해야겠습니다."

"알겠소이다. 국과수에 지급으로 좀 해달라고 말해주세요."

"예, 그렇게 하겠습니다."

고이즈미 형사는 기무라와 마찬가지로 시간을 추정하여 세 명의 여자를 확인하고 한 명씩 경찰에 데려와 심문한다. 처음 두 명의 여자를 데려와 심문해보았지만 두 사람 다 은행에 잠깐 현금을 찾으러 갔다든가 기계로 송금을 하였다고 진술한다. 그는 정문 CCTV에서 리노아가 가장 근접한 시간에 출입한 사실을 알고 그녀의 신병을 확보하러 사무실로 찾아간다. 하지만 여자가 없다. 그녀는 장기휴가를 내고 아직도 나오지 않는다는 것이다.

고이즈미 형사는 리노아에 대하여 강력하게 혐의점을 두고 그녀의 행방을 찾으려 전국에 수배한다. 그리고 그녀에 대한 모든 기록을 찾아내도록 부하 형사들에게 지시한다. 형사들은 사무실에 남아있는 모든 서류와 물품을 압수한다. 또 한편으로, 출입국 관리소에 해외 출입 현황을 문의한다. 문의한 후 몇 시간 만에 출입국 관리소에서 답변이 온다. 리노아는 사건이 일어났던 날, 즉 기무라가 행방불명된 날 저녁 이전 오후에 홍콩에어라인을 이용해 홍콩으로 출국했다는 것이다. 고이즈미는 고개를 갸우뚱한다. 그렇다면 그녀는 적어도 기무라를 직접 살해한 명단에서 일단 제외할 수밖에 없다. 그렇지만 여자가 데라우치를 이용하여 비밀을 빼돌려서 무엇인가 큰일을 획책하고 있었다는 것을 배제할 수 없고, 오히려 다급하기 때문에 도피행각을 벌이고 있는 것으로 추정해본다.

고이즈미 형사는 이 대목에서 딜레마에 빠진다. 몇 가지 의문이 생긴 것이다. 여자는 왜 갑자기 홍콩으로 떠나갔을까? 그 여자가 기무라를 납치하거나 살해하고 홍콩으로 가지는 않았지만, 기무라를 죽이라고 사주하고 도피하였을 가능성도 있다. 만약 여자가 비밀을 빼돌리게 만든 진범이라면 행정실에서 10여 년을 착실히 근무하였다던데, 연구 결과를 빼돌려 무엇을 하려고 그랬을까? 그 여자와 데라우치와의 관계는 무엇이었을까? 여자가 홍콩으로 가서 누구한테 연구 결과를 전하려고 갔을까? 아니면 수사망이 좁혀오니까 단순히 도피를 벌인 것일까? 이러한 의문점을 해결하려 유치장에 있는 데라우치를 찾아간다.

"데라우치, 우리는 당신이 한 짓을 다 알고 있소. 그러니 잠자코 진실을 말하시오."

"다 안다고 하면서 왜 나에게 물어보시오? 난 지금부터 묵비권을 행사합니다. 변호사도 오지 않고 불법으로 나를 이렇게 가둬놓고 있으니 난 당신하고 할 말이 없소이다."

"리노아, 이 여자가 당신하고 자주 만났다고 말하였소. 그리고 당신이 준 USB를 복사하여 소지하고 있었소. 이 여자, 당신하고 무슨 관계요?"

그는 리노아가 언급되니 속으로 찔끔했지만 묵비권을 행사한다.

"리노아가 당신에게 연구 결과를 복사하여 가져오면 돈을 준다고 하였소. 돈을 얼마나 받았습니까?"

"……"

"데라우치! 그 여자 이제 수일 내에 잡힐 것이오."

데라우치는 속이 탄다. 그녀가 만약 잡혀오고 모든 것을 불어버리면 어떻게 할지 여러 가지로 생각해본다. 그녀가 데라우치와 대면하여 그를 곤란한 지경으로 유도한다고 하더라도, 자신의 은행 비밀계좌만 이야기하지 않는다면 모두 유도심문일 것이다. 그러니 그녀가 모든 것을 말하지 않은 것으로 인식해도 되리라는 생각이 든다. 돈이 오간 것이 아니면 비록 그녀가 USB를 소지하였다고 하더라도 누설죄가 약해진다. 그녀도 연구소 직원이니 연구 결과를 알아도 큰 죄는 아니기 때문이다. 단지 비밀취급 이외의 사람이 접근하여 소지한 죄, 공무상 비밀 누설죄만 해당되어 아주 가벼운 형량만을 받게 될 것이다. '그렇다! 은행계좌를 들이대지 않는 한 나는 모든 것을 거부하고 부정하여야 한다. 그들의 유도심문에 절대 넘어가서는 안 된다.'

한편, 경찰은 인터폴에 연락하여 리노아의 신병을 확보해달라고 요청한다. 인터폴은 몇 주가 지나서야 홍콩 경찰의 답을 받는다. 홍콩 경찰은 리노아에 대하여 확실한 살인이나 여타 범죄 혐의점이 없기 때문에 응할 수 없다고 했다. 이에 일본 경찰은 단독으로 리노아를 추적하려고 홍콩에 형사를 급파한다. 그러나 리노아는 이미 홍콩을 떠나 뉴질랜드 어느 별장에서 한가로이 남태평양의 노을을 쳐다보며 즐기고 있다.

일본 경찰은 리노아의 계좌와 앞서 압류한 데라우치의 모든 계좌를 샅샅이 살펴본다. 그러나 두 사람의 계좌 어디에도 뭉칫돈이 오간 흔적 등 두 사람 간의 거래가 발견되지 않는다. 두 사람 간의 돈거래는 없었다는 것이 증명되었고, 제3자 역시 뭉칫돈을 보낸 적이 없다. 그러므로 제3자를 통한 비밀 누출에 대한 대가성 여부를 확신할 수 없는 처지가 된다. 또한 리노아의 사무실 모든 비품과 컴퓨터를 분석한 결과와, 통신 회사에 긴급히 의뢰한 리노아의 전화 통화 기록에서도 데라우치와의 어떠한 교류 사실도 찾아낼 수 없다.

한편, 국과수에 의뢰한 데라우치의 차에서 찾아낸 여러 머리카락들 중에 기무라의 것이 전혀 발견되지 않는다. 즉 기무라가 데라우치의 차에 타지 않았다는 것이고, 데라우치가 자신의 차로 납치하지 않았다는 개연성을 의미한다. 그렇다면 다른 차를 이용할 수 있지 않았을까? 그래서 모든 렌터카 회사에 장기 렌트 혹은 당일이나 전후 하루 이틀 동안 데라우치의 이름과 전화번호를 찾아보았으나 전혀 발견되지 않는다. 그리고 모든 전화 통화를 분석하고 들어보아도 어떠한 혐의점을 찾아볼 수 없다.

그래서 마지막으로 기무라 집 부근의 CCTV를 집중적으로 확인한다. 이면도로의 작은 길엔 CCTV가 장착되지 않았고, 주변의 큰길에 설치된 것을 확인하니 도무지 판단을 내릴 수 없다. 설상가상으로 퇴근시간 이후라 너무나 많은 차량들이 왕래하여 어떤 한 대를 특정 지을 수 없다. 그리고 기무라 집 부근의 CCTV에 잡힌 차와 지타 군의 도로에서 잡힌 CCTV 속의 차량 비교가 거의 불가능한 상태이다. 너무나 많은 차량이 그 시간대에 통행하기 때문에 같은 차를 찾아내는 것은 거의 불가능한 일이다.

마지막으로 '목격자를 찾는다'는 현수막을 기무라의 집 부근과 사체가 발견된 지점의 이곳저곳에 여러 개를 설치해보지만 한 달이 넘도록 신고가 없다.

한편, 경찰은 데라우치의 변호사가 오고 데라우치가 묵비권을 행사한 관계로 수사에 별로 도움이 되지 않는다고 판단하여 일단은 석방시킨다. 그런 후에 그의 행동을 감시한다. 데라우치는 연구소에 누를 끼쳤다며 사표를 내고 얼마간 휴식을 취한 다음에 다른 직업을 찾아보기로 한다. 그러고 나서 자신의 고향인 교토 북쪽의 후쿠이현으로 간다. 고향에는 아직 노부모가 있으니 적적하지 않을 것이며, 노부모를 자신이 직접 봉양하겠다고 생각한다. 수사관인 고이즈미 형사에게 자신의 향방을 이야기해주고 더 이상 자신을 괴롭히지 말기를 바란다며 직접 차를 몰고 고향으로 떠난다. 경찰은 뾰족한 대책이 없다. 알아서 하라고 답변하며 순순히 놓아줄 수밖에 없다. 더군다나 자신의 행적을 이야기하기 때문에 더 이상 그를 잡아놓을 명목이 없어진다.

신 청정에너지

한국 국정원장실 / 과학연구원

나고야 지부장이 국정원장에게 직접 대면 보고를 한다. 대면보고 자리에서 각 차장과 국장이 배석한다.

"지금까지 N-2가 성실히 임무를 수행하여 우리가 목표로 한 정보를 가져왔습니다. 지금 N-2는 홍콩 안가에서 피신 중이며 연구소의 분위기를 보아 귀국시키거나 아니면 영구히 일본을 탈출하여 제3국에서 살도록 할 예정입니다."

"오호 수고 많았소. 한번 볼까요?"

지부장은 USB를 국장 비서에게 주었고 비서는 컴퓨터에 USB를 넣고 열어본다. 한자로 '原石 分析の 研究結果'(원석 분석의 연구 결과)라고 적힌 제목을 보자 모두들 침을 삼키며 무엇이 나올까 주시한다. 그런데 열어보니 모두 한자와 일본어로 작성된 문서다. 백여 쪽이나 되는 장문의 보고서다. 모두 과학자와 번역가들이 협력하여 한국어로의 번역이 필요하다고 생각한다.

"사실 제목만 한자이지 모두 일본어로 되어 있으니 전문가를 통하여 번역하고 문서의 요점만 뽑아내어 대통령께 보고할 수 있도록 준비를 해야겠어요. 1차장이 중심이 되어 과학 연구소와 우리 핵 연구소에 의뢰하여 신속히 번역하고 그 결과를 요약하도록 협조해야 되겠소. 물론 이 자료는 극비를 유지해야 합니다. 그리고요, 우리가 목표로 한 모든 정보를 얻었으니 지금 진행하고 있는 모든 작전을 이 상태에서 종료하도록 하세요. 그리고 지금까지 각 지부에서 얻어낸 정보를 종합하여 이 USB 연구 결과와 비교 분석을 해주시기 바랍니다."

"알겠습니다. 그렇게 하겠습니다. 이 시간 이후 중지명령을 내리고, 여러 첩보 자료를 종합하고 비교 분석하겠습니다."

"에– 지금까지 확신을 할 정보는 아니지만 중간보고가 여러 건 왔습니다. 오사카 제1팀 0-2는 새로운 원소가 발견되어 그 원소의 성분까지 알아내었습니다. 그리고 오사카 유학 팀에서도 이 원소가 방사능이 아주 적고 반감기가 5년 정도인 점을 알아내어 보고하였습니다. 또한 도쿄의 T-1 욘사마 팀은 이 원석이 울릉도와 독도 사이에서 발견되었고, 일본의 탐사선이 심해저 바닥에서 건져 올렸다는 것을 알아내어 중간보고를 하였습니다.

모두들 합심하여 오늘 우리가 종합판을 확보하였으니 우리는 완벽하게 임무를 완수하였습니다. 원장으로서 모든 분께 감사드리며, 특히 현장에서 자기희생과 위험을 감수하고 임무를 완수한 행동대원들의 노고에 대하여 깊이 치하합니다."

이어서 오사카 지부장이 들어와 보고한다. 그는 유학생 함시황과 연인 사이면서 오사카 XX 대학 핵 연구소의 연구원인 '미우'라는 여성에 대하여 이야기한다.

"우리 오사카 지부에서는 함시황과 미우에게서 많은 정보를 얻어냈습니다. 함시황이 박사학위를 받고 들어오면 국내 XX 핵 연구소에 취업이 되도록 주선해주십사 요청합니다. 이미 그런 약속을 하였으며, 이번 우리의 연구에도 참여하면 크게 도움이 될 것으로 생각합니다. 그리고 미우라는 여성은 직접 원석 연구에 참석하고 결과 보고서를 만든 연구원 중 하나입니다. 특히 각 분야 연구 결과를 종합하고 수상에게 보고서를 만드는 역할을 일부 담당하였으므로 이 연구에 해박한 지식을 갖고 있습니다. 그래서 그녀를 우리 핵 연구소에서 함시황과 함께 독도에서 채취해올 원석을 분석하는 작업에 참여시키고 주도적으로 임무를 수행하도록 하면 어떻겠습니까?"

"아하 그거 좋은 생각입니다만. 그럼 그 여성이 한국으로 귀화하겠다는 이야기인가요?

"그렇습니다. 자신은 연인을 따라 한국으로 와서 살겠으며, 이번 연구에 참여하여 많은 정보를 가지고 있고 연구 결과를 복사하여 들여올 수 있다고 합니다. 그리고 연구 결과에 대하여 직접 설명할 수 있도록 여러 가지 이해 못하는 분야도 미리 공부하였다고 합니다. 그러니까 우리는 미우를 스카우트하고 그녀의 지식을 이용하여 해저에서 건져 올린 원석을 분석하고 이용 방안에 대하여 연구하면, 일본이 2년여 걸려서 수행한 연구를 우리는 불과 몇 개월이면 이루어낼 수 있을 것으로 생각합니다."

"그거 좋은 생각입니다. 함시황과 미우에게 우리가 XX 핵 연구소에 자리를 마련할 것이니 그동안 많은 정보를 가지고 와달라고 비밀히 부탁드리는 것이 좋겠습니다. 그리고 제3차장은 미우가 요청할 시 외교부에서 바로 영구비자를 내주고 귀화를 허락하도록 협조문을 보내시기 바랍니다."

"알겠습니다. 제가 XX 핵 연구소에 연구직을 만들도록 하고 외교부에 협조문을 보내겠습니다."

한편, 과학 연구소에서는 장문의 문서에서 주요 보고 부분을 번역하고 나니 결과가 놀라워서 번역에 관여한 모든 과학자들의 입이 다물어지지 않는다. 과학자들은 대통령에게 보고하기 위한 문서를 두 장으로 압축하여 작성한다. 문서의 요지는 다음과 같다.

1. 원석 채취 장소/분포

   울릉도와 독도의 중간 수역 해저, 독도 반경 12마일(20킬로미터) 내에 울릉도 쪽으로 치우쳐진 수역에 집중적으로 분포. 특히 독도를 중심으로 북서쪽과 울릉도 사이에 대량으로 존재.

2. 원석의 주성분

   현재 118개의 원소가 발견되었지만 이번에 발견된 물질은 자연계에 실존하는 새로운 물질로, FRxx(Extreme Unknown Future, Resource)로 명명함. 원석에는 FRxx가 자연 상태로 존재하고 있으며, 함유량은 대략 2%로 정도임. 이 원석에는 FRxx 외에도 우라늄 등의 여러 광석이 함유되어 있으며, 필요시 우라늄만 추출하여 농축해도 경제성이 있을 정도임.

3. 주성분 FRxx의 성질

   FRxx는 핵분열을 할 수 있는 물질로, 우라늄 235나 236, 238처럼 고농도로 농축하여 여기에 중성자를 쏘아주면 핵분열을 일으킴. FRxx는 우라늄과 유사하게 5% 정도의 저농도로 농축하여도 핵분열을 함. FRxx는 핵분열 후 방사능보다 열을 더 많이 방출함. 방출 열은 우라늄의 10배이며 방사능은 500분의 1로, 우라늄에 비하여 극히 미소한 양의 방사능만 방출함.

4. FRxx의 방사능 반감기

   순도 98% 이상 우라늄은 7억 380만 년인 반면에 FRxx의 반감기는 5년임. 참고로 현재 원자로에서 사용되고 있는 우라늄 원료봉은 3~5% 정도로 농축되어 있으며 반감기는 약 10만 년임. FRxx가 핵분열 후 방사능 총량이 절반으로 줄어드는 시간이 5년으로, 만약 FRxx를 발전용으로 핵분열 시킨 후 핵 쓰레기는 약 35년이 지나면 모든 방사능이 소멸되고, 자연 상태의 토양이나 새로운 금속으로 변함. 변하는 금속의 속성은 실제 반감기가 끝난 후 다시 분석해봐야 알 것임.

   현재와 같은 추세로 우라늄을 이용한 원자력 발전을 한다면 방사능이 없어지기를 기다리는 영구한 세월 동안 나라 곳곳에는 방폐장이 환경오염의 주범이 될 것이며, 이에 대한 항구적 대책이 없다는 것이 문제가 됨. 하지만 FRxx는 모든 문제를 해결할 수 있는 천혜의 금속이며 자원임.

5. FRxx의 매장량 추정

독도와 울릉도 두 섬에서 번갈아 여러 번에 걸친 화산폭발과 그 영향으로 독특한 광물질이 생성된 것으로 추정하며, 화산폭발에 의하여 생성되었기 때문에 특정지역에서만 볼 수 있는 자원으로, 대략 화산 규모로 판단하면 최장 1,000년 정도 채취하여 이용할 수 있는 매장량이라고 추정함.

6. FRxx의 이용

현재 전 인류가 다투어 사용하고 있는 핵 발전에 FRxx를 사용한다면 방사능 누출이란 엄청난 재앙을 가져오는 사고의 위험 없이 핵 발전을 할 수 있을 것으로 판단됨.

7. FRxx 이용 핵 발전 시 이점

(1) 깨끗한 연료로 발전 가능.

(2) 소량의 방사능만 나오기 때문에 발전소가 지진이나 해일에 파괴된다고 하더라도 과거 일본의 후쿠시마 원전처럼 재앙이 오지 않을 것임.

(3) 소수의 방폐장을 운용하여도 핵 쓰레기 처리에 문제없음. 반감기가 적기 때문에 기존의 쓰레기를 해제하고 35년 후에는 현 방폐장을 새롭게 발생한 핵 쓰레기를 다시 처리하는 데 이용할 수 있음.

(4) 열량이 많아 적은 양을 사용해도 큰 전력을 생산할 수 있음.

(5) 오염의 범위가 아주 제한적임.

8. FRxx의 이용

(1) 핵발전소에서 우라늄 대신 사용 가능.

(2) 지진이 많은 지역이나 주민 밀집 지역에서도 발전 가능.

(3) 의학 분야나 모든 방사선이 사용되는 분야에 활용 가능.

(4) 소량으로도 핵분열이 가능하여 원자로의 소형화가 가능함: 소형원자로를 항공기 등 교통기관에 사용하여 자체 동력으로 활용 가능함.

(5) 지구의 대기오염을 현격히 줄일 수 있음.

대통령 집무실

대통령의 집무실에는 비서실장, 국정원장과 국가안보수석, 국방부·외교부·과학부·해양부 장관 등 국가안보를 책임지는 주요 인사들이 자리 잡고 있다. 이 자리에는 과학부의 핵분야 전문가 두 명과 물리과학자 한 명이 보고하고 있다. 이번 대통령에 대한 특별보고는 일본 내에서 한국의 정보원들이 죽기 살기로 각고의 노력 끝에 수집한 첩보를 종합하여 이루어낸 것이다. 이 특별보고는 일본 과학자들이 연구한 결과를 일본 수상에게 보고하기도 전에 한국의 대통령이 먼저 보고받는다. 대통령이 앉을 탁자 앞에는 연구 결과를 복사한 A4 사이즈의 원문과 두 장의 유인물이 놓여 있다. 대통령이 들어와 의자에 앉자마자 먼저 분량이 두꺼운 원문을 들춰본다. 그리고 요약본 두 장을 읽는다.

"내가 먼저 이 두 장을 좀 읽어본 뒤에 설명을 해주십시오."

대통령은 보고서를 꼼꼼히 읽어 내려간다.

"다 읽었으니 설명해주시기 바랍니다."

과학자는 요약본을 한 구절 한 구절 설명해나간다. 설명을 다 듣고 난 대통령이 여러 가지를 질문한다.

"일본이 우리 해역에서 원석을 건져 올린 것이 확실한가요?"

국방부장관이 답변한다.

"네, 그렇습니다. 이미 보고 드렸듯이 일본은 지난봄에 심해 잠수정과 첨단 로봇을 동원하여 해저 2,000~3,000미터나 되는 독도 인근을 탐색한 것이 우리들의 방공망과 TSCCS(Target Search & Contact, Capture System: 테즈)라 부르는 탐지 체제에 포착된 것입니다."

"우리의 심해 탐색 능력과 광산 개발 능력은 어떻습니까?"

해양부장관이 답변한다.

"아, 예! 지금까지 아직 완벽한 수준은 아닙니다. 현재 기술 수준으로 해저 3,500미터까지 가능하여 심해 탐색 능력은 어느 정도 갖추어졌다고 생각합니다. 하지만 그 깊이에서 작업을 할 수 있는 능력은 제한됩니다. 예를 들어 로봇이 바위를 폭발시킨다든지 뚫는 작업은 아직 능력이 되지 않고, 해저에 있는 물체만 집어 올릴 수 있는 정도의 능력만 있습니다."

"그럼 하이드레이트처럼 해저 바닥에서 주워 올리는 정도라는 것이지요?"

"예, 그렇습니다. 그런데 만약 어느 지역 일대에서 원석이 발견되면 원유 채취처럼 채취선을 만들고 바위에 구멍을 내어 원석을 분리하고, 분리된 원석을 건져 올리는 방법이 현재로서는 가장 그럴듯한 방법이 될 수 있겠습니다."

"그거 잘하면 신속한 기술개발이 진행될 수 있겠네요. 지금 우리 핵 연구소는 이 원석에 관한 연구가 진행되고 있나요? 어떠한 수준이지요?"

과학부장관이 답변한다.

"예, 지난 가을부터 원석 채취를 시작하고 있습니다. 아직 정확한 위치를 모르기 때문에 군과 국정원에서 준 정보에 의하여 일본이 탐색하고 건져 올린 지역을 중심으로 찾고 있는 중입니다. 사실 수많은 돌덩어리가 있는데 어떠한 것을 건져 올려야 할지 아직 난감한 상태입니다. 이 자리를 빌려 정보관련 부서에서는 어떤 형태나 색깔의 원석을 건져 올리면 되는지 알아내주셨으면 합니다."

"그러니까 아직 시작도 못하고 있군요."

"그렇습니다. 원석이 있어야 진행될 수 있기 때문입니다."

"지난번 일본에서 복사해온 USB에 그런 내용이 있습니까?"

"아직 파악이 되지 않고 있습니다. 정밀하게 번역을 해야 하니까요."

"관련 정보 부서에서는 첩보도 확실하게 추적하여 해양수산부에 알려주시기 바랍니다. 그리고 이 금속이 종래의 핵연료인 우라늄을 대체할 수 있다는데, 현재 가동 중인 시설을 이용하여 전기를 생산할 수 있다는 것입니까?"

"지금 일본에서 파악한 첩보에 의하면 그게 가능하다는 의견입니다. 다만 같은 핵분열을 하는 데 발생하는 열의 발생량과 핵연료에 전자를 얼마나 충돌시키는가 하는 양의 문제입니다. 예를 들어 이번 정보에 의하면 열 배의 열이 더 발생한다는 것으로 되어 있는데, 만약 지금의 원자로를 쓴다면 원자로가 녹아내릴 수 있습니다. 그렇게 되면 방사능이 유출될 가능성도 많습니다. 그러니까 여러 가지를 고려하여 새로운 원자로를 개발해야 할 것으로 생각합니다."

"기간이 많이 소요되겠지요?"

"일본은 몇 년 안에 가능하겠지만 우리는 적어도 10년은 더 가야 할 것 같습니다."

"미래의 에너지로 각광을 받는다는데 그럼 발전 이외에 소형 개발이 가능합니까?"

"예, 역시 양이 문제입니다. 즉 얼마나 농축된 소량의 시료를 가지고도 핵분열이 가능한가에 따라 달려있습니다. 만약 한 주먹의 시료로 핵분열이 가능하다면 부대시설도 소형화할 수 있습니다. 현재 제 생각에는 기차나 비행기 정도에서 사용할 수 있는 크기로 소형화할 수 있지 않을까 생각합니다."

"내가 알기로도 지금 몇 개의 방폐장이 폐기물로 들어찰 대로 차 있고 이제 더 이상 집어넣을 수도 없다는데, 앞으로 방폐장을 어느 정도 건설해야 하고 어떠한 방식으로 운영해야 합니까?"

"예, 그렇습니다. 몇 군데에 방폐장을 만들었습니다만 앞으로 10년 후면 더 이상 저장할 수 없습니다. 그래서 1~2년 안에 새로운 방폐장 건설을 계획하고 3~4년 후에는 착공에 들어가야 합니다."

"반감기가 적으면 방폐장 건설이 더 이상 필요 없다는 것인가요? 아니면 적게 건설해도 된다는 것인가요?"

"아무리 반감기가 적어도 방사능이 완전히 없어지려면 적어도 40년은 방폐장에 보관하여야 합니다. 그러니 새로운 방폐장 건설은 지속되어야 합니다. 좀 더 자세히 말씀드리자면 핵분열 연료의 반감기에 따라 달라집니다. 반감기란 방사능 양이 절반으로 줄어드는 기간입니다. 즉 첫 반감기에 2분의 1로 감소하고, 또 한 번 반감기가 지나면 이번에는 4분의 1로, 다음에는 8분의 1, 즉 2의 N분의 1씩 줄어듭니다.

이렇게 줄어든 결과 수치가 0.09 이하가 되면 자연 상태가 된 것이라고 정의합니다. 0.09면 128분의 1 상태가 될 때를 말하는데, 7주기가 지나면 이런 상태가 됩니다. 이번에 발견된 원소의 주기가 5년이라고 하는데, 5년을 일곱 번 되풀이하여 그 시간이 경과되면 방사능은 0.09 이하로 감소하게 됩니다. 그러니까 5년을 일곱 번 되풀이한 35년이면 방사능이 제로에 가깝게 소멸됩니다.

따라서 이 새로운 원소를 핵연료로 사용하여 발전한다고 해도, 방사능이 완전히 없어질 때까지 발생하는 핵폐기물을 방폐장에 최소한 35년은 보관하여야 합니다. 그러니 방폐장은 계속 건설되어야 합니다. 다만 보관주기가 짧아 35년 후면 그동안 보관하였던 폐기물을 자연화하고 그 자리에 다른 폐기물을 보관하는 것이 가능합니다."

"우라늄의 반감기는 7억 380만 년이라고 쓰여 있던데, 그럼 우라늄의 방사능은 영원히 없어지지 않는다는 말이지요?"

"예, 그렇습니다. 사실 인간의 입장에서 보면 기간이 없는 것이나 다름없습니다. 참고로, 현재 사용 중인 3~5퍼센트로 농축된 연료봉도 반감기가 10만 년이 넘는데 인간의 입장에서는 영원하다고 말할 수 있겠습니다."

"그래서 인류가 핵 발전의 의존에서 탈피해야 하는 당위성이 생기는 것입니다."

"그렇군요. 우리는 오래전부터 핵 의존도를 줄이고 있지만 이제 방폐장을 더 이상 만들 수 없을 상황까지 도달하였습니다그려! 우리는 후손들에게 더욱 깨끗한 환경을 물려줄 의무가 있으니 이번 연구에 사활을 걸어야겠군요. 그런데 방사능이 적다고 지진 대비를 안 해도 될까요?"

"제가 생각할 때는 그렇지 않습니다, 방사능이 적게 나온다고 하더라도 방사능이 발생하고 있는 것은 사실이니까, 현재처럼 지진이나 해일 등 자연재난에 철저히 대비하여야겠습니다."

"현재 생산되고 있는 하이드레이트 에너지와의 관계는 어떻게 됩니까?"

"하이드레이트는 유한한 자원입니다. 동해에 많이 깔려있다고 해도 몇십 년 주워서 사용하면 곧 고갈될 것입니다. 반드시 이번 같은 대체 에너지가 개발되어야 합니다."

"그렇겠지요. 그러니까 독도가 우리의 알짜 보물섬이 되는 셈이지요."

"그렇습니다. 우리의 보물섬을 지켜내야 합니다."

"지난번 지시한 독도 요새화는 어떻게 진행되고 있습니까?"

국방부장관이 대답한다.

"내년 3월이면 모든 것이 완비됩니다. 부대 배치와 첨단 무기 배치가 비밀리에 완료되면 어떠한 침략에도 지켜낼 수 있습니다."

"좋아요. 계속 계획대로 추진하시지요."

"그럼 이번 발견이 보고서와 같이 획기적인 에너지라면 일본의 반응은 어떠하고 어떻게 조치하리라 생각합니까?"

외교부장관이 답변한다.

"현재 매장량을 추측할 수는 없지만 일본으로서는 사활이 걸린 문제라고 생각합니다. 그동안 일본도 탈 원전을 외치며 여러 가지 대체 에너지 정책을 시행하여 왔지만 저렴한 신에너지를 가지지 못하였습니다. 따라서 이번 연구와 매장량이 확정되어 경제성이 있다고 판단하면 물불을 가리지 않을 것입니다. 일본의 아킬레스건이 바로 핵이라는 점에서 탈핵은 일본의 정신을 되살리는 계기가 될 것으로 생각하여 전력투구할 것입니다."

"그렇지요! 일본이 그 에너지를 그냥 한국 것으로 놔둘 리가 있겠습니까? 과거의 전례를 보면 뭔가 큰 꿍꿍이를 만들겠지요? 그렇게 좋은 청량 에너지를 어떠한 수단과 방법을 통해서라도 확보하려고 시도할 것입니다. 그렇다면 일본이 앞으로 어떠한 전략으로 나올 것 같습니까?"

"첫 번째 가능성은, 현재 일본은 독도를 우리에게 실효적으로 점령당하고 있지만 한일비밀협약에 의하면 자신들도 자국의 영토라고 주장할 수 있습니다. 그러므로 자신들의 영토라고 주장하면서 막무가내로 그에 부합된 행동을 수행할 가능성이 있습니다. 즉 모든 자원에 대한 탐색과 실제 측량 그리고 자원의 채굴을 정당화할 것입니다.

두 번째는 비밀 협약에 의거하여 자국의 영토이므로 자국도 경비를 해야 한다는 논리하에 독도를 침략, 점령하는 것입니다.

세 번째는 그동안 그들은 다케시마(죽도)라 하여 자신들의 지도에 편입시키며 다케시마의 날 행사를 하고 방위백서에 넣고 교과서에 실었습니다. 그들은 또한 국가의 부를 이용하고 막대한 자금을 투자하여 세계 여러 나라의 지도에서 독도를 자국의 영토로, 동해를 일본해로 못 박아 왔습니다. 어릴 때부터 자국의 영토라고 인지하고 있는 지금의 정책 입안자들은 왜 한국이 독도를 점령하고 있는지 이해가 되지 않는다고 국제사법재판소에 제소할 가능성이 있습니다.

네 번째는 일본이 타협을 청해오는 가능성입니다. 역시 서로 자국의 영토라고 주장할 수 있는 협약을 근거로 일본도 자국의 영토에서 이익을 보는 것은 당연하기 때문에 자국의 이익을 강조하다가 공동 이익을 위하여 타협안을 제시할 수도 있습니다."

"만약 국제사법재판소에 제소를 하면 어떻게 하지요?"

"일단 우리는 국제사법재판에 임하여야 합니다. 종래에는 우리가 힘이 없어서 재판으로 가면 일본의 엄청난 로비에 밀려 불리한 판정이 내려질 가능성 때문에 그동안 기피 전략을 사용하였습니다. 하지만 이제 우리의 국력도 일본에 뒤지지 않고 여러 나라가 우호적으로 움직이고 있습니다. 따라서 국제사법재판소를 역이용하면 의외의 결과를 가져올 수도 있습니다. 타국이 지지하는지, 국제사법재판소가 우호적인지를 미리 잘 판단하여 응하면 될 것으로 생각합니다. 특히 중국과 러시아를 움직이면 좋은 결과를 가져올 수 있을 것입니다. 왜냐하면 양국도 일본과 도서 영토분쟁을 아직 겪고 있기 때문입니다."

"만약에 일본이 독도를 침범하여 강제 점령하고 자신들의 영토에 병합해버리면 우리는 어떻게 해야 하나요?"

"그러기 전에 우리가 대비하여야 합니다. 힘을 더 길러야 합니다. 힘이 있어야 외교도 됩니다. 그리고 군사적 방어 능력을 갖추고 조용히 기습에 대비하고 기다려야 합니다."

"우리가 충분히 방어할 수 있는 능력이 있습니까?"

"예, 지금까지 보고한 정도로 준비하면 방어 입장에서는 충분하다고 단언합니다."

"만약 일본이 공동 자원개발을 제안하면 우리는 어떻게 대처하지요?"

"그때는 일본의 제안 조건에 따라 달라져야 합니다."

"제안 조건을 어느 정도 수용하면 될까요?"

"자원은 우리 것이니 일본이 100퍼센트 투자하여 개발하도록 하고 수익 등 수혜는 7대 3으로 해야 한다고 생각합니다. 우리가 7입니다. 최대한 65대 35까지는 양보가 가능하다고 생각합니다."

"지금 일본의 의도를 파악할 정보망은 있는가요?"

"솔직히 이번 특수 정보망은 연구 결과를 파악하기 위하여 만든 것입니다. 물론 기존의 정보원을 활용하였지만 앞으로 일본 정부의 움직임을 추가로 판단하기 위하여 별도의 조직이나 정보원 투입이 필요합니다."

"국정원에서는 이미 준비하고 있고 실행하고 있겠지요?"

"예, 이미 일본의 행정부와 군에 침투준비를 하고 있습니다."

"일본이 독도를 침범할 때 국제 세계에 일본 침략의 부당성을 알리고 그들이 저절로 물러가게 할 외교적 해법도 찾아야 합니다. 그렇지요?"

"예. 만약 일본이 침략을 개시한다든가 혹은 임박하였다면 미리 일본 정부에 침략의도를 그만두도록 강력히 경고하고, 그러한 상황을 유엔 안보리에 알리어 단념하도록 막는 것이 1차적으로 취하여야 할 조치라 생각합니다."

"외교부에서는 이러한 점을 감안하여 어떻게 대처할지 미리 대책을 마련해놓도록 하세요."

"예, 잘 알겠습니다. 앞의 네 가지 경우에 대하여 대응 전략을 각 관련 부서와 함께 마련하겠습니다."

"다시 원석 문제로 돌아가서 우리가 그 원석을 채취하여 FRxx를 추출하고 이것을 에너지화할 방법을 모색해야 합니다. 내가 생각할 때 핵 연구소에서 원석을 연구하여 실용화할 수 있는 연구부를 별도로 만들어 전담시켜야겠어요."

"예, 알겠습니다. 특수 연구팀을 결성하여 단기간 내에 일본의 연구 수준 이상으로 올리겠습니다. 다행스럽게 아주 좋은 자원을 확보할 가능성이 있습니다. 현재 오사카의 XX 대학교에서 박사학위를 받은 한 유학생이 이번 연구에 직접 참여하지는 않았지만 지대한 관심을 가지고 정보를 파악하여 우리에게 넘겨주었습니다. 그 학생이 귀국하여 이번 연구에 참여할 예정이고, 더욱 고무적인 것은 같은 연구소에서 이번 원석 분석에 참여한 여성 연구원이 한국으로 들어올 가능성이 많습니다. 두 사람은 연인으로 여성 연구원은 귀화도 마다하지 않겠다는 각오입니다. 그 두 과학자가 이번 프로젝트에 참여하면 연구는 빠른 시간 내에 이루어져 가시적인 성과를 낼 가능성도 많아졌습니다."

"아하! 그렇습니까? 그런 좋은 인적자원이 있다니 참으로 다행입니다. 모든 관련 부서는 두 사람의 귀국과 귀화 그리고 연구 활동을 하는 데 전혀 지장이 없도록 특별히 조치를 취해주시기 바랍니다. 그리고 이번 연구에 대해 모든 역량을 집중하고, 예산도 적극적으로 조기에 투입하기 바랍니다. 또한 군에서는 앞에서 말씀드렸듯이 국지전이 벌어졌을 때 대응전략, 그리고 어떻게 방어할 것인가를 다시 확인하고 미비점을 보완하여 완벽을 기하시기 바랍니다."

일본 수상 집무실

좀처럼 오지 않는 눈이 도쿄에 휘날린다. 눈보라는 일본 서해상에서 형성되어 강한 서풍을 타고 일본 서쪽 주부지역과 분리하고 있는 높은 산을 넘어 도쿄에까지 몰아치고 있다. 거의 10년 만에 관동지역에 눈이 내리는 것이다. 지구 온난화에 이제는 눈을 보기 어려운 지역이 되었는가 싶었는데 뜻하지 않게 눈이 내린다. 날이 차가워서 그런지 내린 눈이 녹지도 않고 쌓인다. 이렇게 되면 교통대란이 온다. 원체 눈이 내리지 않는 지역이라 제설작업을 할 수 있는 장비가 태부족이어서 쌓이는 눈이 녹기만을 그냥 기다릴 수밖에 없다.

오늘은 수상 집무실에서 그동안 원석에 대한 연구 결과를 종합하여 보고하는 날이다. 문부과학대신을 비롯하여 관련 각료들이 긴 회의 탁자를 앞에 두고 앉아 수상이 나오기를 기다린다. 각료들 앞에는 유인물이 놓여 있고, 겉표지에는 '극비'(極秘)라고 새겨진 빨간 도장이 큼지막하게 찍혀 있다. 각료들은 수상이 오기 전에 미리 유인물을 들춰본다.

이윽고 수상이 들어온다는 비서실장의 말에 모든 각료가 일제히 의자에서 일어선다. 수상은 좌우를 휘둘러보며 만면에 웃음을 띠고는 한 손을 들어 흔들다가 모두 자리에 앉으라고 손짓한다. 수상이 자리에 앉자 각료 모두 의자에 앉는다. 이날은 정식 회의가 아니었기 때문에 국민의례는 생략한다. 문부과학성대신이 인사말을 하며 그동안의 경과를 한 장의 슬라이드를 이용하여 간단히 보고한다. 이어서 초도 연구 분석을 주도하고 각 핵 연구소의 보고서를 종합한 일본 핵 연구소장이 보고한다.

"안녕하십니까? 수상각하께 이번 연구에 대하여 보고를 드리게 되어 무한한 영광으로 생각합니다. 앞에 놓인 유인물을 보시면서 동일하게 만든 슬라이드를 이용하여 보고 드리겠습니다. 여기에 기록된 연구 결과는 한 구절 한 구절이 모두 중요하고 집약적으로 요약이 되었기 때문에 제가 한 문장 한 문장씩 읽어가면서 설명해드리겠습니다. 중간에 이해가 가지 않는 부분은 즉시 말씀하여주십시오."

연구 보고서 내용은 한국이 첩·정보를 이용하여 대통령에게 보고한 것과 유사하다. 핵 연구소장은 문구를 하나하나 읽어가면서 설명한다. 그렇게 20여 분을 읽으며 설명하고 나니 몇몇 대신이 질문한다. 먼저 외무상이 손을 들고 질문한다.

"그 원석이 꼭 다케시마에만 있는 것일까요? 내 생각에는 우리 일본 영해에도 존재할 것 같은 예감이 드는데요?"

"지금까지는 그렇습니다. 이제 발견 초기 단계니까요. 우리의 영해 대륙붕을 탐색해보면 동일한 원석을 찾아낼 수도 있으리라 생각합니다. 그래서 하이드레이트처럼 우리 영토에서 반드시 찾아내리라 확신합니다. 앞으로 좀 더 정밀한 고성능의 탐색 장비를 개발하고, 해저 탐색에 예산을 더욱 증액하여, 해양 산업을 육성해서 그런 자원을 찾아내도록 하여야겠습니다."

"그럼 다케시마 부근의 해저 지질 표본 조사는 이루어졌나요?"

"예, 그렇습니다. 원래 해양 물리 탐사란 인위적으로 발생시킨 음파나 여러 가지 파장을 가진 전자파를 해저지층에 조사(照査)하여 되돌아오는 내부 반사와 굴절을 감지, 기록합니다. 이때 중력이나 자력의 변화, 반사정도, 반사 양상 등을 측정 기록하여 해저지층의 구조를 해석하고 매장된 자원을 탐색하는 것입니다. 우리의 최신 해양 탐사선은 최신장비를 다케시마와 울릉도 해저에 투입하여 광범위한 탐사를 실행하였습니다. 또한 모든 반사파를 분석하여 정밀 지질도를 작성하기 위하여 분석하고 있습니다."

"핵 방사능이 우라늄의 500분의 1만 나왔다는데 그 정도면 인체에 미치는 영향은 어떤가요?"

"방사능 양이 적다고 하더라도 이것은 핵분열입니다. 그로 인하여 나오는 방사성양이 아무리 적다 하더라도 인체에 막대한 영향을 미칩니다. 예를 들어 우리가 의료 분야에서 CT나 엑스레이를 촬영할 때 아주 적은 양의 방사선에 노출되었을 경우에도 일정기간 여러 번 조사(照射)하게 되면 인체에 미치는 영향은 크므로, 연간 피폭 수치가 일정하게 제한되어 있습니다. 아주 미약한 방사능이 그러한데, 하물며 우라늄 핵분열의 500분의 1이라도 굉장한 양입니다. 이것을 직접 쬐면 역시 핵폭발에 직면해있는 것이나 다름없습니다. 그러나 양이 적은 만큼 소멸되는 시간도 짧아 우라늄보다는 상대적으로 안전하다고 말할 수 있습니다."

질문은 계속 이어진다. 각부 대신들이 경쟁이나 하듯이 물어본다.

"열량이 우라늄의 열 배라 하였는데 어떻게 측정한 것입니까?"

"그것은 같은 양 혹은 동일 무게를 핵분열했을 때 발생하는 열의 총량을 말하는 것입니다."

"그렇다면 핵분열을 할 때 같은 열을 내기 위하여 10분 1로 양을 줄일 때도 핵분열을 할 수 있는 것입니까?"

"임계량이라는 것이 있습니다. 어느 정도 이상의 질량이 되어야 핵반응을 일으킵니다. 그래서 핵분열 실험을 할 때는 이 임계 최소량으로 대부분 수행합니다."

"그러니까 적은 양을 핵분열하여 수십 배의 열을 확보할 수 있다는 것이지요? 또 소량이기 때문에 제어하기도 쉽고요?"

"그렇습니다. 현재로서는 우라늄의 10분의 1인 FRxx의 양을 가지고도 동등한 열을 얻을 수 있습니다."

"그렇다면 기존의 원자력 발전소 원자로를 이용하여 계속 발전할 수 있습니까?"

"아직은 명확한 답을 내기가 어렵습니다. 왜냐하면 핵분열과 제어 방식이 약간 다르기 때문에 앞으로 연구하여 밝혀내고 적용되어야 할 사안입니다."

"핵 원자로가 녹아내릴 가능성도 있었다는데 그럼 온도는 어느 정도 올라갑니까?"

"우라늄 수준보다는 조금 높게 올라갔습니다. 저희들이 임계량만을 가지고 실험을 하였고 원자로가 실제 녹아내리지는 않았지만, 그와 근사한 수치가 나왔으니 같은 양인 우라늄보다는 열 배 정도 열량이 더 나왔습니다."

"핵분열 임계량을 10분의 1로 줄였을 때 방사능은 〈1/500 × 1/10 = 1/5,000〉이라는 공식이 성립되는 것인가요?"

"10분의 1은 아니고 임계 무게로 계산해야 하니 7분의 1 수준인 3,500분의 1이라고 대략 말씀드릴 수 있습니다. 그래서 후쿠시마 원전 사고와 같은 폭발이 발생하더라도 광범위한 지역이 피폭되는 것이 아니고 범위도 아주 협소한 원자로 주변에 한정될 것으로 추정됩니다."

핵 연구소의 연구소장에게서 이런 답변이 나오니 모두가 박수를 치며 환호한다.

"원자로가 폭발하여 반경 200킬로미터 내에 엄청난 재난을 가져왔었는데, 그럼 여기에 3500분의 1이라는 공식을 지역 범위 산정에 대입하여 계산해도 되겠습니까?"

"예, 그렇습니다. 기존 원자로는 반경 200킬로미터에 피해를 주었지만 만약 FRxx라는 새로운 에너지를 사용하여 원자로를 운용하다가 방사능 누출사건이 발생한다면, 그 영향권이 200킬로미터의 3,500분의 1 즉 반경 58미터밖에 되지 않습니다. 그 정도 영향권 수치는 큰 건물 안에서만 방사능이 유출되는 것으로 해석할 수 있기 때문에 원자로가 있는 좁은 지역이나 장소만 피해를 입을 뿐입니다. 따라서 원자로 밖으로 누출만 방지하면 일반 주민과 생물에 전혀 피해가 없게 됩니다. 물론 이것은 산술적인 계산이지만 이럴 가능성과 개연성이 매우 큽니다. 비근한 예로 원자폭탄이 터진다고 해도 약 2주가 지나면 낙진이나 방사성의 피해는 거의 사라지는 것과 유사한 원리이기 때문이지요."

과학자의 답변에 모든 각료와 수상까지 자리에서 일어나 박수치고 환호한다. 옆 사람과 서로 부둥켜안거나 악수하기도 한다. 일본 각료들은 자신들의 분야가 아니더라도 핵분열에 대하여 이미 그 정도는 상식으로 알고 있다. 그들이 찾던 꿈의 물질이라고 생각했기 때문에 환호하는 것이다. 즉 원전의 방사능 위협에서 완전히 벗어난, 위험이 거의 없는 에너지를 손에 넣게 되었다는 것과 이제는 발 쭉 뻗고 살 수 있다는 생각에 박수갈채를 보낸다. 질문은 계속해서 이어진다.

"그렇다면 방사능의 종류와 핵분열 결과 나오는 부산물은 우라늄과 다릅니까 아니면 같습니까?"

"부산물이 나오는 것은 핵분열이니까 유사하다고 보면 되겠습니다만 종류는 완전히 다릅니다. 왜냐하면 우라늄과 FRxx의 원자량 자체가 달라 생성되는 물질의 원자량이나 전자의 수가 다른 전혀 새로운 미지의 물질이기 때문입니다. 지금 별도로 형성된 새로운 부산물의 성질을 연구하고 있고, 인체와 생물에 미치는 영향도 계속 살펴보아야 할 것입니다."

"결론적으로 우라늄보다 여러 가지 면에서 미래의 에너지로 각광받을 수가 있겠습니다그려!"

"그렇다고 볼 수 있습니다. 하지만 그 부존량이 변수이고 우리 영역에 존재하지 않는다는 것이 문제입니다."

이번에는 수상이 각료에게 질문한다.

"지금까지 보안은 철저히 유지되었겠지요?"

공안청장이 답변한다.

"예. 나름대로 최선을 다하였고 아직까지 누출 건은 확인하지 못했습니다. 다만 그동안 몇 가지 사건이 있었습니다. 나고야에서 유출 미수 사건이 있었습니다. 그런데 이 사건을 수사하던 보안요원이 나고야 남해안에서 변사체로 발견되었습니다. 지금 경찰과 보안요원이 합동으로 수사하고 있습니다만 이번 누출 사고와 연관이 있을 것으로 강력히 추정하고 있습니다. 하지만 결정적인 물증이 잡히지 않고 있습니다. 그리고 누출 사건과 직접 연관되어 있던 연구소 소속의 행정직원이 홀연히 사라져버렸습니다. 추적 결과 홍콩으로 출국하였기 때문에 인터폴에 행적을 의뢰하였고, 국제 수사팀이 별도로 추적하고 있습니다. 그런데 홍콩으로 사라진 여성을 포함하여 관련된 사람들 모두 계좌추적도 하였고 개인행적도 조사하였지만, 현재까지는 특이한 혐의점이 잡히지 않고 있습니다.

또한 오사카 XX 대학 연구소에서도 한 여성 연구원이 한국인 연구 유학생과 교제하면서 가까이 지내고 있습니다. 앞으로 이 연구원에 대해서는 특별한 관심을 기울여 관찰 조치하겠습니다."

"예-. 아주 수고가 많습니다. 앞으로도 더 적극적으로 보안활동을 해주시기 바랍니다. 지금까지의 브리핑과 질문한 사항들만으로도 정말 중요한 자원을 탐색해낸 것이고 열심히 연구한 결과라고 생각합니다. 이것을 하루아침에 공개할 수는 없습니다. 더구나 한국과의 관계가 있기 때문에 철저한 보안을 요합니다. 이번연구에 참가한 모든 연구원들에게 앞으로 이 문제가 해결될 때까지 비밀을 지키도록, 꼭 규정을 이행하도록 채근하시기 바랍니다. 그리고 과학계에서는 이번 발견과 연구 결과를 학술전문지에 절대 발표해서는 안 될 것으로 생각합니다. 또 다른 질문 없습니까?"

모두가 조용히 수상의 입만을 바라보고 있다.

"그럼 이상 없으면 앞으로 한 달 후에 비상 각료회의를 개최하여 이번 문제를 다시 다루도록 하겠습니다. 부수상께서 독려하시어 각 각료가 수행하여야 할 일과 어떻게 하겠다는 복안을 마련해오도록 하시고, 오늘 참석 못한 각료들에게 전파하여 해당 분야의 여러 상황에 대한 대처 방안을 마련해오시기 바랍니다. 특히 외무성과 국방성은 부수상과 머리를 맞대고 대책을 수립하여주시기 바랍니다. 내가 말씀드리는 사안이 무엇인지 잘 아시겠지요. 그럼 오늘 회의는 이만 마치겠습니다."

관계자들의 행보

데라우치의 운명

인간의 탐욕을 덮어버리려는지 눈보라가 일본 서쪽 지역의 산천초목을 하얗게 만들고 있다. 따스한 필리핀 난류가 대마도와 대한해협을 통과하여 동해로 흐르면서 싸늘한 북서풍이 강하게 불어 필리핀 난류의 수증기를 하늘로 올려 보낸다. 이것이 얼어서 육지로 흩뿌려진다. 강한 고기압이 장출(張出)할 때는 하늘이 까맣게 변하여 마치 검은 새와 같다고 하여 흑조(黑鳥)라고 이름 붙였으며, 검은 색깔로 보인다고 하여 이 해협을 현해탄(玄海灘)이라 부르기도 한다. 현해탄이란 한자 그대로 '검은색의 여울 바다'라는 의미이다. 데라우치는 고향에 돌아와서 휘몰아치는 현해탄을 응시하면서 상념에 젖는다.

일본의 서해, 일본은 일본해라고 말하고 한국은 동해라고 주장하면서 바다 이름을 두고 두 나라의 갈등이 심하다. 왜 이름을 두고 서로 싸우고 있을까? 그것은 바로 영해라는 개념이 강하게 작용하고 바다에서의 이권을 주장하려는 것이다. 예를 들어 말레이 반도와 필리핀, 그리고 베트남 사이의 바다를 '남지나해'라고 한다. 어떤 지도에는 '남중국해'라고 지칭하기도 한다. 이러한 이름들이 붙어있는 관계로 중국은 자국의 최남단 섬인 해남도에서도 아주 먼 필리핀과 베트남 사이에 있는 모래섬을 '남사군도'라 이름 짓고, 수심이 얕은 모래섬에 불과한 대륙붕에 아예 군사시설을 설치하여 무력으로 바다를 지배하고 있다. 만약에 바다 이름이 예부터 '필리핀해' 혹은 '베트남해'라고 붙어 있었다면 중국이 그렇게 행동하지 못하였을 것이다. 지금 남사군도 근처에는 무진장한 여러 지하자원이 묻혀 있고 중국이 개발하고 있다.

이처럼 바다 이름은 영해권에 관계된 것이므로 아주 중요하다. 동해와 일본해라는 두 개의 명칭을 두고 서로 싸우는 이유는 바로 자원 때문이고, 일본이 독도를 탐내는 것도 독도 근해에 부존된 막대한 자원 때문이다.

어찌되었든 데라우치의 조상들은 이 일본의 서해, 한국의 동해를 바라보며 삶을 살아온 억척 인생들이다. 데라우치의 조상들은 대대로 자그마한 어촌에서 고기잡이로 살아왔다. 지금은 어로작업을 그만두고 은퇴하여 세월의 숫자만을 세고 있지만, 어부의 생활은 세계 어디를 가든 동일한 삶이 이어진다. 데라우치는 오래간만에 고향에 돌아와서 두어 달을 한가하게 지낸다. 도시의 바쁜 일과도 여기서는 시간 속에 머무른다. 그는 퇴직금도 몽땅 은행에 잡히고 거의 무일푼으로 돌아왔다. 이제 머지않아 빚쟁이들이 몰려올 것이다. 그러나 마음은 든든하다. 10억 엔이 비밀계좌에 고스란히 남아있기 때문이다. 원래 계획상으로는 그 돈으로 은행 빚을 다 청산하고 후련한 마음으로 살아가려 하였지만, 보안요원 그놈 기무라가 달라붙은 이유로 그럴 수가 없었다. 이제는 모든 것이 해결될 때까지 기다려야 한다.

그는 칩거한 지 석 달이 지나자 수중에 돈이 한 푼도 없게 된다. 시골 마을에서 조금 떨어진 현으로 나와 비밀계좌에서 한 달간의 생활비를 인출한다. 그 다음 달도 그렇게 하려다가 큰 문제가 발생한다. 데라우치를 감시하고 있던 형사들이 그가 별도의 비밀통장에서 돈을 인출한다는 사실을 인지한 것이다. 그들은 압수 수색 영장을 발부하여 어느 계좌에서 인출하고 있는가를 은행 측에 의뢰하여 파악한다. 크게 어렵지 않다. 현금 인출기 앞에 서서 카드를 넣고 비밀번호를 입력하는 모든 과정이 녹화된 화면과 그가 은행계좌에 접속한 시간을 파악하여 계좌번호를 알아낸다. 계좌번호를 조회한 결과 10억 엔이 조금 되지 않는 거액의 돈이 입금된 사실이 밝혀진다. 형사들은 드디어 꼬리를 잡았다고 생각하고 어디서 입금이 되었는지, 은행에 다시 내역을 의뢰한다. 형사 두 명이 그의 아버지 집을 찾아가 데라우치를 일단 가까운 경찰서로 연행하여 취조한다.

"데라우치! 우리 시간 낭비하지 말고 절약합시다. 당신 비밀계좌의 돈에 대하여 우리한테 상세하게 이실직고하시오. 우리는 이미 당신 계좌에 거액의 돈이 입금되었고 당신이 그 돈을 찾아 생활비로 쓰고 있다는 사실도 알아냈소. 당신은 그동안 모든 재산을 탕진하였고 월급까지 빚을 갚는 데 써버린 상황인데 어디서 그 많은 돈이 한꺼번에 입금되었는지 말하시오."

데라우치는 순간 아차 한다. 형사들이 자신의 일거수일투족을 감시하고 있을 줄은 꿈에도 생각지 못한 것이다. 이런 시골에까지 따라와서 자신을 감시할 줄은 정말 몰랐다. 그리고 이번 사건이 단순한 비밀 유출 사건이 아니라 보안요원 살인사건이 연유되었다는 것도 그는 잠시 간과하였다. 고향에 온 지 석 달이 지나고 주변이 조용해지면서 경찰이 자신에게 연락조차 하지 않으니 방심한 것이다. 데라우치는 순간적으로 은행계좌가 자신의 이름이 아닌 차명으로 개설되었다는 것이 생각난다. 그런 계좌가 없다고 발뺌하면 된다는 생각으로 반격하듯 답변한다.

"여보세요! 무슨 계좌를 찾아냈는지 혹은 보았는지 몰라도 나는 그런 계좌를 가지고 있지도 않고 모를뿐더러 돈도 없소이다."

"데라우치! 우리는 당신이 가진 비밀계좌에서 언제, 어디서, 얼마나, 몇 번이나 돈이 인출되었고 혹은 입금이 되었는지 다 알고 있고, 모든 증거를 가지고 있소. 우리는 당신의 행적이 찍힌 모든 영상을 확보하고 있소. 더군다나 당신의 이름으로 처음 계좌를 개설한 핵 연구소 앞 은행에서 어떤 청년과 똑같은 비밀번호를 입력하고, 며칠 후 수억 엔이 입금된 사실도 알고 있소. 우리는 그 장면이 찍힌 CCTV도 확보하고 있소. 자, 말하시오. 우리가 모든 증거를 가지고 있으니 둘러대지 말고 변명도 하지 말고 솔직히 인정하고 말하시오."

데라우치는 모든 증거 즉 CCTV 영상이 있으니 이제 꼼짝 없이 잡혔구나 생각하였지만, 번개처럼 또 다른 변명이 떠오른다. 즉 자신이 비밀번호를 입력하였다고 하더라도 꼭 본인 통장의 계좌번호라고 말할 수는 없다는 논리다. 그리고 CCTV 영상으로는 어떤 비밀번호를 입력하였는지 정확히 알 수 없다. 또한 어떤 카드를 사용하였는지도 완벽하게 증명할 수 없다. 그날 자신은 여러 카드를 넣고 혹시나 싶어 잔액을 조회해보기도 하였다. 그러니 그 계좌에서 자신이 돈을 인출하였다는 것이 100퍼센트 증명될 수도 없다. 다행히 뭉칫돈이 든 계좌의 현금카드는 자신의 집이 아닌 비밀장소에 숨겨놓았기 때문에 형사들은 찾을 수 없을 것이다. 아버지가 어부 시절에 운행하였던 선박의 비밀 장소에 잘 숨겨두었기 때문에 아무리 찾아도 찾아낼 수 없으리라고 확신한다.

"난 말이오, 그런 카드 본 적도 없고 가지고 있지도 않소. 난 돈 한 푼 없는 텅 빈 카드 몇 장만을 지니고 있을 뿐이오."

"당신이 아무리 발뺌하려 해도 우리는 모든 증거를 가지고 있소. 우리가 당신을 발가벗기어 찾아내기 전에 수중에 있는 모든 카드를 내놓으시오."

데라우치는 지갑을 꺼내어 카드 석 장을 꺼내놓는다. 한 형사가 그의 호주머니와 몸 여러 곳을 뒤져 혹시 감추어놓은 카드가 있는지 확인한다. 그가 숨길 사이도 없이 이곳으로 연행해 왔고 데라우치가 순순히 지갑을 건네주면서 카드를 꺼내놓았기 때문에 검사는 형식적으로 이루어진다.

"당신의 휴대전화도 내놓으시오. 모바일 페이도 확인해보겠소."

"여보시오, 당신들은 내 전화기 석 대를 이미 빼앗아갔소. 난 그 뒤로 먹통이오. 원시인처럼 살고 있소."

형사 한 명이 거둔 카드를 들고 가까운 은행으로 가서 입출금 현황을 확인해본다. 이미 은행과는 범죄 수사에 관한 협약이 되어 있어 은행 측은 협조적이다. 더구나 살인 사건을 수사 중이니 적극적으로 도와준다. 석 장의 카드를 확인해보니 정말 몇 푼의 돈이 들어 있을 뿐 입출금 기록이 없다. 단지 조회만 하였다는 기록 있을 뿐이다. 젊은 형사는 전화로 결과를 보고한다.

"반장님, 텅 비었는데요! 의심할 수 있는 여지가 하나도 없어요. 그리고 문제의 10억 엔이 들어 있는 계좌와 연결된 카드도 아닌데요......"

"알았다. 그럼 수색 영장을 받아서 그의 아버지 집을 뒤져보자."

두 형사는 데라우치를 유치장에 집어넣고 수색 영장을 받아온다. 영장은 금세 발부된다. 이번 사건을 철저히 수사하라는 수상의 지시가 내려왔기 때문에 수사상 필요하다고 하면 모든 것이 일사천리로 진행된다. 10여 명의 형사가 데라우치 아버지의 집으로 가서 집안을 발칵 뒤집어놓는다. 구석구석 샅샅이 뒤져 찾아낸 다섯 장의 카드와 사용하지 않거나 고장 난 석 대의 휴대전화, 옛날 컴퓨터 본체 한 대, 통장 10여 개를 찾아낸다. 하지만 그의 아버지 집에서 멀리 떨어진 바닷가에 있는 폐선까지는 수색할 생각은 전혀 하지 못한다. 아버지 집의 방, 사랑채, 헛간을 하루 종일 뒤져 찾아낸 것들이다.

국립 과학 범죄수사연구소에서는 압류한 모든 것을 분석해냈지만 문제의 카드는 찾아낼 수 없다. 그 결과는 두 형사에게 통보된다. 두 형사는 낙담하지만 CCTV 영상과 뭉칫돈이 들어 있는 계좌, 그리고 데라우치가 비밀번호를 입력하고 있는 장면을 증거로 그가 원석 분석의 결과를 팔아먹으려 시도하였다는 혐의로 일단 신병을 확보한다. 하지만 결정적인 증거를 찾지 못한 형사는 안절부절 못하고 있다.

수사가 지지부진하자 경찰청은 고이즈미 형사가 소속된 경찰서의 수사반장인 쓰나미 형사에게 특별수사를 하도록 지시한다. 쓰나미 형사는 은퇴를 앞둔 베테랑 수사관이다. 그는 미제사건을 수십 건 해결한 전력이 있다. 이름에서도 알 수 있듯이 해일(海溢)처럼 몰아붙이어 범인을 꼼짝 못하게 얽어버리는 추리력과 실제로 이어지는 수사 기법은 타의 추종을 불허한다. 쓰나미 형사는 고이즈미 형사에게 그동안의 경과를 보고 받은 후 기무라 보안요원이 왜 죽었을까 나름대로 추리해본다.

1. 기무라 보안요원이 살해될 정도의 중대한 범죄 사건에 접근하고, 사건의 전모를 파악하고 범인을 특정할 정도가 되었던 것이다.

2. 자신이 살해될 정도의 중대한 사건이란 무엇일까? 보안요원인 그가 당시 데라우치의 비밀 유출 시도를 수사하고 있었기 때문에 비밀 누설에 관련된 사건일 것이다.

3. 그가 비밀 유출 사건을 심도 있게 수사를 진행하다가 살해당하였으므로, 분명히 비밀 유출을 시도한 데라우치의 행동과 관련된 모종의 사건을 포착한 것으로 판단된다.

4. 그러므로 데라우치가 살인 사건에 직접 혹은 간접적으로 연관되어 있다.

5. 데라우치는 뭉칫돈이 발견된 계좌가 자기 것이 아니라고 부인한다. 우리는 아직 물증을 찾지는 못하였다. 하지만 그의 소유가 분명한 계좌에

거액의 돈이 입금되어 있는 것이 발견되었으므로, 연구 비밀을 제3자에게 돈을 받고 판 것이라 추정된다.

6. 그는 비밀을 팔아 그 대가로 10억 엔의 돈을 입금 받았으며, 기무라 보안요원은 그것을 포착하여 수사하고 거의 마지막 상황까지 간 것이다. 기무라가 돈의 행방까지 알았는지는 의문이다.

7. 기무라 보안요원이 그들의 비밀 거래에 접근하고 발각될 위기에 봉착하자 누구인지는 몰라도 다급하였던 관련된 자가 그를 살해하였다.

8. 다급하였던 관련자가 누구일까? 돈을 받고 비밀을 팔아먹은 데라우치나 혹은 돈을 주고 비밀을 산 제3자일 것이다.

9. 데라우치가 다급하게 만나 USB를 건네받았던 리노아라는 여자가 바로 비밀을 산 제3자라고 말할 수 있다.

10. 그렇다면 보안요원을 살해한 사람은 그 여자나 데라우치 둘 중 하나 혹은 제4자를 동원한 청부살인이라고 볼 수 있다.

11. 먼저 데라우치의 경우를 보면, 그는 살인을 저지를 인물도 못될뿐더러 그날 알리바이가 확실하다. 기무라가 수장 되던 날 경찰서 유치장에 있었기 때문이다. 그렇다면 그가 제3자를 동원하여 살해할 수 있었을까? 데라우치는 이미 전화해서 다른 곳에 연락도 취하지 못할 상황에 처해있었다. 전화기도 압수당했고 유지창 안에서 그가 어떤 모종의 살인 계획을 했을 수는 없다. 그렇다면 데라우치의 살인 협의와 제4자와의 모사 협의는 가능성이 많이 떨어진다. 그렇지만 어떤 형식이라도 그가 관련이 있다. 데라우치가 어떤 방법으로라도 그가 처한 상황을 여자에게 말하였거나 여자가 자신을 추적하고 있다는 것을 알게 되었으며, 다급해진 여자가 보안요원을 제거하였다. 그리고 당시 데라우치가 다급하게 통화한 전화번호를 우정청에서 추적하였으나 수신지역과 수신자의 신상을 전혀 파악할 수 없는 특수전화라는 답변이 왔었다. 그렇다면 그녀는 특수요원이라고 말할

수 있을 것이다.

12. 그 여자가 기무라 보안요원을 살해할 능력이 있을까? 여자 단독으로 베테랑인 보안요원을 납치하여 수장시킬 수는 없다. 그리고 여자는 기무라가 수장되기 전에 홍콩으로 떠났다. 그날 USB를 복사하고 다시 데라우치에게 건네주는 시각에 정문을 드나드는 여자 중 한 사람으로 수사가 압박해오자 홍콩으로 도주하였다. 세 명 중에서 리노아가 정문을 드나든 시간이 데라우치의 전화 행적과 완전히 부합된다. 그러하니 그 여자는 어떤 특수요원이 틀림없고, 또 다른 특수요원이 개입하여 그녀를 도피시켰으며, 특수요원에 의하여 기무라는 제거되었다.

13. 그녀가 직접 살인하지 않았고, 그녀 혼자 납치하여 수장을 할 수 있는 능력도 되지 못한다. 그래서 여자는 제4자에게 자신의 처지를 말하고 홍콩으로 피신하였고, 제4자 즉 특수요원은 다음날 기무라를 납치하여 수장시켰다.

14. 그러니까 기무라 납치 살인 범인은 일종의 청부살인업자라고 말할 수 있다. 그런데 일본 내에 하루 만에 감히 보안요원을 청부살인할 수 있는 사람이 있을까?

15. 그것은 평소에 조직화된 범죄 집단이나 어떤 기관 즉 특수요원이 아니면 불가능하다. 여기서 세 가지 추론이 가능하다.

(1) 그 여자가 홍콩으로 떠나면서 야쿠자 같은 범죄 조직에 살인을 청부하였고 범죄 집단이 서슴지 않고 하루 만에 감행하였다.

(2) 이번 일에 처음부터 야쿠자가 주범자로 가담하였다. 야쿠자가 원석분석 결과를 사려 하였고 기무라에게 발각이 될 처지에 놓이자 중매자인 그녀를 대피시켰고 기무라를 살해하였다.

(3) 이번 기밀은 국가 간의 중대한 특급비밀이기 때문에 조직적인 실행이 가능한 특수기관이 관련되었을 가능성이 있다.

16. (1)의 경우 아무리 범죄 집단이라고 하여도 하루 만에 신속한 범행은 이루어질 수 없다. 사전에 모든 상황이 파악되어 있어야 가능하다. 따라서 야쿠자 조직의 소행 가능성은 많이 떨어진다.

(2)의 경우 만일 야쿠자가 관련이 있다면 데라우치의 계좌와 리노아의 수신전화에 대한 추적이 가능했을 것이고, 야쿠자와의 자그마한 흔적이라도 남아 있을 텐데 전혀 없었다. 그렇다면 국제 조직과 연관된 것일까? 이번 연구 내용을 보면 일본 내의 야쿠자 조직이 그런 중차대한 비밀을 사전에 포착할 능력도 없고, 비밀을 알았다고 하더라도 국제적인 거래를 하여야 했다. 자원이 한국 내 독도 근해에 있고 아직 이용에 관하여 연구도 되지 않은 뜬구름 잡기의 사업 내용이므로 야쿠자가 한국이나 어떠한 조직과의 단독 거래를 할 가능성은 거의 없었다.

17. 이제 마지막 남은 조직적인 기관! 즉 특수요원이 활동하는 그 기관은 어디일까?

18. 이해관계가 있는 국가가 어디일까? 지금까지 알아낸 비밀이란 것이 한일 간의 자원, 영토 문제와 직결되어 있다. 그렇다면 한국의 기관이 관련되었을 가능성이 농후하였다. 한국의 특수요원 즉 국가안전기획부 요원일 가능성이 100퍼센트이다.

19. 그 여자, 홍콩으로 사라져간 리노아란 여자는 그렇다면 일본에서 자생한 고정 첩자일까? 그럴 가능성이 많다.

20. 한국의 정보기관과 연결된 그녀는 기무라 요원의 수사압박으로 입지가 좁아지자 기관이 그녀를 대피시키고 그녀와의 커넥션을 끊고자 기무라 보안요원을 살해한 것이다.

쓰나미 형사는 기무라 보안요원의 살해 사건을 여러 가지로 추리해본다. 하면 할수록 알 수 없는 제4자의 손, 즉 특수요원이 들어와 있음을 직감할 수 있다. 그래서 다음 두 가지로 수사 방향을 정하기로 하였다.

1. 데라우치는 그녀와 거래하여 돈을 받고 비밀을 팔았으며, 그녀는 비밀을 복사한 USB를 받아 한국의 정보기관에 넘겼다. 그리고 그런 행위가 발각될 상황에 놓이자 외국으로 도주하였다. 그러니 USB 제공자인 데라우치를 심문하여 뭉칫돈의 입금 내역을 파악하고, 데라우치 계좌에 입금된 돈의 경로를 추적하면 그 끝이 어디인가 알아낼 수 있을 것이며, 관련 기관이 어디인지 파악할 수 있을 것이다.

2. 리노아를 찾아내어 국내로 소환하고 살인교사로 집어넣어야 한다. 그리고 기무라 보안요원을 살해, 수장한 세력이 누구인지 그녀를 심문하여 알아내야 한다. 또한 그 여자가 누설한 비밀 자료가 어디로 갔는지 행방을 추적하고, 결과에 따라 일본이 취할 수 있는 대책을 세워야 한다. 그녀가 가진 모든 비밀을 알아내야 한다.

쓰나미 형사는 특유의 기법으로 데라우치를 심문한다. 일반적인 범죄는 증거를 가지고 알리바이를 허무는 작업이지만, 이번 사건은 증거가 있음에도 자신의 명의가 아니라고 부인하고 기밀 유출을 시도하지 않았다고 주장하는 데라우치를 좀 더 간단명료하게 다루기로 한다. 그 방법은 고문이다. 고문에 의한 심문은 제2차 세계대전 전에 형사들이 애용하였던 방법이다. 아무나 그렇게 벼랑에 몰아넣는 것이 아니라 데라우치처럼 지식인이면서 거짓말을 서슴지 않고, 자기 상황에 맞게 그럴듯하게 말을 지어내어 수사를 혼란스럽게 만드는 자들에게 딱 맞는 취조 방법이다. 가장 좋은 방법은 피의자에게 상처가 나지 않게 하는 것이다. 흔적이 남지 않으니 나중에 문제가 되지 않는다.

쓰나미 형사는 아무 말 없이 데라우치를 밀실로 데려가 물리적인 고문 장면을 한 시간 동안 비디오로 보여준다. 처음에 데라우치는 웬 비디오인가 하고 의문을 가졌지만 조금 시간이 지나자 무엇을 말하고 있는지 금방 눈치를 챈다. 그러고는 자신의 처지를 생각해본다. 그러나 여기서 모든 것을 솔직히 말할 수는 없다. 어떠한 육체적인 고문이든 참아내야 한다고 다짐한다. 그는 눈을 감아버린다. 하지만 영상에서 나오는 육체적인 고통 소리는 귀청을 세게 후려친다. 한 시간이나 반복되는 여러 가지 고문당하는 소리를 듣고 나니 마음이 허해지고 가슴이 떨려온다. 심장이 뛰는 소리가 자신에게도 들려온다.

이번에는 취조실 옆에 붙어있는 깜깜한 방에 서 있게 된다. 이 독방은 서 있거나 앉을 수 있지만, 누울 수는 없게 설계된 아주 자그마한 방이다. 천장에서는 고문당하는 소리가 계속해서 들려온다. 그는 귀를 막고 처음에는 서 있다가 얼마간 시간이 지나자 자연히 무릎이 구부려지고 앉게 된다. 계속해서 들려오는 고문당하는 소리가 이번에는 환청이 되어 증폭된다. 거의 한 시간 이상 앉아 있으니 이번에는 피곤하여 눕고 싶은데 누울 수가 없다. 힘이 든다.

그렇게 하룻밤을 지새운다. 아침이 되자 못된 형사 놈이 미소를 띠며 다가온다. 아침밥을 준다. 물 한 잔 마시지 않고 하룻밤을 지새우고 나니 온몸이 바짝 타오른다. 그는 물을 보자 벌컥벌컥 단숨에 들이켜고 더 달라고 말한다. 하지만 더 이상 주지 않는다. 그렇다고 밥을 먹을 마음이 얼른 나지는 않는다. 그러나 살아야 한다는 일념으로 꾸역꾸역 밥을 먹는다. 밥을 먹고 나니 물 한 컵을 다시 준다. 시원스럽게 물을 마시고 나니 살 것 같다. 이번에는 화장실을 가고 싶다고 말하니 독방 옆에 딸린 자그마한 수세식 화장실로 안내한다.

그렇게 용무를 보고 나니 또다시 독방에 집어넣고 지난밤에 하였던 짓을 되풀이한다. 이번에는 아주 밝게 전구를 켜놓아 주변을 환하게 하고 잠을 자지 못하게 한다. 그렇게 오전, 오후를 보낸다. 점심도 주지 않고 겨우 저녁만 준다. 데라우치는 하루를 독방에서 생활한다. 생명만 유지하고 있는 상태이지 죽음과 다름없는 하루다. 환청이 밀려오고 지옥이라는 것을 상상하게 된다. 염라대왕이 물도 주지 않고 뜨거운 불로 몸을 지지는듯하다. 그리고 지네나 독충과 같이 지내면서 그것들이 자신의 몸을 기어 다니며 아무데나 마구마구 물어뜯는 것 같은 느낌이 든다.

저녁을 먹고 또 하룻밤을 지새운다. 데라우치는 이제 아무런 생각이 들지 않는다. 동물처럼 그냥 살아 있기 때문에 움직이고 있을 뿐이다. 자신의 의지와는 상관없이 몸이 움직이고, 어떠한 과거의 기억이나 추억, 미래의 계획이 잡히지 않는다. 온통 독충 무리 속에서 허우적거리는 자신만이 그려질 뿐이다. 이제 그놈은 그 형사 놈이 아니다. 염라대왕님이 지시한다.

"데라우치!"

"예? 예...!"

"너는 지금 염라대왕에게 이실직고를 해야 돼. 알았지?"

"......"

"이놈이 아직 정신이 들지 않았군. 정신을 차리게 해주어야지!"

염라대왕이 이번에는 작은 전선이 연결된 물건을 가져온다. 그리고 벽에 붙어있는 전기코드에 꽂는다.

"데라우치, 여기 의자에 앉아라!"

염라대왕님의 목소리가 천장에서 울려나온다. 감히 거역할 수 없다. 염라대왕의 분부대로 그가 의자에 앉자 수갑을 채워 의자에 움직이지 못하게 엮어버린다.

"데라우치! 이제 아주 생전 처음 보는 맛을 좀 볼 거야. 맛! 무슨 맛인지 나중에 이야기해줘, 응? 난 아직 그런 맛을 보지 못해서..."

염라대왕의 목소리가 이번에는 하늘에서 웅웅거리며 들린다. 염라대왕이 신발과 양발을 벗기라고 지시한다. 보조 형사가 얼른 벗긴다. 그리고 연이어서 염라대왕이 집게와 유사하게 생긴 두 개의 단자를 하늘에서 데라우치의 양발에 들이댄다. 데라우치는 비명을 질러댄다. 온몸이 타오른다. 극심한 고통이 심장을 쥐어뜯는다. 이어서 수천 개의 침이 번갈아 그의 몸을 찔러댄다. 한 시간이나 지났을 것 같은데 겨우 2분이 지났을 뿐이다. 2분이 지나자 집게를 발에서 떼어낸다. 데라우치가 축 늘어진다. 10분가량 지나자 데라우치가 고개를 든다. 약간의 의식이 돌아오자 다시 집게를 두발에 댄다. 온몸이 또다시 터져온다.

그렇게 불과 네 번 반복하니 데라우치는 완전히 기절해버린다. 염라대왕이 밖으로 나간다. 30분이 지나니 데라우치는 다시 의식이 돌아오기 시작한다. 꿈도 아니고 아무것도 기억나지 않고 고통만이 수반된 의식의 회복이다. 인간성이라든지 여러 가지 변론은 단지 이론에 지나지 않을 뿐이다. 육체와 영혼이 분리되어 영혼은 이미 육체를 떠나버렸고 육체만이 홀로 아메바처럼 흐느적거리고 있다가 밖으로 빠져나갔던 영혼이 서서히 들어온다. 10여 분이 지나자 데라우치는 완전히 의식이 돌아온다. 자신이 왜 이렇게 뒤로 손이 묶인 채 앉아 있는지 생각이 나질 않는다. 이때 형사가 들어온다. 아니 염라대왕 그놈들이 들어온다. '맞다. 내가 저 염라대왕에게 갔다가 돌아왔지…'

"데라우치, 어떤가? 한 번 더 맛을 보시게나. 맛있지? 새로운 세계가 보이지? 이번에는 지옥의 또 다른 면을 볼 수 있을 거야."

그렇게 말하며 다시 집게를 양발에 댄다. 데라우치의 몸에는 땀이 비 오듯 하다. 수분을 많이 섭취하지도 않았지만 육체에 남아 있는 모든 수분이 피부 밖으로 뿜어져 나온다. 이제는 소리 지를 힘도 없다. 이번에는 아까보다 강도가 세지도 않고 시간이 길지도 않았지만 빨갛게 펄펄 끓는 용광로 속에 던져지기 일보직전에 와 있다. 그는 소리친다.

"살려줘! 나를 내려줘!"

"허허 이놈이 이제 항복을 하는구먼!"

찬물 한 그릇이 데라우치의 얼굴에 부어진다. 순간 데라우치의 영혼이 돌아온다. 하지만 염라대왕의 분부대로 모든 것을 수행하는 수동적인 상태가 된다. 염라대왕이 여러 가지를 물어본다. 그는 차근차근히 모든 사실을 꾸밈없이 답변하게 된다. 쓰나미 형사의 끈질김에 데라우치가 항복한다. 모든 것이 쓰나미 형사가 생각하였던 각본 안에 있다. 이제 이놈을 기소하고 문제의 여자를 찾아내어 살인범을 잡아내는 일이 남았다.

데라우치는 하루 동안 유치장에 더 갇혀 있게 된다. 여기에 있다가 기소가 되면 이번에는 교도소에 가게 될 것이다. 몇 시간이 지나서야 그는 지금까지 자신이 진술한 모든 것을 기억해내고, 소위 고문이란 것에 졌다는 것을 인정하게 된다. 그는 지금까지 살아온 자신의 일생을 되돌아본다. 분명 자신의 삶은 실패한 것이다. 어릴 적부터 신동 소리 들어가며 과학자의 길을 걸어가다가 마침내 어렵다는 물리학 박사가 되었는데, 개인적인 생활 관리에 실패하여 오늘에 이르렀다. '이제 내 나이 조금 있으면 은퇴할 시기가 다 되었고, 감옥에서 수년을 지내다 나가면 무엇을 할 수 있을 것 같은가?' 자신에게 반문해보니 아무것도 할 일이 없을 것 같다. 그저 늙은 부모에게 의지하여 밥이나 축내는 못난 놈의 생이 그려진다. 미래의 삶에 대한 희망이 하나도 없다. 그렇다면 더 이상 이 세상을 살아서 무엇을 할 것인가? 살 필요가 없다고 생각하니 리노아라도 보호해야겠다고 결심한다.

그는 입었던 바지를 벗어 바짓단을 이로 물어뜯어 열 갈래로 가른다. 그리고 세 개의 단으로 머리 땋듯이 총총히 땋아서 길게 밧줄을 만든다. 2미터 정도의 땋은 밧줄이 만들어진다. 그 줄로 한쪽은 올가미를 만들고 끝부분을 유치장 맨 위 철창살에 매서 늘어뜨리고 잡아당겨본다. 힘을 받는다. 그러고는 유치장 창살로 올라가 올가미에 목을 집어넣고 창살에 의지한 발을 허공에 떨어뜨린다. 이것으로 데라우치의 영혼은 육체와 완전히 분리되었으며, 데라우치의 영혼은 연기처럼 사라져버린다. 아침이 되어 교도관이 데라우치의 주검을 목격한다.

쓰나미 형사는 기무라 보안요원의 죽음이 데라우치의 비밀 유출과 직접적인 관계가 있다고 보고서를 쓴다. 그리고 그와 거래한 리노아의 신병을 확보하여야 하며, 그녀에 관하여 심도 있는 수사를 해야 한다고 1차 수사를 보고한다. 이미 리노아가 홍콩으로 출국하였기 때문에 그녀의 신병 확보를 위해서는 인터폴과 국제 관계를 담당하고 있는 정보국 산하에서 수사해야 한다고 재삼 강조한다. 그리고 자신은 그동안 리노아의 국내 활동에 대하여 세밀하게 수사하겠다는 수사 방향도 제시한다.

한편, 리노아는 홍콩에 도착하여 동료의 안내로 일단 안가에 들어간다. 그녀는 이미 자신의 행적이 드러났기 때문에 어디론가 사라지는 것이 급선무라 인식하고 호주로 출국한다. 그런 다음 다시 뉴질랜드로 가서 행적을 감춘다. 그녀의 눈부신 활동으로 인하여 한국은 귀중한 정보를 얻게 되었고, 일본에 대한 여러 가지 전략 전술을 마련한 정부는 그 공로에 대하여 일생을 편안하게 살 수 있도록 모든 것을 제공하고 신변보호를 해주기로 한다.

쓰나미 형사는 리노아에 대하여 수사한다. 그녀의 가족은 평범한 일본인이다. 그녀는 정통 일본식 교육을 받았고, 핵 연구소에 취직하여 이 직장에서 10년 이상을 근무한 직장인이다. 그녀에게서 첩자로서의 어떠한 혐의점이나 낌새도 찾아낼 수 없었다. 그녀의 금전거래나 친구관계 등 사생활에서 알아볼 수 있는 모든 것을 탐지하였지만 별다른 이상이 없다.

왜 그녀가 갑자기 그런 일에 관여하고 행방불명이 되었을까? 아무래도 그녀의 신병이 확보될 때만이 이러한 의문점이 해결될 것 같다. 그래서 그는 수사 중간 보고서에 '혐의점이 아직 드러나지 않고 있으므로 그녀의 행방을 찾아 신병을 확보해야 한다'라고 쓴다.

치하루의 고민

휴대전화에서 '띵동' 소리가 울린다. 설거지를 하고 있던 치하루는 고무장갑을 벗어내고 전화기를 확인한다. 메시지가 들어온 신호이므로 얼른 열어본다.

'시장에서 과일 그만 사세요.'

치하루는 메시지를 읽어보고 긴 안도의 숨을 내쉰다. 메시지가 이번 작전을 종료한다는 의미이기 때문이다. 그동안 얼마나 인고의 세월을 보냈던가. 불과 1년도 되지 않았는데 10년은 지난 것 같은 느낌이다. 그리고 자신이 고용되어 첩·정보를 수집하는 데 이렇게 긴박하고 마음을 졸이면서 임무를 수행한 경우는 처음이다. 과거에 그녀는 영화에서 첩자들이 연구소에 들어가 컴퓨터 데이터를 아무렇지 않게 복사해내는 것을 즐겨 보았다. 긴박하거나 어렵지 않게 임무를 수행하는 것을 보고 '나도 그쯤은 손쉽게 할 수 있다'고 장담하기도 했었다. 그러나 이번 임무를 수행하면서, 그동안 여러 매스컴과 인적인 접촉엔 간단하고 손쉽게 여론의 향배와 추이를 보고하였던 것과는 천지차이가 났다.

치하루는 이번 일을 돌이켜 생각해본다. 임무의 성격을 파악하고 어떤 인물을 접촉해야 원하는 정보를 찾아낼지 고민하던 것부터 떠오른다. 이시하라에게 어떠한 방식으로 접근하고, 그의 가정과 상황을 파악해서 어떻게 하면 이시하라의 마음이 자신에게 향할지, 아이들과의 관계는 어떻게 유지할지, 보안요원으로서 추후에 회피할 방법을 모색하는 등, 여러 가지 요소를 파악하여 정보를 수집하는 데 최선의 행동지침을 만들어 수행해왔다. 백팔번뇌 이상으로 여성인 자신의 능력으로는 매우 힘든 것이었다. 이제 그러한 굴레에서 벗어나게 되었다. 발 뻗고 베개를 높이 베고 편안하게 잠을 잘 수 있다. 어떤 때에는 보안요원과 경찰이 자신을 체포하러 다가오면 자신은 결사코 달아난다든가, 자신이 체포되어 두 손에 수갑이 덜컥 채워지는 꿈을 꾸기도 하였다. 이제 그러한 긴장감에서 해방된 것이다.

평일 점심시간이 막 지난 오후, 집안에는 아무도 없다. 이시하라 간지는 출근하고 아이들은 학교에 가고 없다. 그녀는 홀로 앉아 차를 마시면서 자신의 앞날을 생각한다. 그녀는 이번 일을 진행하면서 자신이 많이 변화한 것을 깨닫는다. 그동안 수십 년을 혼자 살아 왔기 때문에 가족들이 복잡하게 어우러져 사는 데 적응하기가 어려웠다. 허나 이 가정에 들어와서 사람 사는 냄새를 맡으며 이제 적응이 되어가던 참이다. 그리고 자신이 낳은 자식들은 아니지만 잘 따르고 심지어 의지하기까지 하는 아이들이 불쌍해서 나름대로 최선을 다하였다. 그래서 가족의 소중함에 대하여 조금은 깨닫게 되었다.

이제는 자신의 임무가 끝났으니 이 집을 떠나 어디론가 가야 한다. 그리하여 또다시 주어지는 임무를 수행하여야 한다. 결심이 쉽지는 않다. 한편으로 그녀는 이 복잡한 세상을 잠시 떠나 있고 싶다. 그녀는 아까 온 메시지에 답장하였다.

'당분간 떠나 있겠습니다.'

그녀는 처음 이 집에 들어왔을 때 갖고 온 가방을 다시 꺼내어 옷가지를 싼다. 그리고 메모지에 간단히 자신이 떠남을 남긴다.

'그동안 감사합니다. 떠납니다. 아이들하고 행복하게 사세요.'

그녀는 어디로 갈까 망설이다가 홋카이도에서 살고 있는 동생을 떠올린다. 동생도 보고 싶고, 겨울철 눈이 많이 내리는 홋카이도의 온천에서 몇 개월 푹 쉬고 싶다는 생각이 들어 공항으로 향한다. 마침 삿포로 행 비행기가 있어 표를 산다. 이내 항공기에 올라 하늘로 높이 떠오른다.

비행기는 폭음을 내뿜으며 구름 위로 날아간다. 한 시간여 비행하여 삿포로에 도착한다. 착륙한다는 기장의 방송에 창문을 열고 밖을 쳐다보니 온통 천지가 하얗다. 나무가 무성한 곳은 일부 침엽수가 파란 수를 놓았지만 대부분 백설이 뒤덮어 새로운 세상을 만든다. 그녀는 공항에서 나와 연락도 없이 동생 집을 잠시 방문한다. 그러고는 가까운 곳에 온천이 딸린 여관에 장기 투숙한다. 이곳에서 마음이 내킬 때까지 쉬겠다는 생각이다.

메이코의 변신

메이코는 신명이 난다. 이제야 사는 느낌이 든다. 한편으로는 남자라는 것이 귀찮은 존재였던 것 같은데 막상 또 사랑에 빠져 보니 이건 필수품이다. 그녀는 필수품을 하나 마련한 것이다. 자신이 나서서 만든 것도 아니고 자발적으로 굴러 들어왔다. 자발적으로 굴러 들어왔으니 그녀는 이것을 복(福)이라고 해석해본다. 그야말로 그녀는 큰 행운을 잡았다. 욘사마 아니 아베 신조라는 이 남자는 사귀어 볼수록 진국이다. 점잖고 우호적이며 그녀를 사랑하는 아베 신조, 아마도 하늘에서 점지해준 천생 배필이리라 생각한다.

메이코는 출근하기 전 화장대에 앉았다. 그동안 일어나기가 바쁘게 집 문을 나섰지만 이제는 여유 있게 일찍 일어나 진하게 화장한다. 아베가 자신을 좋아하고 있다는 것을 알게 된 이후 부쩍 외모 치장에 신경을 쓴다. 그녀는 거울을 보면서 나름대로 자신의 외모에 대하여 분석한다.

'눈? 쌍꺼풀은 없으나 약간 긴 형태의 눈이 부처님 눈을 연상한다. 코! 조금 낮은듯하나 콧대가 세어 보이지 않으니 좋다. 입? 야무지게 다문 입, 나의 지식을 대변하는 곳. 크지도 않고 작지도 않고 적당하다. 귀? 좌우 대칭으로 열 가지 소리, 작은 소리, 가는 소리 다 들리니 이목구비 네 개가 다 보기 좋다. 더 이상 바랄게 무엇이냐?'

그녀는 고개를 이리저리 돌려 이목구비의 배열을 따진다. 있어야 할 곳에 있다. 약간씩 화장으로 이리 옮기고 크게 그려보니 좀 더 색달라 보인다. 그렇다면 전체적인 배열과 조합은 잘 이루어지고 있는가? 그게 조금 문제인 것 같다. 약간씩 모자라는 이목구비의 배열의 미가 조금, 약간, 떨어지는 것 같다. 이 상태를 아예 바꾸어버리면 어떨까? 그녀는 전부터 생각한 한국의 유명한 성형외과를 또다시 생각해낸다.

'약간 네모진 얼굴 형태를 좌우측 대칭으로 맞추어 깎아내고 이목구비 네 개중 두 개만 조금 바꾸어보면 어떨까? 그리고 눈을 약간 크게, 쌍꺼풀을 만들면서 늘어진 눈살을 안으로 집어넣거나 잘라 내고, 코를 높거나 낮지 않게 적당한 높이로 올려보는 거다. 이 세 가지 교정을 통하여 나는 미녀의 반열에 들 것이다. 그래 거기 가보자. 먼저 유명한 곳을 알아보고 휴가를 내야지. 한 달반 입원비까지 다 계산하여도 일본에서 하는 것보다는 4분의 1 정도면 된다고 하니 그동안 벌어놓은 돈, 나의 미를 위하여 과감하게 투자해보자!'

그녀는 거울을 보며 평소 재단해놓은, 자신이 원하는 얼굴을 정말로 갖고자 한다. 여러 방법을 동원하여 입원비와 수술비 등을 알아내고 덜컥 예약해버린다. 그리고 석 달의 장기휴가 겸 휴직을 신청한다. 석 달 중 한 달은 이번 원석 연구를 주도적으로 수행하고 모든 보고서를 작성하는 데 일

등 공신인 그녀에게 핵 연구소에서 위로 겸 포상 휴가를 준 것이다.

메이코가 일하는 도쿄 핵 연구소에서 연구한 내용과 보고서가 네 개의 기관, 연구소 중에서 제일 잘 되었다며 문부과학성에서 인정했다는 것이다. 그리고 문부과학성과 일본 핵 연구소에서 수상에게 보고했을 때 메이코가 주도한 보고서의 80퍼센트 이상을 참조하여 만들었다고 하니, 도쿄 핵 연구소장의 입은 완전히 귀에 걸려 메이코에게 휴가까지 준 것이다. 메이코는 이에 편승하여 두 달간의 휴가계를 낸다. 핵 연구소장은 메이코가 다른 곳으로 떠나지 않고 석 달 후에 복직한다는 조건을 제시한 후 1개월의 추가 휴직을 허락한다. 메이코는 하늘로 날아가는 기분이다. 그녀는 욘사마 아베 신조를 만나 모든 것을 말할까 하다가 역시 비밀을 지켜야 한다고 생각한다. 잠시 한국과 여러 주변국을 좀 다녀오겠다고 말한다.

그렇게 메이코는 욘사마와 헤어지고 성형의 메카인 한국의 강남으로 향한다. 그녀는 고등학교 2학년 때 수학여행으로 경복궁과 부여 그리고 경주를 처음 방문한 후 성인이 되어서는 이번이 한국에 두 번째로 오는 것이다. 그녀는 전철에 앉아 한국과 일본의 역사에 대하여 곱씹어본다. 왜 한국인이 일본을 미워하는지 잘 모르겠다. 적어도 일본이 과거에 한국을 많이 배려하였다는데 말이다.

그녀는 계획대로 입원하고 성형수술을 받는다. 성형의사의 안내대로 자신이 원하는 형태의 모습으로 만들어줄 것을 의뢰한다. 몇십 년 전의 성형수술보다 지금은 방법이 크게 개선되어, 그전에는 간혹 의료사고도 발생하였지만 십여 년 전부터는 그런 사고나 부작용이 전혀 없다고 한다. 컴퓨터 그래픽으로 디자인하고 필수적인 부분만 일부 변형하여, 크게 메스를 대지 않고도 원하는 형태를 만들 수 있는, 전혀 새로운 방법의 수술이 이루어지고 있다. 여기에 인간과 유사한 유전자를 지닌 동물로 만든 인공장기나 조직을 이용하여 부품을 끼워 넣듯 대체하니, 옛날 수술처럼 해당 부위를 들어내어 온통 피범벅이 된 상태로 만들지도 않는다. 예를 들어 코가 없는 사람이라도 별도의 맞춤형 코 부위를 만들어 일부나 전체에 교체하거나 부착하기 때문에 한마디로 감쪽같이 해치울 수 있다.

그렇게 자기가 원하는 형태의 얼굴을 선택하여 컴퓨터로 정밀하게 각 부위를 입력하고, 이번에는 전체적인 조합의 어울림을 보아 최종적으로 본인이 선호하는 형태를 컴퓨터로 만들어 환자에게 보여준다. 그것을 환자가 선택하면 그 형태로 변형 혹은 교체하는 것이다. 그러니 진행 시간이 많이 걸리지 않는다. 다만 째고 잘라내는 부위가 아무는 시간만이 필요할 뿐이다. 그 시간이 입원기간이다. 상처가 아무는 시간도 신약이 만들어졌기 때문에 그 약을 사용하면 절반의 시간밖에 걸리지 않는다.

한 달 후 붕대를 완전히 풀게 된다. 메이코는 가슴이 설렌다. 심장이 쿵쿵 뛰는 소리가 들릴 정도다. 그녀는 오른손을 심장에 대어본다. 16분의 1박자로 빨리 뛰고 있다.

'내가 어떻게 변하였을까? 과연 이전의 내가 거기에 있을까? 아무도 몰라보면 어떻게 하지? 그런데 수술 전이나 수술 후가 거의 유사하면 또 어쩌지? 수술을 한 것인지 안 한 것인지 모를 정도로 외모가 그대로라면 내가 해야 할 일이 무엇이지? 그렇다면 강력하게 항의를 하고 다시 해달라고 해야지.'

그녀는 별의별 걱정을 하며 입원실에서 나와 치료실로 들어간다. 의사는 만면에 웃음을 띠며 붕대를 벗겨낸다. 그동안 몇 번 치료를 위하여 붕대를 벗긴 하였지만 그때는 의사가 사무적인 무표정이었다. 그런데 오늘은 웃음을 띠고 있다. 결과가 좋은 것일까? 의사는 붕대를 풀어내어 가제로 메이코의 얼굴을 닦아준다.

"메이코 님, 여기 이 거울 들여다보세요."

간호사가 중형 정도 크기의 거울을 앞에 비추어준다. 아! 거기에는 메이코가 없다. 얼굴이 약간 부은 어느 미모의 여성이 눈을 깜빡이고 있다. 그녀는 자신의 얼굴인지 손으로 만져본다. 이마부터 턱, 눈, 코, 입, 거기에는 옛날 메이코의 그것이 하나도 남지 않았다. 전혀 새로운 이방인이 자신을 들여다보고 있다. 그런데 참으로 잘생겼다. 전체 이목구비의 어우러짐이 극에 달해있다.

그녀는 만족한 웃음을 지으며 이전 메이코의 잔상을 찾으려 만져보기도 하고 샅샅이 살펴본다. 있다. 메이코의 그것이 있다. 눈! 약간 치켜 올라간 그 형태가 남아 있다. 다만 조금 둥그렇게 칼로 다듬어 쌍꺼풀을 만들었을 뿐이다. 코! 코끝에 딸기 씨 같이 촘촘히 박힌 모공 몇 개가 아직 남아 있다. 다만 조금 솟아 올라있고 경사가 아주 약하게 곡선으로 기울며 선형으로 만들어졌다. 입! 밑으로 처져 있던 입이 수평으로 잡아지니 웃는 상으로 바뀌었다. 앵두 같은 입술의 형태는 그대로다. 턱! 직각에 가까운 선이 완전한 곡선을 이루었다. 이 부분이 많이 바뀌었다. 전체적으로 조화가 이루어져 메이코의 눈, 코, 입, 턱 그놈들이 조금씩 자리를 이동하고 변형을 거쳐 전혀 다른 사람으로 변하였다.

"예쁘다. 기레이! 기레이데쓰네."

그녀는 대단히 만족한 웃음을 띠며 일본으로 돌아온다. 입원해 있느라 한국의 풍광은 아무것도 보지 못하고 돌아다닐 수도 없었다. 그녀는 다음에 꼭 시간을 내어 욘사마와의 멋진 여행을 하기로 꿈꾼다. 병원에서 지어준 한 달 치의 약을 먹으며 집에서 요양하니 부기도 금세 사라진다. 그녀는 살맛이 난다. 신이 난다. 이제 세상을 같이 살 그 남자를 데려다놓고 알콩달콩 살아보리라 결심한다. 그녀는 오후가 되면 조깅을 하며 몸매도 가꾼다.

그녀는 한 달을 푹 쉰 다음 출근도 하고 아베 신조도 만난다. 변신해버린 그녀를 보고 모두가 놀란다. 아베 신조도 처음에는 그녀를 알아보지 못하였으나 여자가 예뻐지려는 욕망에 대하여 이해할 수 있었다. 그는 '시장에서 과일은 그만 사세요'라는 메시지가 오자 이제 메이코를 더는 만날 이유가 없어졌다. 분명히 새로운 임무가 떨어질 것이니 그때는 메이코가 부담스럽고 성가신 방해물이 될 수 있어 멀리 사라지기로 작정한다. 그런데 이상하게도 그녀에게 작별의 말이 나오지 않을뿐더러, 전화가 오면 자연히 손이 가곤 한다. 자신이 아직 첩자로서 기본 바탕이 되지 않았다고 자책도 해본다.

함시황의 귀국, 미우의 귀화

미우와 함시황은 해가 지나면서 박사과정을 수료하고 정식으로 박사학위를 받는다. 그들의 논문은 별 이상 없이 연구소에서 통과된다. 현재 학계에서는 오사카 XX 대학 연구소에서 박사학위를 받았다는 것은 그만큼 실력이 있다는 것을 증명한 것이다. 그래서 관련 기업체나 연구소에서는 이들을 거의 무조건으로 받아들이고 있다.

"미우! 나 이제 한국으로 들어가 핵 연구소에 입사할 거야."

"당연히 그래야지. 사실 일본에서는 박사학위가 있다고 하더라고 본토인들도 취직이 어려운 것이 사실이야. 난 하무 상이 일본에서 취직하여 살았으면 좋겠다고 생각했는데, 외국인으로 특히 한국인으로 이곳에서 살아간다는 것이 쉽지 않아. 우리 일본인들도 쉽사리 받아주지 않지."

"난 한국에 가서 살고 싶어. 여기도 좋지만 내가 배운 지식을 마음껏 펼치고 새로운 것을 연구하여 나를 있게 해준 한국에 봉사하고 싶어."

"사나이라면 그렇지? 그렇게 생각해야지. 나도 찬성이야. 그런데 한국에 가면 취직할 수 있는 좋은 데가 있어?"

"응, 생각하고 있는 곳이 있어. 사실 내 수업료를 국가에서 일부 지원해주었거든. 조건은 한국에 돌아가면 내가 일본에서 배운 핵에 관한 새로운 이론을 소개하고 계속 연구하여 그 분야를 발전시키는 것이었고, 국가에서는 연구를 할 수 있도록 배려해주겠다고 했었지."

"그거 아주 잘되었네. 이제 걱정이 없겠어."

"지난번에 말했지만 만약에 말이야. 한국에서 미우를 받아주고 나랑 같이 연구를 하게 허락해준다면 한국에 올 거지?"

"당연히 가야지. 나 하무 상 따라가기로 이미 정했잖아. 내 마음은 정해졌었어. 사실은 하무 상이 나를 떼어놓고 그냥 혼자 간다면 어떡할까 고민도 많이 했어. 지금 그 매듭이 풀리고 나니 내 마음이 후련해지네."

"그래? 진작 말하지 그랬어. 미리 이야기해주었으면 고민을 덜 했었겠네. 그동안 나도 어떡할까 생각해보았는데, 한국 연구소에서 우리 같은 연구원이 필요하다고 했어. 그래서 이번에 한국에 가면 미우가 일할 자리도 만들어낼 거야. 미우가 새로운 원소에 대하여 정통한 지식을 가지고 있고 그동안 연구를 했기 때문에 그 연구지식을 활용하고 계속 활동하면, 아마도 FRxx 금속에 관해서는 세계적으로 최고의 권위를 가진 과학자가 될 거라 믿어."

"그래서 지난번에 연구 활동에 대하여 조언을 준 것처럼 나는 그동안 연구를 하면서 주요한 대목에 대해서는 주석을 달아놓았고, 내 분야가 아니더라도 이해가 안 가는 부분은 관련 연구원에게 물어서 완전히 내 지식으로 만들어놓았어."

"정말 잘했네. 잘했어요. 그 지식을 가지고 가면 한국의 모든 과학계에서 대환영을 할 거야."

"정말 그럴까? 그래주었으면 좋으련만……"

"이렇게 합시다. 내가 먼저 귀국해서 미우 씨가 근무할 수 있는 연구소도 알아보고 아예 귀화가 가능한지도 알아볼게. 그리고 우리가 같이 살 집도 마련할 테니 2주 정도만 기다리고 있어요. 다 계획이 이루어지면 '오세요' 하고 전화할 테니."

함시황은 다음날 짐을 싸서 한국행 비행기를 타기 위하여 공항으로 간다. 짐이 많아 일부는 우편으로 부친다. 미우가 자신의 승용차로 함시황을 공항까지 태워주고 손을 흔든다. 오사카 신공항에서는 인천공항으로 향하는 항공편이 하루에 40편 정도 된다. 그만큼 이 지역과 한국과의 교류가 많다는 의미이다. 활주로를 박찬 비행기가 어둠 속으로 빨려 들어간다. 아직 저녁 여섯 시가 되지 않았지만 어둠이 드리워진다. 오사카 시내가 다가온다. 어제부터 줄곧 비가 내리다 오후 들어 그치면서 낮은 구름은 물러가고 높은 구름이 도시의 불빛을 잡아놓고 있다.

비온 뒤 하늘에서 본 도시

우산도 체념하던 장대비
도시 불빛 하나 둘 점멸하니 썰물 빠지듯 물러난다.
색깔 더한 녹색대지를 무쇠날개 퍼덕이며
솔개보다 더 높이 올라 장대비 뒤끝 잡는다.

이글대던 태양도 옷깃 여미며 태우던 붉은 찌꺼기
허공에 흩뿌려 구름 물들이니 이슬 서린 도시 불빛
보석처럼 빛난다.

도심 홍등가 현란한 네온사인 붉고 파란 루비 사파이어
칠보 박아 놓은 듯 하고 가로등 사이 분주한 차량 등
형형색색 옥구슬 굴리듯 하다.

우뚝 선 백색 등 고층 아파트 함박눈꽃 핀 겨울 산이요
산모퉁이 창문 새어 나온 빛
넋 잃은 소복 여인 산화한 님 기다리는 듯하다.
성냥갑 포개놓은 작은 세상 온갖 사연 들어차 있어도
비온 뒤 옅은 무지개 구름 덮이고
보석 광채 넘치니 천년 태평성대 같구나.

한 시간여를 날아 인천공항에 도착한 함시황은 시내의 호텔에서 하룻밤을 묵고 다음 날 국정원을 방문한다. 오사카 지부장과 사전 조율이 되었기 때문에 비서가 그를 직접 국정원장의 집무실 옆 응접실로 안내한다. 함시황은 그동안 있었던 일을 상세히 이야기하고 자신의 요구사항도 말한다. 특히 미우의 귀화와 연구소 취직, 서울에서 살 신혼집까지 마련하게 된다.

함시황은 국정원을 나와 가슴 뿌듯하게 시골집으로 향한다. 가방은 기차역 사물함에 넣어두고 기차에 몸을 싣는다. 이번에는 자신 있다. '나는 모든 것을 가지게 되었다. 앞으로 열심히 연구만 하면 된다. 이렇게 앞이 일사천리로 잘 뚫린 사람이 또 누가 있을까?' 자신은 정말 행운아라고 생각한다. 서울에서 살려면 집값이 천정부지로 치솟아 작은 평수의 집이라도 전세금은 수억 원이 든다. 일반 서민으로서는 상상도 못하는 돈이 필요하며, 직장 초년생은 쥐꼬리만 한 봉급으로 결혼은 꿈도 꾸지 못한다. 집이 있어야 신부를 맞이하는데 부모가 마련해주지 않으면 감히 미래를 상상할 수 없는 것이 젊은이들의 현실이다.

대학교에 다닐 때 함시황은 이점에 대하여 정부가 강력히 통제정책을 취해야 한다고 생각하였다. 하물며 하찮은 동물들도 보금자리를 꾸며서 배우자를 맞이하는데, 사람이 집이 없어서 결혼을 미루거나 못하는 일까지 벌어지고 있다는 사실에 경악을 금치 못했다. 따라서 집과 부동산을

가지고 농간을 부리는 집단을 강력히 처벌하고 제도를 만들어 규제하고, 집과 땅 문제만큼은 공공의 이익에 부합되어야 한다고 생각했다.

그는 결혼하기 전에 집을 마련해야 한다는 강박관념을 완전히 없애지 못하고 귀국하였는데, 뜻하지 않게 모든 문제가 해결된 것이다. 사실 일본에서 공부하면서도 취직이 되어 만약에 서울이나 경기도에서 산다고 할 때, 어떻게 집을 마련하고 미우를 데려다놓을까 엄청나게 고민하였다. 하지만 행운은 그에게 찾아왔다. 그렇게 어렵다는 보수 좋은 취직자리가 마련되었고 집도 생겼다. 이제 그녀와 같은 직장에서 근무만 열심히 하면 된다. 보통 그와 같은 지방 출신은 대학교를 졸업해도 좋은 취직자리 하나 차지하기가 바늘구멍 통과하기보다 더 어렵다는 요즈음이다.

취직을 하고 싶어도 적당한 자리가 없으니 신부를 맞이하여 2세를 갖는 것은 꿈속에서나 가능한 일이 되었다. 이러한 현상은 수십 년 전 아버지 세대 이전부터 불거진 문제였지만 아직도 완전히 해결되지 않고 있다. 그런데 함시황은 모든 것을 갖게 되었다. 그는 '하하하하' 하고 호쾌하게 웃으며 마치 개선장군처럼 집으로 향한다. 박사과정 마지막 연도에는 부모님에게 학비도 보내달라고 하지 않았다. 그래서 마음이 더욱 홀가분하다.

그리고 얼마 후면 예쁜 며느릿감을 데리고 다시 집에 갈 것이다. 비록 그녀가 외국인이지만 명석하고 키도 크고 체격도 좋고 얼굴도 예쁜 데다 정도 많은, 며느릿감으로서 손색이 없다. 고향의 부모님에게 당당히 그녀를 앞에 내놓을 것이다. 대학교에 입학했을 때부터 집에 갈 때면 늘 한쪽 구석에 자리 잡았던 부담감이 이제는 자신감으로 변하여 집에 가고 있다. 큼직한 선물을 사들고 마음속으로 쾌재를 부른다.

2주일 후엔 미우가 오사카에서 일본항공 편으로 인천공항에 입국한다. 생전 처음 한국에 왔기 때문에 함시황이 마중 나온다. 미우가 인천공항을 나오면서 느낀 것은 한마디로 깔끔하다는 것이다. 사람들이 모두 생기발랄하고 의욕이 넘쳐 보인다. 일본인들 상당수가 삶에 지쳐 보이는데 한국 사람들은 모두가 활동적이라는 것이 첫인상이다. 역동적이라고 할까?

함시황은 국정원에서 마련해준 자가용을 몰고 주차장에서 그녀를 태운다. 공항을 떠나서 거의 한 시간을 달려 도심을 지나 강동에 있는 집에 도착한다. 넓은 한강을 사이에 두고 발달된 도시가 독특하다. 이 집은 국정원에서 특별히 두 사람을 위하여 제공한 관사나 마찬가지다. 그만큼 두 사람의 위상이 높고 정부의 기대치도 높다는 것을 의미한다. 미우는 아파트에 들어가자 깜짝 놀란다. 이렇게 넓은 집을 주다니, 한국이 일본보다는 개인소득에서 약간 뒤처지지만 삶의 질은 훨씬 높다고 생각한다. 집이 36평짜리라고 한다. 부모의 일본집이 24평이고 그것도 제법 크다고 생각해 왔다. 36평은 기업체 사장 이상이나 사는 고급 맨션에 속한다. 창문을 통하여 바라보는 한강과 시내의 전경은 감탄이 저절로 나오게 한다. 미우는 이렇게 좋은 집에서 멋있는 풍광을 즐기며 살 수 있게 해주어서 고맙다고 함시황에게 가볍게 뽀뽀해준다.

다음날 그들은 국정원장에게 인사하러 간다. 국정원에서 주관하여 미우는 한국인으로 귀화하는 행정절차를 밟는다. 행정부의 적극적인 지원으로 하루가 걸리지 않아 미우는 한국인이 된다. 그녀의 일본 이름을 한국어로 읽으면 임미해(林美海)이고, 일본어 발음으로는 림미우이다. 함시황과 미우는 그녀의 한국 이름을 어떻게 등록할지 상의한다. 함시황은 잠깐 생각하다가 그녀에게 제안한다. '임미우'(林美優) 혹은 '임미해'(林美海) 둘 중 하나를 선택하는 것이 어떠냐고 물어본다. 미우는 '미우'가 '미해'보다 한국인의 이름에 훨씬 가까운 것 같고, 발음도 일본 이름과 같으니 임미우로 선택하겠다고 말한다. 이로써 그녀는 한국인 여성 최초의 일본수풀 임씨 임미우가 된다.

다음날 두 사람은 시장에 가서 여러 세간을 마련한다. 함시황의 부모도 상경해서 도와준다. 그렇게 두 사람이 한국에서 살게 될 기본이 모두 마련된다.

이틀 후, 국정원과 과학부의 주선으로 두 사람은 국립 핵 연구소에 입사한다. 그들은 독도에서 발견될 신(新) 원석에 대한 특별 연구팀에 배정된다. 아직 원석은 채취하지 않았다고 전해 듣는다. 원석이 채집되어 연구소에 올 때까지 할 일이 있다. 임미우가 가지고 온 연구 경과와 결과 보고서, 그리고 리노아가 보내준 USB에 들어있는 신 원석에 관한 정보를 분석하는 것이다. 추가하여 각 지부에서 보내준 자료를 취합하여 임미우의 연구 보고서와 비교 대조한다.

지난번 리노아가 보내온 광석 분석 결과 보고서를 한국 과학자들이 번역한 초기의 내용에 추가하여 미우가 확보하고 있는 또 다른 연구 보고서를 두 사람이 더 자세하고 완벽하게 해석 번역 작업을 해야 한다. 또한 앞으로 원석이 도착하면 어떻게 실험을 해야 할지, 실험 순서와 분야를 나누는 전체적인 마스터플랜을 짜야 한다. 두 사람이 기획하고 핵 연구소장이 전문 분야에 맞게 연구원을 배당하고 연구 방향과 목표를 제시한다.

일본 정부의 모사(謀詐)

비밀 각료 회의실

어느덧 수상이 지시한 날짜가 다 되어 수상을 비롯한 각료 대신들이 모여 머리를 맞대고 신 원석에 대하여 앞으로 어떻게 할 것인가 토의한다. 문부과학대신이 중심이 되어 토론을 진행한다.

"저희 문부과학성에서는 원석의 분포도를 작성하였습니다. 지도를 보시면 다케시마 20킬로미터 반경 안에 30퍼센트의 매장량, 반경 20킬로미터에서 50킬로미터 서쪽에 30퍼센트, 반경 50킬로미터 서쪽에 20퍼센트, 다시 한국의 울릉도 반경 20킬로미터 안에 나머지 20퍼센트가 존재하고 있다는 것을 알아냈으며, 지질분석도에 상세히 명시해놓았습니다. 수천만 년 전에 대한 지질 분석 결과, 몇 번의 반복적인 대규모 화산분출에 의하여 이 지역에서만 특별히 FRxx가 형성되었다는 것을 알 수 있었습니다. 그래서 다케시마 반경 안에 분포되어 있는 조밀도로는 전체가 골고루 분포되어 있는 것이 아니고, 주로 다케시마의 서북쪽과 울릉도의 동쪽에 존재한다고 보입니다. 그렇다면 이러한 상황에서 원석을 확보하는 방법이 무엇일지 세 가지 방법으로 설정해보았습니다.

첫 번째 방법은 현재처럼 잠수정을 이용하여 다케시마 부근에서 비밀리에 원석을 건져 올리는 방법입니다. 이 방법은 단기간에 사용될 수 있을 뿐 원석인 바윗덩어리가 유한하기 때문에 장기적인 방법이 되지 못합니다.

두 번째는 다케시마 반경 20킬로미터 밖에 원석 채취선을 영구히 설치하여 해저 광산을 개발하는 방법입니다. 다케시마 영해 밖이라고 하더라도 다케시마의 대륙붕에 연속해서 연결되는 경제수역에 해당되기 때문에 한국에서 강력하게 항의할 때 외교 문제가 되겠습니다. 그리고 다케시마 20킬로미터 밖에는 부존량이 아주 적어 개발 위치가 합당하지 않습니다.

세 번째는 외교 문제를 무시하고 아예 부존량이 많은 다케시마로 들어가 원석을 채취하는 방법입니다. 이 방법은 외교부에서 설명이 있을 예정입니다."

"다음은 국방성에서 보고를 드리겠습니다."

국방성대신은 서해상에서의 방어력과 공격력, 그리고 한국의 전투력과 동해상에서의 동원력에 대하여 상세히 보고한다. 또한 독도에서의 국지전 발발 시 동원 가능한 전력과 전투 양상에 대하여 보고한다.

"다음은 외무성에서 발표하겠습니다."

"외무성에서 보고 드리겠습니다. 외교적 사안이라 매우 민감한 문제이고, 여러 변수를 고려하여 군사작전을 수행하여야겠습니다.

첫 번째, 외교적으로 원석을 계속 확보하는 방안 중에 하나가 절충안입니다. 사실 한국은 우리보다 기술적으로 심해 개발 능력이 떨어집니다. 따라서 우리가 원석을 개발하고 한국에 일부 제공하는 공동 개발 방안입니다. 우리가 모든 것을 주도적으로 해결할 수 있으니 신 청정에너지 핵심 분야에서는 우리 일본이 한국을 제치고 헤게모니를 가질 수가 있습니다. 비록 원석을 나누어 쓰지만 모든 기술은 우리 일본이 앞서 가는 것이니 오히려 미래에 그 이익이 더 크다 할 수 있습니다. 다만 후속으로 한국이 우리를 따라잡는다면 문제가 될 것이라 생각하지만, 지금의 한국 능력으로 판단할 때 요원한 문제입니다. 이 자원이 고갈될 때까지 우리가 한국을 영원히 종속시킬 수 있습니다.

두 번째 방법은 국제사법재판소에 제소하여 한국으로 하여금 다케시마에서 우월권을 가지지 못하게 하는 방법입니다. 이미 내각에서 보고 드린 것 같이 다케시마의 영유권은 우리에게도 있습니다. 일한 기본협약 때 체결된 부칙을 내세워 국제사법재판소에 제소한 뒤에 판결이 나기 전에 우리의 영토임을 주장하고 영토권을 아예 행사하는 방법입니다. 문부과학성에서 보고 드렸지만 다케시마 이외의 지역에 시추선을 배치하여 원석을 확보해야 합니다. 더군다나 동남쪽 20킬로미터 밖에는 공동수역이므로 우리가 선점하여 원석을 채취할 수 있습니다. 단 하나, 그 지역은 원석의 부존율이 심하게 떨어진다는 것이 문제입니다. 시추선을 시설할 경우에는 우리 해・공군이 직접 해역에 머물면서 한국군으로부터 시설방어를 할 수 있는 일부 전력을 상주시켜야 합니다.

세 번째 방법은 아예 국제사회에 다케시마는 일본 영토라고 선언해버리고, 독도에서 한국의 경비대가 퇴출하도록 압력을 행사하면서 한국을 무시하고 우리 일본 단독으로 자원을 개발하는 방안입니다.

네 번째는 다케시마를 일본 영토에 영원히 복속시켜버리고 한국의 경비대가 자발적으로 퇴출하지 않으면 다케시마를 공격하여 한국군을 격퇴하는 방법입니다. 이때는 군사적인 우월이 완전히 확보되어야 합니다. 앞서 국방성에서 보고하였지만 우리의 방어와 공격 능력은 이미 한국군과 비교도 되지 않을 정도로 압도적이라는 것이 입증되었습니다. 따라서 이 방법을 사용한다고 하더라도 큰 문제가 없을 것으로 판단합니다. 우리가 다케시마를 공격하더라도 주변 4개국은 자국의 이익에 현저히 영향을 미치지 않으므로 중립적인 입장을 견지하리라 판단합니다. 일본해에 있는 자그마한 돌섬 하나가 그들 나라와 인과관계가 별로 없기 때문입니다.

외무성에서는 4개국에 대하여 미리 우호적인 조치를 취하고 어느 정도 당근을 제공하는 정책을 병행한다면 천년이나 사용이 가능한 청정에너지를 어렵지 않게 확보할 수 있을 것입니다. 이상 보고 마치겠습니다."

"다음은 공안청에서 보안에 대하여 보고 드리겠습니다."

"공안청장입니다. 공안청은 그동안 원석연구에 대한 비밀을 지키기 위하여 여러 방면으로 노력해왔습니다. 그런데 100퍼센트 보안을 유지하였다고 생각할 수 없게 되었습니다. 나고야 핵 연구소에서 근무한 기무라라는 보안요원이 비밀 유지에 힘쓰다 변사체로 발견되었고, 그 사건에 연루된 연구소 직원이 막판에 몰리자 유치장에서 자살하였습니다. 그리고 자살한 연구원과 비밀을 주고받은 한 여성이 홀연히 홍콩으로 사라졌으며 아직도 행방이 오리무중입니다. 이러한 사건들이 발생한 것을 보면 나고야 핵 연구소에서의 보안유지는 실패한 것으로 추정됩니다.

그런데 현재 연구 중인 오사카 XX 대학에서 박사학위를 받은 외국 학생 중 한 한국인 학생이 있었습니다. 그 학생은 다른 외국인 학생들과 함께 이번 연구에서 당연히 배제되었습니다. 문제는 미우라는 우리 일본인 여성 박사과정 학생이 이 연구에 참가하였고, 그 한국인 학생과 사랑에 빠져있었던 것입니다. 두 사람의 관계로 볼 때 보안이 100퍼센트 유지되고 있다고 장담할 수 없습니다. 여기서 또 하나 발생된 문제점은 미우 연구원이 한국 유학생을 따라 한국으로 입국하였으며, 한국의 핵 연구소 직원으로 고용되었다는 사실입니다.

놀랍게도 그 한국 학생과 같은 핵 연구소에 바로 입사하였으며, 추측건대 우리와 동일한 원석 연구에 참여할 듯합니다. 공안청에서는 여러 연구소에서 몇 개월 간 심혈을 기울여 연구한 결과를 그렇게 대가도 없이 바로 한국에 넘어가는 것을 용납하지 않습니다. 이에 따라 우리는 조만간 대책을 수립하여 시행할 예정입니다. 지금 미우로 인하여 우리가 그동안 심혈을 기울인 청정에너지 확보 노력과 이에 관련된 보안이 완전히 허탕이 될 가능성이 짙어졌습니다."

"다음은 법무성에서 보고 드립니다."

"일한비밀협약에 의하여 다케시마는 우리의 영토도 되므로 이를 국제사회에 통보하고 호소하면서, 한국의 실효적인 지배를 무력화하는 것입니다. 국제법상 영토 탈환을 수행한다고 호소하고 공격하여도 아무런 문제점이 없습니다. 우리 영토를 한국이 불법 점거하고 있다는 명분으로 공격을 하면 됩니다. 다만, 다케시마를 공격하였다면 반드시 성공을 하여 국제법이 힘의 논리와 일치한다는 것을 보여주어야 합니다."

"이상으로 관련 각료의 보고를 모두 마치겠습니다. 질문 있으면 간단히 받겠습니다."

국방상이 질문한다.

"외교사항으로 주변국에 대한 당근을 제공한다고 하였는데 어떻게, 무엇을 협상카드로 내세울지 궁금합니다."

외무성에서 답변한다.

"하이! 다 아시겠지만 주변국은 중국과 러시아 그리고 미국, 세계 최강 3국을 의미합니다. 대 중국 카드는 센카쿠 영토 분쟁을 해결하자고 제안하는 것입니다. 중국 측에 상당히 유리한 조건을 내세우고 우리가 독도를 공략하면 중국도 중립적인 위치를 지킬 것입니다. 이때 우리 항공모함 전단을 센카쿠 주변 해역에 투입하면 더 좋은 효과를 나타낼 수 있습니다. 러시아도 북방 네 개 섬에 대하여 아주 유리한 조건을 제시하고 시간 끌기 작전을 취하면서, 그동안 다케시마를 공격하여 일거에 점령한 다음 모든 것을 다시 예전으로 돌리는 것입니다. 미국은 전통적으로 우리가 힘이 약해지는 것을 바라지 않습니다. 두 강대국에 접한 우리를 방패막이로 지금껏 이용하였기 때문에 중립적인 위치에 있을 것으로 생각합니다."

"이상으로 질문이 없으면 마지막으로 수상님의 말씀이 있겠습니다."

수상이 자리에서 마이크를 잡고 말한다.

"우리 일본은 빨리 핵 발전에서 벗어나 지진이나 쓰나미에 의하여 발생한 재난을 아예 없애버려야 하는 긴급한 상황에 놓여 있습니다. 후쿠시마 원전사고 이후 우리는 많은 것을 준비하여 왔지만 또다시 몇 년 전에 일어난 간토 대지진으로 원전 사고가 발생하였습니다. 지난번 쓰나미는 후쿠시마와 동일하였지만 다행히 원전에는 영향을 주지 않아 단지 쓰나미에 의한 피해만 있었고, 그동안의 노력으로 피해가 30퍼센트 수준으로 줄어들었습니다. 이제 핵 발전을 할 때 원자력보다 훨씬 더 안전한, 이번에 발견된 원석을 이용하여 발전을 한다면 우리는 약간의 쓰나미 대비만 하고 앞으로는 두발 뻗고 편히 지낼 수 있겠습니다. 각료들이 발표한 것을 살펴보면 우리 일본의 대책이란 선택의 여지가 아주 좁은 것을 알 수 있습니다. 따라서 단계적이면서 수준을 상회하는 대책을 수행하여야겠습니다.

첫째는 국제사법재판소에 제소하여야 합니다. 그리고 유엔 연설에서 일본의 영토임을 선언하겠습니다.

둘째는 한국 경비요원이 다케시마에서 철수할 것을 강력히 요청하겠습니다. 만약 철수하지 않으면 무력으로 축출할 수밖에 없다는 것을 밝혀 두겠습니다.

세 번째는 한국이 우리의 요구에 전혀 응하지 않는다면 당연히 응징에 나서겠습니다. 이에 따라 지금 이 시각 이후 국방성에서는 무력 침공 시나리오를 만들어 시행 준비를 하시기 바랍니다.

네 번째는 만약 한국이 협상에 응한다면 부존자원의 30퍼센트만 넘겨주고 모든 기술력을 우리에게 의존하도록 하겠습니다. 즉 협상의 조건은

30퍼센트와 기술력의 독점입니다. 최대 35퍼센트까지 양보가 가능합니다.

모든 부서에서는 관련 수행 사항을 적극 실천해주시기 바랍니다. 이상입니다."

회의에 참석한 각료들은 서슬 퍼런 수상의 얼굴을 바라보며 입술을 깨문다. 일전을 불사하겠다는 각오를 이심전심으로 다짐한다.

일본 중의원 회의실

일본 중의원과 참의원의 국방위 소속 20여 명과 의장, 부의장, 간사장 그리고 각 소관위원장이 수상과 행정부의 주요 대신 등 20여 명을 비밀리에 출석시키어 최근 정부의 움직임을 질문한다.

중의원 간사장이 먼저 수상에게 질문한다.

"최근 수상은 한국이 실효 지배하고 있는 독도에 출병하기 위한 국지전 계획을 수립하고 이것을 지원하기 위하여 여러 각료에게 재정수립 지시를 편법으로 수행하고 있다는데 이것이 사실입니까?"

"사실입니다. 그렇습니다."

"그렇다면 수상은 그런 계획을 수립하기 전에 우리 의회의 승인을 받아야 한다는 것도 알고 계신가요?"

"예, 알고 있습니다."

"그렇다면 왜 그런 중대한, 국가운명을 좌우할 수도 있는 국지전 계획을 수립하기 전에 의회에 보고도 하지 않았습니까?"

"그것은 너무나 중대한 사안이라 비밀 누설 방지를 위한 조치 중의 하나였습니다. 그러지 않아도 제가 의원님들을 모셔서 국지전을 수행하지 않으면 안 될 당위성과 사유를 보고할 것을 계획하고 있었습니다. 이 자리를 빌려 얼마간의 시간을 주시면 모든 것을 설명해드리겠습니다."

"비밀이 그렇게 잘 지켜졌다면 오늘 우리 중의원에서 이런 회의를 가질 수 없을 것입니다. 수상은 좀 더 분발하여야겠습니다. 좋습니다. 그럼 지금부터 국지전 계획과 당위성에 관하여 정부의 입장을 들어보겠습니다."

수상은 직접 미리 준비해온 유인물을 나누어주면서 다케시마에 대한 역사적 배경과 한일협약, 최근 독도에서 발견된 FRxx에 대하여 설명한다.

이어서 문부과학대신이 FRxx에 대해 상세히 설명한다. 문부과학대신도 앞으로 나와 FRxx에 대하여 그간의 경위와 성분 검토 결과, 미래의 신청정에너지에 대하여 발표한다.

여러 가지 의혹에 대한 해명과 청정에너지에 관한 설명을 듣던 의원들의 눈초리가 점점 긍정적인 눈빛으로 변한다.

"다음은 외무상이 한국과의 외교결과를 설명 드리겠습니다."

외무상 역시 그동안 한국과의 메탄 하이드레이트에 얽힌 경과를 설명하고 다케시마에 부존하고 있는 FRxx에 대하여 어떻게 외교적으로 풀어갈 것인지 몇 가지 방안을 들어 설명한다. 듣고 있던 의원들은 외교적 해결보다 다케시마를 점령하여 자원을 영원히 독점하자는 방안을 설명할 때 우레 같은 박수를 퍼붓는다.

이에 신바람이 난 수상이 일어선다.

"나도 의원님들 생각과 동일합니다. 나는 한국 정부와 협상하여 청정에너지인 FRxx에 대한 문제를 해결하되, 우리 일본이 70, 한국이 30으로 시작하고 최후에 65대 35까지 물러나겠으며, 그 이상은 협상 결렬을 선언하겠습니다. 협상이 결렬된 이후에는 다케시마를 영원히 우리 일본이 경영하여 신 청정에너지를 확보하도록 심혈을 기울이겠습니다."

수십 명의 의원들과 정부 각료에게서 또다시 박수가 쏟아진다.

"그럼, 다음으로 국방상이 국지전 준비에 대하여 의원 여러분께 보고 드리겠습니다."

국방상은 한국의 현 국방력과 다케시마에서 국지전이 발발하였을 경우 출동 가능한 전력, 그리고 일본이 출병할 경우에 동원 가능한 전력 또한 출병할 때의 작전 계획과 사전 준비사항을 의원들에게 설명한다. 보고를 마치자 수상이 다시 연단에 서서 말한다.

"지금까지 신 청정에너지 확보에 관련된 여러 가지 사항을 보고 드렸습니다. 의원님들께서 의문 난 사항이 있으면 질문해주시기 바랍니다."

"중의원의장입니다. 계획을 천황폐하께 보고 드릴 예정입니까?"

수상이 즉답한다.

"물론입니다. 천황폐하의 재가가 없다면 이번 작전은 수행하지 않을 것이며 수행할 수도 없습니다. 제가 천황폐하를 직접 알현하여 상세히 설명을 드리고 재가를 받도록 하겠습니다."

"참의원 의장입니다. 천황폐하께서 재가하신다면 외교상 어느 나라에 사전 통보를 할 예정입니까?"

"다른 나라에 사전 통보를 한다면 우리의 의도가 누출될 가능성이 대단히 많습니다. 미국에 파견한 우리 대사를 직접 오게 하여 하루 전 한국과의 결렬된 협상 내용, 타게시마의 역사적 배경, 한국군의 무리한 다케시마 점령과 우리 일본의 자원 확보의 당위성 등을 설명해주어 미국 대통령에게 보고토록 하겠습니다."

"그렇다면 주변 3대 강국인 미국과 중국, 러시아는 어떠한 반응을 보일까요?"

수상은 중국, 러시아, 미국에 대한 자국의 외교 대응책을 설명한다.

"참의원 국방위 소속 ○○○○ 의원입니다. 제가 알기로 한국은 현 대통령이 집권하면서 그동안 불안정하였던 보수와 진보와의 갈등이 완전히 해소되었으며, 과학을 진흥시키면서 답보상태에 있었던 성장률이 크게 올라 국민 소득이 오르고 경제적으로 세계 톱 5에 올랐으며, 이에 군사력도 크게 증진되었습니다. 아까 보고 자료에서 국지전이 일어나게 되면 한국군이 대응할 수 있는 가능 대응 전력을 나열하였는데, 그 전력이 우리가 알고 있는 모든 전력인가 의구심이 들기도 합니다. 물론 정보국에서 그동안 열심히 파악한 내용이라고 할 수 있겠지만 돌다리도 두들겨가면서 건너가듯, 이번 사안이 대단히 중요하고 어찌 보면 국운이 걸려 있다고 생각하기 때문에 좀 더 신중히 한국군의 능력을 파악하여 계획을 수립하여야겠다는 말씀을 드립니다.

손자는 병법에서, 싸우지 않고 이기는 방법이 최선책이요, 차선책은 전쟁인데 만약 차선책을 쓴다고 할 때에 적을 알고 나를 알아야 승산이 있다고 하였습니다. 나는 이번 사안을 일차적으로 외교로 풀어갈 것을 강력히 주문하고, 그렇게 되지 못하였을 때에만 국민을 설득하여 극히 국지적인 전투를 최단기간에 수행할 것을 권고합니다. 이상입니다."

"우리 정보국은 한국군의 실상을 낱낱이 들여다보고 있습니다. 정보국의 능력을 우리는 믿습니다. 그리고 의원님 말씀대로 일단 외교적으로 풀도록 최대한 노력하겠습니다. 국지전은 차선책이 아니라 차차선책으로 하겠습니다. 그리고 국지전을 한다면 최단시간 내에 종료하겠습니다."

한국 정부 국무회의 (며칠 후)

일본은 한국 주재 대사를 통하여 한국의 외교부장관에게 동해의 자원개발에 대한 일본의 입장을 전하고, 한국 정부의 답변을 기다린다는 비공개 서한을 보내온다. 서한의 내용은 다음과 같다.

우리 일본은 일본해에 위치하고 있는 다케시마를 중심으로 한일 공동수역 개발을 제안한다. 일본이 주체가 되어 공동수역 내의 모든 자원을 개발하고, 이에 소요되는 모든 비용은 1대 1로 부담한다. 개발 기술은 일본이 모두 제공하며, 한국에 개발 결과 발생하는 총 이득의 30%를 할당한다.

국무회의 자리에서 외교부장관은 일본대사와 있었던 대화 내용을 알린다.

"나누어드린 일본의 비공개 서안을 접수하고 저는 일본대사에게 몇 가지를 질문하였습니다. 첫째, 현재 우리가 채광 생산하고 있는 메탄 하이드레이트를 포함한 모든 광물을 의미하는 것인가? 둘째, 여기서 지칭하는 자원이란 무엇을 의미하는가? 셋째, 비용은 똑같이 투자하면서 왜 할당량은 다른가? 일본대사의 답변은 다음과 같습니다."

첫째, 일본은 한국에 자신들의 영토 다케시마 해저에서 하이드레이트 개발 이용에 관하여 지금까지 아무런 간섭도 하지 않았습니다. 그만큼 한국을 일본이 배려한 것입니다. 하지만 이제는 우리도 하이드레이트처럼 어떠한 광물이라도 발견되면 당연히 일본으로 귀속할 것입니다.
둘째, 여기서 말하는 자원이란 하이드레이트를 포함한 모든 자원, 즉 광물, 동식물을 의미합니다.
셋째, 다케시마는 역사 이래 우리 일본 영토인데 한국이 불법으로 점유하였기 때문에 모든 자원의 이용권은 실제 일본에 있지만, 한국이 공동 투자를 하기 때문에 30%를 양보하는 것입니다. 자원을 개발하기 전 자원의 탐색, 이용에 관한 모든 것을 일본이 주도하여 개발하고, 한국에 자원의 이용에 관하여 모두 지도해줄 것이니 그 대가로 일본이 40%를 더 가져야 합니다.

"일본의 이러한 비공개 서한에 대하여 오늘 이 자리에서 우리의 대응책을 마련하여야 할 것입니다."

외교부장관의 설명에 모두들 무례한 일본의 태도를 질타하고 각자 생각하고 있는 대응 방법을 앞 다투어 개진한다. 뜻하지 않게 진지한 난상토론 장이 된다. 이구동성으로 서한이 의도하는 것은 FRxx 자원을 독점하려는 일본의 술수이기 때문에 이 책략에 말리지 말고 지연작전을 해야 한다는 의견들이다. 이 모든 과정을 듣고 있던 대통령이 최종적으로 자신의 생각을 정리한다.

"진지한 토론에 감사드립니다. 이번 일본의 비공개 서한은 여러 장관님들의 생각과 같이 FRxx를 독점하고, 독도를 영원히 자국의 수중으로 넣으려는 책략임을 엿볼 수 있습니다. 이에 대하여 다음과 같은 절차를 수행하여 지연 전략으로 대응하겠습니다."

1. 지연작전 수행을 위하여 행정부 내에서 일본의 제안에 대하여 최소 3개월 간 검토한다. 비공개 서한이지만 언론에 일본의 제안과 향후 검토 방향에 대하여 1단 기사화한다.
2. 3개월 후 국회에 통보하여 소관 회의에서 검토하도록 한다. 매월 소관회의에서 검토한다고 제2단 기사로 언론에 보도한다.
3. 1년 반이 지나 한국이 최대한 양보하여 한국이 70, 일본이 30으로 하되 일본이 개발 자본의 50%와 모든 자원 이용에 관한 정보와 기술을 한국에 제공하도록 제의한다.
4. 최소 3년이 지나면 협상 요구가 없었던 것으로 무시해버린다.

미우는 한국에 들어온 두 달 동안 정신없이 보낸다. 핵 연구소의 연구원으로 근무하면서 일본에서 가져온 자료와 첩자들에게서 파악한 다른 연구소의 연구를 비교하면서 종합 해석판을 만든다. 연구소에서 함 시황과 함께하니 하루가 지겹지 않고, 일에 집중하다 보면 금세 퇴근 시간이 다가온다. 거기다 FRxx에 관한 내용을 자신이 아니고서는 누가 감히 말할 수 있겠는가 하는 자신감이 더해지니 오히려 흥미가 더해진다. 며칠 있으면 원석이 도착한다는 소식도 들린다. 그동안 그녀는 해설판을 완성하였고 최근에는 '원석이 들어오면 어떻게, 무엇을, 어떠한 과정으로 연구할 것인가' 하는 마스터 프로젝트도 만들었다. 한 분야에 10여 명, 총 일곱 개 분야로 나누었다. 핵 연구소의 연구원 70여 명이 달라붙어 공동 연구하며 결과를 종합하는 프로젝트다.

함시황과 미우가 전 연구원을 모아놓고 각 분야별로 연구 과제와 연구방법 등을 강의한다. 핵 연구원들은 긴장하면서 두 젊은이의 강의를 경청하며 어떻게 연구할 것인가 머릿속에 그린다. 강의가 끝나자 많은 질문이 쏟아진다. 미우가 답변하고 함시황이 번역, 해석한다.

강의를 마치고 함시황과 같이 퇴근하는데 전화가 온다. 전화 올 곳이 별로 없어서 주로 본가의 아버지나 어머니의 이름이 찍히곤 하는데, 처음 보는 전화번호다. 그녀는 전화를 받으려다가 잘못 걸린 거라고 생각하여 받지 않는다. 다음날 점심시간에 또 전화가 걸려온다. 어제 그 번호다. 쉬는 시간이라 그녀는 한가한 마음으로 전화를 받아본다.

"아! 여보세요."

"……"

"여보세요! 전화했으면 말을 해야지요?"

"림미우! 야메로(중지하라)!"

굵직한 남자 목소리가 일본어로 흘러나온다.

"하이! 누구세요?"

"다시 말한다. 그만두어라!"

"여보세요! 당신 누구요?"

전화가 툭 끊어진다.

미우는 전화를 끊고 화가 치민다. 어떤 자가 이런 무례한 전화를 하였을까 생각하면서도 한편으론 마음이 불안해지기 시작한다. 누군데 어떻게 자신의 전화번호를 알게 되었을까? 다음날 그녀는 함시황과 같이 휴대전화 매장에 가서 전화를 바꾸어버린다. 조금은 안심이 된다. 전화기 속 그 남자 그 목소리가 매우 거슬린다. 귓가에 왜앵 거리는 환청이 들리는 듯하다. 일본어를 능숙하게 구사하는 것을 보니 분명히 일본 사람이다. 한국 사람이 아무리 일본어를 잘한다 하더라도 몇 마디 들어보면 발음에서 차이나는 것을 알 수 있다. 그렇다면 남자는 일본의 연구소에서 자신들을 얽어맨 보안요원이 분명하다. 그들 중의 한 명일지 모른다.

'그만두라고? 무엇을 그만두라고 하는 것일까? 내가 지금하고 있는 일을 그만두라고 하는 것일까? 맞다. 그렇다. 그 얘기다. 원석 연구!'

'일본인이 한국에 와서 연구를 하는 이유가 무엇인가?' 마치 이렇게 질문하는 것 같았다. 그녀는 한국을 위하여, 아니 사랑하는 사람 함시황을 위하여 이 일을 해야 한다. 역사적인 인연으로 친다면 그녀의 조상은 일본에 와서 살게 된 한국인이며, 미우는 과거에 진 빚을 갚아야 한다는 의무감이 있다. 게다가 한국 남자를 알고 사랑하게 된 것이 운명 같다. 이 모든 것이 필연적으로 작용하고 있다.

앞으로 한국을 위해 큰일을 하여 빚을 갚아야 한다. 그런데 그만두라는 협박이 들어온다. 분명코 일본 자객이 미우를 찾아온 것이리라. 그녀는 고민 끝에 며칠 전에 받은 전화에 대하여 함시황과 의논한다. 함시황도 예사롭게 듣지 않고 같이 고민한다. 다시 한 번 전화에 대하여 분석해본다. 미우와 생각이 같다. 함시황도 일본의 기관요원을 생각해낸다.

"미우! 내일 우리 국정원에 들어가서 신변 보호를 요청해야겠어. 이대로 계속 지낼 수는 없어. 뭔가 조치를 취해야지."

"국정원이 우리를 지켜줄 수 있을까?"

"우리가 요청하면 아마 경호원을 배치해서 우리를 보호해줄 수 있을 거야. 사실 국정원이라고 하는 곳이 그런 곳은 아니지만 적어도 우리 정도의 신변은 보호해줄 수 있는 역량이 있을 거야."

"그렇다면 우리 신변 경호를 요청해보는 것이 좋겠어."

"알았어. 우리 내일 같이 가보자!"

다음날 두 사람은 국정원에 들어가서 자초지종을 이야기한다. 국정원의 한 국장이 두 사람의 이야기를 듣고 말한다.

"아마도 일본 정보국에서 장난을 치고 있는 것 같습니다. 일본 정보당국에서는 미우의 행방을 이미 파악하였고, 미우가 한국의 핵 연구소에 입사하였다는 사실도 다 알 것입니다. 그리고 그 전화는 두 가지로 분석할 수 있습니다. 하나는 연구를 그만두라는 의미이고 또 다른 것은 경고의 의미라고 생각합니다."

국정원에서는 신변 보호를 약속한다. 출퇴근 시간에는 국정원 직원이 직접 차를 몰고 그들의 아파트에서 대기하고 있다가 출근시키고, 퇴근할 때도 연구소 현관에서 차를 타고 집에까지 도착하는 출퇴근 밀착 경호다. 하지만 이런 경호는 퇴근 이후의 사생활에 대한 신변보호는 되지 못한다. 국정원에서도 완벽한 신변 경호는 되지 못할 거라고 스스로 인정한다. 그러면서 미우가 연구 활동을 그만두고 당분간 일본으로 귀국하는 것이 어떠냐고 제안한다. 이미 연구에 대한 번역이 완료되었고, 새로운 연구에 대한 마스터플랜도 완성되었기 때문에 이젠 계획에 따라 연구하면 된다. 그러니 아예 일본으로 돌아가서 원격으로 문제점을 풀어주거나, 난관에 봉착할 때 가끔 한국에 들어와서 조언하면 될 것이라고 제안한다.

그러나 신혼의 단꿈에 빠진 두 사람이 사실상 헤어져야 한다는 것은 받아들이기 어려운 제안이다. 그러다가 며칠을 어물쩍거리며 흘려버린다. 퇴근 후에 미우는 외출은 일절 삼가고 집에만 있다. 일본 TV 프로그램을 보며 한가한 시간을 보내고 있을 때 탁자에 올려놓은 미우의 전화기가 울린다. 미우는 화들짝 놀란다. '누가 내 전화번호를 알고 있을까? 새로 개통한 전화인데, 잘못 걸린 전화겠지!' 하며 전화를 받을까 말까 망설이고 있는데 옆에 앉아있던 함시황이 냉큼 전화기를 받아 녹음 기능 버튼을 누른다.

"여보세요. 함시황입니다."

"……"

"여보세요. 전화를 하였으면 말을 해야지!"

"며칠 말미를 주겠다. 한국을 떠나거라. 그렇지 않으면 신상에 좋지 않을 것이다."

"왜 떠나야 하는데?"

함시황이 고함을 친다.

"그것은 네가 더 잘 알고 있을 것이다."

"협박이냐?"

전화가 끊겨버린다.

함시황이 얼른 발신번호를 확인해보니 일반적인 전화가 아니다. 그는 일부러 욕을 해댄다. 미우를 안심시키기 위해서다.

"뭐라고 그랬어?"

"잠깐만 기다려요. 내가 녹음된 것을 들려줄게."

함시황은 녹음된 통화 내용을 재생하여 들려준다. 한국어로 된 휴대전화이기 때문에 아직 상세한 기능을 알지 못하는 미우를 대신하여 녹음하고 재생해본다. 통화한 내용이 그대로 흘러나온다. 지난번 그놈 목소리다. 전화번호는 지난번과 다르다. 한국에서 사용하는 휴대전화 번호는 010, 일본은 090으로 둘 다 세 자리로 시작하지만 이 전화번호는 네 자리다. 4-5-5 자리다. 그러니 어디라고 딱 잘라 말할 수 없다. 하지만 국정원은 알 수 있을 것이다. 발신지 추적을 하면 될 것이다. 미우가 걱정스러운 얼굴로 함시황을 바라본다.

"미우! 근심할 것 없어. 국정원이 경호를 하고 있으니 아무런 일도 없을 거야. 걱정하지 마."

"그래도 어찌 걱정이 안 되겠어! 일본도 아니고 한국에서 일본인에게서 협박당하고 있는데. 이것은 분명히 일본의 어느 기관에서 나를 표적삼아 그러는 걸 거야. 내가 연구소의 연구 결과를 빼돌리고 비밀을 누설하고 있다고 생각하는 것이겠지. 사실이 그러니까 내가 할 말이 없네..."

"내가 개인 밀착 경호를 24시간 요청해볼게. 당분간 그렇게 해달라고."

"장정 열 명이 도둑 한 명을 지키지 못한다는 말이 있잖아. 아무리 국정원의 정보기관 요원이 지키고 있더라도 얼마든지 빈틈이 생기겠지."

"한국의 경호는 세계적으로 유명해! 기대해봐요."

두 사람은 다음날 출근을 시켜주는 국정원 요원에게 어제 저녁의 일을 소상히 알려주고 밀착 경호를 요청한다. 국정원 요원은 잘 알겠다며 자신이 직접 사무실에 가서 밀착 경호를 요청해보겠다고 말한다. 다음날 국정원 요원은 두 사람을 출근시키며 오늘 당장 이사하는 것이 좋겠다고 말한다. 밀착 경호를 하려면 경호원의 집과 붙어 있어야 하고, 사는 집을 바꾸어버리는 것도 경호에 좋은 방법이라는 이유이다. 두 사람은 고개를 끄덕이며 동의하고 이사는 이삿짐센터에 맡긴다.

미우와 함시황은 출근하여 연구 준비를 완벽하게 갖추고 원석이 오기만을 기다린다. 그들은 일본 연구소의 연구 결과를 완벽하게 종합하고 한국어로 번역해서 여러 연구원들이 참고할 수 있도록 종합판을 만든다. 이 소식은 국정원과 과학부에 보고된다. 국정원장은 이 연구의 리더인 두 사람의 역할이 대단히 크며, 따라서 개인 경호가 무엇보다도 중요하다고 생각한다. 그래서 즉시 두 사람의 집을 옮겨 바로 옆집에는 경호원이 상주하면서, 퇴근 후 다음날 출근할 때까지 3교대하는 개인경호를 펼친다.

경호를 위하여 출입구 현관, 엘리베이터, 집 앞 현관에 별도의 CCTV를 설치하여 옆집에서 2인 1조가 되어 영상을 모니터하며 출입자를 감시한다. 주민들의 사진을 입수하여 모니터 옆에 부착하고, 주민들의 인상을 찍은 영상을 컴퓨터에 저장하여 주민이 아닌 사람이 엘리베이터나 현관에 접근할 때에 경고음이 삐— 소리가 나게 장치하였다. 최신형 안면인식장치를 컴퓨터에 연계하여 인식된 얼굴과 다른 사람이 들어오거나 얼굴을 가리고 변장을 하는 등 행동이 이상한 사람이 들어오면 자동 경계음이 울리게 되어 있다.

이런 장치가 있으니 사실상 모니터에서 눈을 떼고 다른 일을 하고 있더라도 경고음이 들리면 그때 조치를 하여도 늦지 않는다. 정보요원은 함시황과 미우를 불러 자동경보 시스템에 대하여 설명하며 직접 보여준다. 그리고 항시 2인이 1조로 퇴근할 때부터 출근할 때까지 집 주위를 감시하고 있으니 걱정하지 말라고 위로한다. 미우도 그제야 두 발 좀 뻗고 살 수 있게 되었다고 안심한다.

미우는 다음날도 정상적으로 출근하여 열심히 연구하고 있다. 휴대전화에서 메시지가 왔다는 신호음이 울린다. 그녀는 마침 두 시간 동안 꼼짝 않고 일하였기 때문에 잠시 쉴 겸 의자에서 일어난다. 기지개를 켜면서 휴대전화의 메시지를 확인한다. 일본어 메시지가 하나 들어와 있다. 그녀의 동그란 눈이 더욱 커진다.

'죽음 아니면 삶을 선택하라. 2주를 주겠다.'

그녀는 등골이 섬뜩해지는 것을 느낀다. 식은땀이 순식간에 온몸을 감싼다. 온몸의 털까지 곤두서며 소름이 쫙 끼친다. 그녀는 얼른 다른 연구실에 있는 함시황을 찾아간다. 함시황은 핼쑥한 얼굴로 미우가 다가오는 것을 보고 무엇인가 또 왔구나 생각한다. 다가가가며 무슨 일이냐고 묻는다.

"하무 상, 이것 좀 봐!"

함시황은 그녀에게 온 메시지를 읽어보고 이것은 최후의 경고라고 생각한다. 일단 그는 미우를 진정시킨다. 하지만 이 상황을 벗어날 별다른 대책이 없다는 것, 이것이 두 사람의 속을 타게 만든다. 다만 자신들이 완벽하게 개인 경호를 받고 있으니 큰 문제가 없을 것으로 굳게 믿는다.

그들은 퇴근하면서 경호원에게 메시지를 보여주며 해석해준다. 경호원은 큰 문제가 아니라고 한다. 그리고 지난번 발신지를 조사한 결과 일본의 한 관공서였는데, 명확히 파악도 안 되고 더 이상 추적할 수도 없다고 말한다. 일본 경제산업성과 공안청의 동의가 있어야 통신기록을 추적할 수 있기 때문이다. 따라서 이번 메시지도 그곳에서 발신한 것으로 보이며, 일본에서 보내는 일종의 보복성 메시지이니 크게 심려하지 말라는 의견이다. 다만 주 일본대사를 통하여 항의하겠다는 복안을 가지고 있다고 한다. 그의 말도 일리가 있다고 생각한 미우는 휴대전화를 아예 꺼버리고 자신이 통화할 때에만 켠다. 아예 다른 전화는 일절 받지 않는 것이다. 가족에게서 오는 메시지는 함시황의 전화기로 받으면 된다.

드디어 독도에서 원석이 도착한다. 미우는 우선 자신이 일본에서 눈여겨보았던 원석의 색깔을 기억하고, 수백 개가 쌓인 돌덩어리 중에서 함유량이 많을 것으로 예상되는 원석을 하나하나 골라 별도로 쌓아놓는다.

사실 그녀가 쓸모 있는 원석을 지목하면 다른 연구원이 들어내는 작업이다. 쓸 만한 원석이 수북이 쌓인다. 미우는 원석을 각 연구 분야별로 일정한 양을 배정하여 연구에 사용하도록 한다. 드디어 각 분야별로 연구가 시작된다. 미우와 함시황은 제일 중요한 부분, 즉 미래에 이 에너지를 어떻게 이용할 것인가를 연구한다. 이번 연구는 일본이 연구한 결과에 대해 확인하는 정도이지만, 결국 이 자원을 미래에 어떤 에너지로 활용할 것인가가 더 중요하다.

비가 주룩주룩 내리던 어느 날 두 사람은 집 현관 앞에서 경호원이 운전하는 승용차를 타고 출근하고 있다. 경호원이 앞에서 운전하고 함시황이 좌측, 미우가 우측 뒷좌석에 앉아 있다. 시계가 흐릿한 창문을 닦아가며 아파트를 나와 제법 경사진 내리막길을 내려가고 있을 때, 앞 사거리에서 직진신호가 걸려 승용차 몇 대 뒤에 서 있다. 함시황은 미우의 손을 잡고 있다. 오늘은 비가 오고 가시거리도 좋지 않기 때문에 차가 제법 밀릴 것이라고 생각한다. 갑자기 꽝 소리가 나며 의자가 앞으로 밀린다. 운전석 핸들에 장착된 에어백이 펼쳐진다. 엄청난 힘이 뒤 트렁크에 가해지며 승용차는 앞에 서 있던 다른 승용차의 뒤를 받고 옆으로 튕겨져 나간다. 함시황과 미우는 안전벨트를 맸지만 두 사람에게 별 도움을 주지 못한다. 육중한 대형 트럭이 먼저 두 사람을 앞으로 밀어 붙여버린다. 두 사람은 차창 밖으로 튕겨져 나가 도로에 나뒹군다. 운전하던 경호원은 에어백 때문에 그대로 의자에 밀려 찌그러진 차안에 갇힌다.

이 여파로 앞과 좌우에 정차한 몇 대의 승용차도 크게 부서지며 사거리는 순간 아수라장이 되어버린다. 마침 출근 시간이라 사거리에서 교통을 정리하던 경찰이 현장으로 즉각 뛰어간다. 대형 트럭이 두 대의 승용차를 뒤에서 들이받았으며, 그 충격으로 앞서 있던 승용차와 좌우에 있던 차들이 우그러들고 서로 충돌하며 엉키었다. 트럭이 덮친 차들로 교통경찰과 주변 사람들이 우르르 다가간다. 처음 추돌된 차량에서 한 사람의 피범벅이 되어 눌려 있었고 함시황과 미우는 차 밖에 피투성이가 되어 나뒹군다. 사람들은 두 사람의 심장에 귀를 대본다. 아직 심장은 미약하나마 뛰고 있고 숨결도 가느다랗게 느껴진다. 사람들은 즉시 119에 연락한다. 몇 사람이 앞차로 가본다. 앞차 역시 대형 트럭 밑에 깔려 있고 차 안의 두 사람의 머리에서는 피가 뿜어져 나온다. 이미 사망한 듯 움직이지 않고 있어서 경호요원처럼 끄집어낼 수 없다.

승용차 두 대를 깔고 공중에 떠있는 트럭 운전석에서 안전벨트를 풀고 문을 열어 꾸역꾸역 밖으로 내리려는 사람이 보인다. 경찰은 얼른 그를 운전석에서 내리도록 도와주고, 도로에 나오자마자 수갑을 채워 현행범으로 체포한다. 꾀죄죄한 옷을 입은 트럭 운전자는 멀쩡하다. 그는 눈을 비비며 자신이 무슨 짓을 하였는지, 왜 그랬는지, 진짜 이런 끔직한 일을 내가 저질렀는지, 얼떨떨해하며 멍하니 현장을 바라본다. 목격자도 여럿 나오며 앞 다투어 블랙박스 칩을 빼내어 경찰에 넘긴다. 그들은 치를 떨며 운전자를 죽일 놈이라고 욕하며 저놈도 같이 죽여야 한다고 이구동성으로 말한다.

미우에게 경고한 지 22일째 되는 날이다. 미우와 함시황의 피범벅이 된 신체를 수습하여 가까운 병원 응급실에 실어간다. 차 밖으로 튕겨 나가지 않고 안에 있었으면 트럭에 의하여 압사하였을 것이다. 불행 중 다행이다. 그러나 워낙 중상이라서 앞으로의 생사 여부가 불투명하다.

한편, 경찰은 트럭 운전자를 구속하여 수사하지만 그는 간밤에 잠을 자지 못하고 졸아서 사고가 났다고 주장하며 묵비권을 행사한다. 일단 그를 현장 살인범으로 구속, 송치한다. 경찰은 승용차 두 대의 지붕이 뭉개지고 차량이 그렇게 압축되어 찌그러질 정도라면, 추돌할 때의 속도가 최소 시속 100킬로미터 이상이었을 것으로 어림한다. 주택가의 왕복 6차선

도로에서 낼 수 없는 속도인데다 추돌하기 전에 일부러 가속 클러치를 밟은 것으로 추정하여 트럭의 속도 기록을 확인한다.

중대한 연구에 관여해온 두 과학자가 중상을 입었고 경호원 한 명과 일반인 두 명이 사망하였으니 국정원은 이것이 단순한 교통사고가 아닌 청부살인이라고 단정한다. 국정원이 주체가 되고 경찰, 검찰과 합동으로 수사한다. 트럭 운전자는 수사 초기에 함구하였지만 그의 주변을 샅샅이 압수수색한 수사 팀에 꼬리가 밟힌다. 그의 비밀 장소에서 거액이 든 차명계좌 통장이 발견된 것이다. 트럭 운전사는 심하게 취조 받게 된다. 그는 하는 수 없이 모든 것을 포기하고 다 털어놓는다.

며칠 전에 짐을 실은 트럭을 몰고 안성 휴게소에서 담배를 피우며 쉬고 있는데, 한 중년 사내가 운전사에게 다가오더니, 담뱃불을 빌리자면서 말을 걸었다는 것이다.

"요즈음 사는 것이 참... 힘이 많이 들지요?"

"예, 다 그렇지요. 하루 벌어 하루 먹고살지요."

"그러다가 병이라도 나면 어쩌지요?"

"그때는 별수가 없는 것이지요. 굶어죽는 수밖에..."

"에이! 이놈의 사회! 죽어라고 일해도 입에 풀칠하기도 어려우니 이거 문제 아니오? 돈 많고 요령 있는 놈만 잘 먹고 잘살고, 자기 일 묵묵히 하는 놈은 겨우 입에 밥만 넣고 살고 있으니 내일이 보이지 않아요. 보이지 않아!"

"글쎄요, 그렇지요. 우리도 한 달 내내 트럭을 몰고 전국 방방곡곡을 잠도 못자고 설쳐대야만 겨우 먹을 것 마련하고, 아이들 학비는커녕 집세 주고 밥 먹고 나면 하나도 남는 것이 없으니 노후대비는 아예 생각도 못하고 있어요."

"그럼 운송 분야에서는 운전자가 최고가 아니라는 말인데?"

"아이고 아저씨! 머슴도 아니에요. 동냥하는 거지예요, 거지! 차주와 주식회사 이사들만 배불리 먹고 떵떵거리고 있어요. 세상 좀 알고 사시지요. 우리는 가장 천한 머슴에 불과해요."

"거... 그것은 당연한 것이 아닐까요? 돈을 투자한 사람이 이익을 보는 것은 우리자본주의에서는 정당한 일이지 않아요?"

"참! 이 양반도 안 되겠구먼! 참말로 아무것도 모르는 분이구먼. 그것이 분배의 문제라고 언제부터 떠들고 있는데, 아직도 해결되지 않은 자본가와 노동자들의 갭이란 말이오. 갭! 갭이란 말 아세요?"

"갭? 잘 모르겠는데요!"

"갭도 모르는 양반한테 내가 무엇을 설명하리요... 그러니까 회사가 운영을 해서 이익이 났을 때 자본가와 노동자들이 가져가는 돈의 양을 말하는 것이오. 쉽게 말하자면..."

"아! 그러니까 회사에 큰 이익이 났어도 노동자에게는 쥐꼬리만큼 주고 자본가에게는 노동자의 수십 수백 배의 이익을 주는 지금 이 사회의 분배를 말씀하시는 것이군요."

"허허 조금 알기는 아시는구먼그려!"

"그건 자본주의의 병폐 중의 하나 아니오? 이미 시정되고 있을 텐데..."

"여보세요. 시정이 되었으면 내가 이 모양 이 꼴로 죽어라 일만 하고 살고 있겠어요? 당신이 어디서 사는 샌님인지는 몰라도 가까운 친구들 사정도 좀 알고 사시구려! 못난 놈들 주머니 사정도 좀..."

"어느 선진국은 노동자 최저 임금의 열 배 이상 받게 되면 모두 세금으로 회수한다고 하던데..."

"우리도 제발 그랬으면 좋겠어요. 우리 속담에 이런 말이 있잖아요. 재주는 원숭이가 부리고 돈은 뭐가 가져간다고..."

"세상이 원래 그런 것 아니오? 고생이 많지만 해결할 수 없는 일을 한탄하고 있으면 뭐해요. 잠깐만 귀 좀 빌려주실래요?"

장년 신사가 트럭 운전자에게 가까이 다가가 귓속말을 한다.

"이 일을 해낸다면 한 30억 정도 목돈이 들어오는 아주 쉽고 하기 좋은 일이 있소."

트럭 운전자는 깜짝 놀라며 입이 째지게 벌어진다.

"에이... 그런 일이 어디 있소? 그런 일이 있다면 누구든지 나설 것인데. 아예 당신이 하면 되지 않겠소?"

"나야 돈이 필요 없소이다. 난 돈이 많으니까 당신께 나 대신 일을 해달라는 것이 아니겠소. 당신은 노동자고 나는 자본가지만 이번에는 자본가가 노동자에게 거액을 쓰겠다는데 어찌하겠소? 하하하"

"그렇다면 무슨 일인지 들어보겠소이다."

장년 신사는 또다시 귓속말한다. 순간 트럭 운전사가 깜짝 놀란다.

"에이... 나보고 살인자가 되라고?"

"교통사고를 내어 사람이 죽었다고 하더라도 10년이면 풀려날 것이오."

"10년이나 감옥에 썩어 있으라고?"

"10년이면 강산도 변한다지만 지나간 10년 동안 뭐하였소? 돈 벌었소? 항상 그 자리였고 오히려 뒷걸음질 치지 않았소?"

"그 그건 맞는 말이오."

"그 10년만 버티면 당신이 평생 벌어도 못 만지게 될 큰돈이 당신 앞에 턱 하니 하늘에서 우수수... 흥부네 대박처럼 하늘에서 돈비가 떨어지지 않소? 당신 그런 꿈도 꾸지 않소? 어느 날 나에게 벼락이라도 좋으니 돈벼락을 맞게 해달라고, 바로 그 돈벼락을 맞는단 말이오. 흐흐흐... 그리고 말이오... 남은 평생 돈만 세어도 다 세지도 못하고 죽을 것이오. 또 요새는 감옥이라도 강제 노역시키고 못살게 굴지 않아요. 잠깐 신체만 구속되지 감옥 안에서는 자유롭게 행동할 수 있다는 것이오. 감옥에 들어가 공부해서 특정분야에 권위도 생기고, 건강도 오히려 좋아져서 나오는 사람도 많지요. 운동을 많이 하니까."

트럭 운전사는 열심히 머리를 굴린다. '10년을 벌어보았자 5억도 못 버는데, 30억이면 60년을 벌어야 한다. 내 생에 만져볼 수도 벌 수도 없는 돈이다. 나와 가족이 앞으로 평생 먹고사는 데 10억을 쓴다면, 그 돈을 제하고도 20억이 남으니 이처럼 죽어라고 열심히 뛰어도 어림없는 엄청난 돈이다. 그 돈이면 이제 더 이상 고생하지 않고 해외여행이나 다니면서 사고 싶은 것도 사고, 먹고 싶은 것도 마음대로 사먹고, 펑펑 물 퍼버리듯 쓰고도 남게 된다.' 그의 머리가 순간 컴퓨터 이상으로 돌고 돈다. 그동안 일만 하느라 운동도 제대로 못했고, 담배 피우고 자주 폭음하니 건강도 좋지 못했다. 그래서인지 여러 가지 지병의 징조도 나타났다.

돈 앞에 장수 없다고 결국 그는 무릎 꿇고 만다. 우선 착수금 조로 차명계좌를 통하여 10억을 받는다. 10억을 비밀통장으로 받아보고 단말기에 찍어보니 0이 몇 개인지 한참을 세어야 한다. 그는 크게 고무된다. 이번 일만 잘 끝내면 20억이란 돈이 더 들어올 것이다. 큰 희망이 생긴다. 감옥 따위는 생각나지 않는다. 죽지만 않으면 된다. 그리하여 중년 신사가 지목한 차와 장소를 익히고 함시황과 미우의 출퇴근 시간을 알아낸다. 그렇게 2주일을 탐색하고 사전 예행연습을 한 결과 마침 비가 오고 시야가 좋지 못한 날에 결행한 것이다.

그로서는 날씨가 좋은 핑곗거리가 될 수 있을 거라고 생각한다. 그리고 브레이크 라인을 훼손해놓는다. 이제 갑자기 급하게 브레이크를 밟으면 브레이크 계통의 유압 라인이 터져버릴 것이다. 그렇게 되면 자신은 브레이크를 밟아서 트럭을 세우려고 하였지만 브레이크 계통이 말을 듣지 않았고, 또한 비 때문이 길이 미끄러워 급제동하지 못해서 사고가 났다고 꾸며서 주장할 수 있다.

그러나 합동 수사반의 정밀수사는 트럭 운전사가 더 이상 발뺌할 수 없는 과학적 수치를 근거로 하여 마침내 자백하게 만든다. 트럭 운전사는 모든 것을 털어놓으니 속이 시원해진다. 그는 최종적으로 무기징역을 언도받는다. 청부 살인업자가 되기 때문이다. 30년을 고생하여도 벌 수 없는 큰돈을 하루아침에 벌고, 10년 형을 살고 난 뒤엔 떵떵거리며 살겠다던 헛된 꿈은 일시에 물거품이 되어 떠내려가 버린다.

국가정보원은 여러 가지를 역추적해 트럭 운전사를 사주한 주모자를 잡으려 하지만, 중간에 항시 일본이라는 장벽에 부딪치고 만다.

한편 한국의 핵 연구소는 미우가 남긴 여러 자료와 계획으로 순조롭게 사업을 진행한다. 중상을 입은 함시황과 미우는 거의 6개월 이상 병상에 누워있어야 할 것이다.

두 정부의 움직임

한국 정부

국정원장은 두 연구원의 중상을 대통령에게 보고하고 이번 원석 사건이 한일 간의 외교 문제로 비화되고 있음을 알린다.

"대통령님! 우리가 일부 예견은 하였지만 독도에서의 일본 활동 결과가 심각한 문제로 변질되어 커지고 있습니다."

"그래요? 어떻게 되어가고 있지요?"

"전에 말씀드렸던 함시황이라는 특채한 연구원과 귀화한 그의 부인 임미우라는 연구원이 며칠 전 피습되어 중상을 입었습니다."

"저런! 어찌 그런 일이 있었는가요? 경호는 하지 않았나요?"

"밀착 경호를 하였습니다만 차량사고로 위장한 청부살인 시도로 일본 정보국이 관여되었습니다. 큰 트럭이 뒤에서 들이받았습니다만 다행히 두 사람은 차량 밖으로 튕겨져 나가 절명은 하지 않았고 중상을 입어 입원해 있습니다. 차량을 운전하던 경호원과 앞에 정지해있던 차량의 두 사람은 사망하였습니다. 연구 활동은 두 사람이 남긴 참고 자료가 있어 차질 없이 진행되고 있습니다. 문제는 겉으로 드러나고 있지 않지만 양국

간의 관계가 극으로 치닫고 있는 것입니다. 일본은 두 과학자를 살해했어야만 할 중대한 위기 상황에 놓여있다고 생각합니다.

첫 번째는 원석 연구 활동의 결과가 우리에게 전해지면 절대 안 된다는 사실이고, 두 번째는 원석을 채취한 독도의 영토문제가 심각하게 다가왔다는 것입니다."

"그럼 우리가 앞으로 해야 할 일은 무엇인가요?"

"지난번 회의 때 지시하신 내용을 구체화시키고 대비하는 일입니다."

"잘 알겠습니다. 국정원은 일본 정부의 움직임을 예의 주시하기 바랍니다. 그리고 두 과학자에 대하여 빨리 회복하도록 최고의 의료진을 동원하고 극진한 예우를 해주시기 바랍니다."

"예, 그렇게 하겠습니다. 그리고 모든 역량을 기울여 첩보 파악에 심혈을 기울이겠습니다."

이에 따라 국정원은 기존의 모든 정보망을 일본 행정부와 군에 대한 정보 수집에 집중한다.

메이코를 사로잡았던 욘사마를 도쿄 남서쪽에 있는 요코스카 지방대에 파견한다. 또한 삿포로에 휴양하러 간 치하루를 홋카이도 바로 밑에 있는 해군기지, 즉 혼슈 최북단에 있는 오미나토 지방대에 긴급 배치하여 일본 해군의 전투태세와 함정의 동향을 파악하도록 지시한다. 그리고 마이즈루 지방대에는 오카상을 중심으로 한 관련 요원이 동향을 파악을 하도록 한다. 그 외에 서해상의 군 공항 근처에 수명의 현지 정보원을 급파하여 공군의 전투기 출격과 훈련태세를 파악하여 보고하도록 조치한다. 또한 일본에서 암약하던 모든 정보원에게 여러 군사기지와 정부의 동향을 철저히 암행하도록 지시를 내린다.

대통령은 다음날 관련 장관들을 불러 지시 사항에 대한 그동안의 조치 결과를 파악한다. 먼저 국방부장관을 대면하여 여러 가지를 물어본다.

여기에는 합동참모부장과 작전참모부장이 동석한다.

"만약 일본이 독도를 침범한다면 어떻게 방어할 것입니까?"

"대통령님, 합동참모부에서는 일본의 공격 상황에 따라 작전을 전개할 예정입니다. 우선 일본군이 독도에 접근하기 전에 차단하는 방법인데, 이 작전은 실행하기가 어렵고 취약점이 많습니다. 왜냐하면 반경 20킬로미터 밖은 일본과 공동수역이고, 독도 남동쪽 50킬로미터 밖은 일본의 배타적 경제수역입니다. 따라서 일본의 함정과 항공기 등이 독도 반경 20킬로미터까지 접근하여도 별다른 제재를 가할 수 없는 것이 현실입니다. 즉 원격 차단 작전은 우리가 선택할 수 없는 작전입니다.

다음은 진지 고수 작전입니다. 일본이 독도 20킬로미터 밖에서 항공모함을 동원하거나 함정으로 공격할 경우에는 현재 완료한 동굴진지 요새 안에서 기회를 보면서 웅크리고 있다가 필요시 대응 사격을 하고, 동시에 우리도 전투기와 함정을 동원하여 일본군에 대한 직접 공격과 방어전을 통하여 독도에 대한 공격을 완화하여야겠습니다. 그렇게 되면 전투기 간에 공중전이 일어날 것이고 함정 간에 대함 공격전이 일어날 것입니다. 이러한 상황에서는 무기체계와 훈련의 질에 따라서 전투의 승패가 달라질 것입니다.

그리고 마지막 단계는 독도를 점령하기 위하여 일본의 상륙군이 독도에 상륙을 시도할 것입니다. 이것은 제2단계에서 우리의 함정, 항공 세력이 더 이상 일본군 함정, 항공기에 공격할 수 없는 상태가 되었을 때 가능할 것입니다. 만약에 이러한 상황이 되면 그동안 독도에 설치한 여러 가지 포와 자동기관총, 그리고 아이언맨이 근접전에서 상륙군을 충분히 무찌를 수 있다고 판단됩니다. 이때 우리 해·공군의 저항이 무뎌진다면 독도에 배치된 레일건과 레이저포가 원거리 사격을 할 것입니다. 일본군으로서는 뜻하지 않은 일격이 될 것이며, 원거리에서 적은 주춤하고 감히 상륙군을 내보내지 못할 것입니다. 그렇게 되면 독도 방어는 훌륭하게 마무리될 수 있겠습니다. 이상 보고 드렸습니다."

"만약 일본이 모든 역량을 기울여 공격한다면 우리로서는 독도 방호가 어려울 것입니다. 일본이 동원할 수 있는 전력은 얼마나 되며 우리의 전력은 어떻습니까?"

"예, 말로 설명 드리면 복잡하기 때문에 유인물로 만들었습니다. 이 유인물을 보시지요."

유인물에는 독도 국지 분쟁 시 한일 간 동원 가능한 전력이 비교되어 빼곡히 적혀있다.

"만약에 초전에 일본군을 저지하지 못하면 독도 수비대가 홀로 싸워야 하는데, 식량과 탄약은 충분하게 비축해놓았겠지요?"

"예, 이미 조치하였습니다. 최장 6개월 동안 단독 작전할 수 있는 능력이 있습니다. 그리고 전투 중간에도 잠수함을 이용하여 독도에 비밀리에 접안할 수 있는 시설도 마련하여 보급할 수 있습니다. 외부에서 보이지 않는 지하시설입니다. 그래서 이 경로를 이용하면 전투 중간에 병력과 물자를 증강 혹은 보충할 수도 있습니다."

"좋습니다. 독도 수비대의 분투를 기원합니다. 아참! 독도 수비대가 몇 개 대대라고 하였지요?"

"1개 대대입니다."

"알겠습니다. 그리고 만약 한일 간에 독도 분쟁이 일어나면 북한은 어떤 반응을 할까요?"

"북한은 그동안 우리에게 진 빚이 너무나 많습니다. 핵 폐기 이후 북한은 엄청난 수혜를 받고 경제적으로 주민들의 생활은 향상되었습니다. 군대 보유 규모도 줄이고 남북 관계는 획기적으로 완화되었습니다. 북한은 원래 우리 남한보다 일본에 더욱 적대적입니다. 만약 일본이 독도를 침략

한다면 북한은 우리 편을 들 수밖에 없습니다. 북한도 나중에 일본과의 관계가 어떠한 상황에 처할지 장담할 수 없으며, 그들도 근본적으로는 독도를 우리 한국의 공동지역이라고 생각하고 있습니다. 따라서 우리는 정전선을 걱정하지 않고 싸울 수 있습니다. 오히려 유사시 독도에서 전투가 불리하게 진행될 경우 북한의 전투력을 지원받을 수 있는 비밀협정도 준비하겠습니다. 하지만 만약의 사태에 대비하여야 합니다. 대 북한 경계를 강화하고 정전선에서 철수한 군사력 일부는 대기 태세를 유지하겠습니다. 다만 북한을 자극하지 않도록 비밀리에 모든 작전을 진행하겠습니다."

다음날은 외교부장관을 불러 여러 가지 대비책을 지시한다.

"요즈음 일본이 독도의 원석을 영구히 확보하려는 움직임이 포착되었습니다. 최근 우리 과학자 두 명이 피습되기도 하였지만 일본 당국이 그렇게 하였다는 것을 알고도 외교적으로 쉬쉬하고 제대로 항의도 못하고 있는 상태입니다. 최근 일본의 움직임으로 볼 때 일본이 외교적으로 그리고 군사적으로 대응할 것이 예상됩니다. 먼저 독도를 완전히 자신들의 영토라고 선포하고 국제사법재판소에 영토문제를 상정하여 판결을 유리하게 이끌려고 할 것입니다. 지난번에 외교부에서 발표하였지만 우리는 그런 상황을 가정하여 미리 각국과 긴밀히 관계를 유지하고, 적어도 그들이 판정에 중립을 지키도록 하였으면 바라고 있습니다. 따라서 외교부는 지금까지 유지하고 있는 라인을 잘 점검하여 유지해야 합니다.

또한 국제사회가 필요한 곳에 적극적으로 지원을 해주십시오. 만약 그러한 사용처에 대한 자금이 부족하다면 추경예산에 반영할 것이니 예산을 미리 집행한다든지 전용을 하여서라도 국제사회에서 한국의 이미지와 위상을 좋게 만들어야 하겠습니다. 그래서 외교부의 안대로 일본이 정식 상정하면 우리가 더 적극적으로 나가도록 하겠습니다. 일단은 역사적, 지리적인 여러 자료와 독도가 한국 영토임을 논리적으로 증명할 자료를 잘 취합하여 몇 개국의 언어로 미리 번역을 해놓는 것이 좋겠습니다. 그때 가서 준비하면 늦습니다."

"예, 지시대로 수행하겠습니다."

"그리고 만약 일본이 공동수역인 독도 20킬로미터 밖에다 시추선을 세우고 원석을 채취해간다면 어떻게 하겠습니까?"

"사실 이러할 때가 어렵습니다. 그러나 한일협약에 의하여 공동수역 안에서는 상대의 동의가 있어야 하니, 일본은 즉각 구조물을 철회하고 한국의 동의를 얻어야 하다고 일본 측에 강력한 항의와 함께 통보해야 합니다. 몇 번의 경고에도 계속 공사를 하거나 원석을 채취한다면 구조물을 인위적으로 폭파시키겠다고 으름장을 놓아야 합니다. 그리고 실제 군함을 출동시켜 그 주변을 봉쇄하여야 합니다."

"그렇게 봉쇄를 당하면 일본군이 가만히 있을까요?"

"저는 장담하겠습니다. 자고로 강하게 나오면 물러가는 것이 일본인의 속성입니다. 과거 일본은 약자에게 한없이 강하고 강자에게는 비굴할 정도로 몸을 낮추었습니다. 여러 역사적인 사건에서 일본인들이 위기 상황에 처하였을 때 그들이 대처한 결과를 보면 그들의 가능한 행동을 예상할 수 있으며, 우리는 그것을 최대한 이용하여야겠습니다."

"그리고 만약 일본이 자국의 영토이므로 우리에게 철수하라고 하면 어떻게 합니까?"

"왜 우리가 우리 땅에서 철수하라고 하느냐고 강하게 반격해야 합니다. 오히려 일본이 독도에서 경제적 이익을 보려는 흉계로 한국 영토를 침략하고 있다고 전 세계 국가에 일본의 부당함을 알리면서 약소국의 불리함을 호소하고 안보리 소집을 요구해야 합니다."

"전면전이나 국지전이 발발하려면 항시 그 징조가 있지요. 그런 조짐이 나타날 때 외교적으로 어떻게 하지요?"

"침략 의도를 가진 일본에 두 가지 사항을 알려주어 감히 침범을 못하게 막아야 합니다. 첫째가 우리는 일본의 의도를 알고 있고 대비가 철저히 되어있다는 것, 두 번째는 침범하여 실패할 경우 가혹한 대가를 치러야 한다는 것을 경고하여야 합니다."

"미국과 한반도를 둘러싼 3대 강국은 어떠한 반응을 할까요?"

"중국과 러시아는 부정적인 입장을 견지할 것 같습니다. 왜냐하면 그들도 일본과 아직 해결되지 않은 영토문제가 있기 때문에 일본이 힘을 이용하여 영토문제를 해결하려는 의도를 결단코 반대할 것으로 생각합니다. 미국은 전통적으로 일본의 편을 많이 들었습니다. 만약 독도를 침범하려는 일본의 의도를 알고 있어도 그냥 모른 체할 가능성이 많습니다. 미일방위조약이 그것을 뒷받침하고 있습니다."

"그렇다면 우리가 3대 강국을 활용하는 방안은 있습니까?"

"만약 일본이 독도를 침범한다면 일본의 모든 군사력이 독도 주변에 집중되지 못하도록 견제를 해야 합니다. 따라서 우리는 중국을 움직여 센카쿠 반경 20킬로미터 이내로 함정을 진입시킨다든지, 혹은 섬에 상륙하게 되면 일본의 규슈 서쪽에 있는 사세보항에 기항하고 있는 항공모함 전단이 독도로 이동하지 못하게 견제할 수 있습니다. 또 하나, 중국 항공기가 센카쿠 지역으로 비행하게 되면 사세보의 전력을 함부로 독도 주변으로 돌릴 수 없을 것입니다. 그리고 러시아와의 영토분쟁이 진행 중인 북방 네 개 섬에 러시아군을 증강시키게 되면 오미나토 지방대에 주둔하고 있는 항모전단과 항공 세력이 감히 독도 방향으로 전환할 수 없을 것입니다.

다만 오키나와에 주둔한 공군 전력이 일본의 서쪽에 있는 공군 비행장에 전개하여 작전을 도울 가능성이 있습니다. 왜냐하면 오키나와에는 아직도 미군 항공기가 주둔하고 있기 때문입니다."

"그렇다면 중국과 러시아와의 관계를 좀 더 긴밀하게 유지해야겠군요."

"그렇습니다. 그 두 나라 모두 일본이 초강대국이 되는 것을 원하지 않습니다. 만약 독도의 자원이 일본의 수중에 고스란히 들어간다면 에너지 비용이 군사력 증강에 투입이 가능하니, 미·중·러보다 더한 군사력을 지닐 수 있을 것입니다. 그리고 일본은 그동안 핵 보유에 대하여 부정적이었지만 에너지 문제가 해결되면 핵 보유도 고려할 것으로 생각합니다. 중국과 러시아를 견제하겠다는 명목이겠지만 우리 한국을 중심으로 한 모든 나라가 핵을 보유하고 있으니 그들도 핵 보유에 대하여 고려해야 할 상황이 오리라 생각합니다."

"그러니까 새로운 청정에너지가 한반도를 중심으로 한 전략적 힘의 균형을 깰 수도 있다는 말이지요?"

"그렇습니다. 그만큼 이번 일이 국운과 관련된 매우 중차대한 사안이라 생각하며 모든 부처에서 신중에 신중을 기해야 합니다."

"또 하나 미국은 미일방위조약을 맺어 일본이 위험에 처해있을 경우 전쟁에 참가할 수 있도록 하고 있습니다. 만약 우리가 일본과 전쟁을 한다면 미국은 어떻게 할까요?"

"우리도 한미안보조약을 맺고 있지 않습니까? 일본도 미일안보조약을 맺고 있습니다. 미국의 입장에서 보면 곤란한 상황에 빠질 것입니다. 그래서 중도적인 입장을 취할 가능성이 많습니다. 하지만 자고로 역사적인 사실을 감안하면 며느리와 올케의 다툼에서 딸을 편드는 시어머니와 같은 입장일거라 생각합니다."

대통령은 고개를 끄덕이며 깊은 한숨을 몰아쉰다.

욕망의 함정 (일본 각료 회의실)

수상실 옆에 있는 내각 각료 회의실에 일본의 전체 각료가 자리에 앉아 심각하게 토론한다. 회의실 앞 스크린에는 한 장의 슬라이드를 비추고, 스크린에는 다음과 같은 토의 주제만 적혀있다.

1. 청정에너지
2. 외교 방향
3. 단계적 작전

수상이 직접 전 각료를 대상으로 사회를 보면서 의견을 주고받는다. 뿐만 아니라 어느 각료가 발언하면 그에 대한 반론이나 찬성 발언이 나오는 등 그야말로 난상토론이다. 토의주제에서 알 수 있듯이 청정에너지 확보 방안, 청정에너지 확보 시 발생하는 외교문제, 그리고 군사작전을 수행할 방법, 군사작전을 수행할 때의 외교적 방향 등에 대하여 토론하고 있는 것이다. 오전 아홉 시부터 시작한 토론이 세 시간을 넘겨 점심을 먹고 오후 들어 계속 진행되고 있다. 다시 두어 시간이 지나자 어느 정도 의견이 개진되었고 더 이상 좋은 아이디어가 나오지 않자 수상이 마지막으로 결론을 낸다.

"지금까지 진지하게 토론을 해주셔서 감사합니다. 국정을 주관하는 수상으로서 그동안 새로운 에너지 확보를 위하여 여러분 각료와 함께 많은 연구도 하고 심히 고민도 하였습니다. 그렇지만 오늘 이 같은 장시간 토론은 내가 최종으로 결심할 수 있는 힘을 주었습니다. 앞으로 5개월 뒤에 우리는 다케시마를 공략할 것입니다. 에너지를 확보하기 위하여 다케시마 반경 20킬로미터 남동쪽에 시추선을 설치하는 것은, 금속의 맥이 없기 때문에 시간과 자금의 낭비라고 생각하여 적당한 방법이 아니라고 판단하였습니다. 그렇다고 한국과의 타협안도 한국이 절대 굴복하지 않을 것으로 생각합니다. 그동안 우리는 한국 주재 대사를 통하여 공동개발을 하자고 제안하였습니다만, 간간이 매스컴에 제스처만 취하고 국회에서 토론하고 있다며 시간만 낭비하고 있으니, 그들의 답변을 듣는 것은 요원한 상태가 되었습니다.

남은 방안은 다케시마가 우리의 영토이기 때문에 입도(入島)하는 방법밖에 없다는 것이 결론입니다. 국방성은 한 달 이내에 작전 계획을 수립하고 두 달 이내에 리허설을 하며, 그 후 한 달 이내에 미비점을 보안하여 최종 작전 계획을 확정해서, 나와 내각 그리고 의회의 승인을 거쳐 작전을 수행하기 바랍니다. 나는 확정된 작전 계획을 가지고 의회와 천황폐하께 보고 드리도록 하겠습니다. 아마도 천황폐하께서도 흡족히 생각하실 것입니다. 우리 1억 5천만 일본인이 천 년이나 사용 가능한 에너지를 해결하는 길을 보여드릴 수 있으니 매우 기뻐하실 것으로 믿습니다. 오늘 모두 수고 많았습니다. 감사합니다."

다음날 일본 조간신문에는 〈내각 릴레이 회의, 신에너지 확보방안 물색〉이란 제목으로 중간 크기의 2단 기사가 실린다. 세부내용은 '향후 신에너지 수급 정책에 대하여 토론을 하고 일본이 나아가야 할 길을 찾았다'로 요약된다. 도쿄 행정부에 파견된 정보원들의 손이 이 기사를 한국으로 송신하기에 바쁘다.

수상의 지시로 독도 공략 작전을 수립한 국방성은 시나리오를 확정하고, 확정된 시나리오를 일본 서해상의 한 섬에서 실행해보기로 한다. 서해상의 한 무인도로, 일본 해군과 공군이 평소에 실제 폭탄을 사용하여 화력을 시험해보거나 폭격 훈련을 수행하는 곳이다. 일본 공·해군은 실제 독도를 침범하는 각본을 이곳에서 연습해본다. 국방성은 연습 종료 후 미비점에 대해 보완하여 수상에게 보고하고 작전 계획을 확정짓는다.

수상은 국방대신과 함께 일왕에게 문안인사를 드린다고 하며 자신들의 독도 접수 계획을 보고한다. 수상은 왕에게 일본이 가장 취약한 지진과 쓰나미 그리고 핵에 대한 고통에서 벗어나는 길임을 알리고, 그러한 에너지를 발견하여 개발할 거라고 말하니 노약한 왕은 매우 기뻐하며 칭찬한다. 왕이 여러 가지 따질 것으로 예상하였던 수상은 크게 안도하며 이번 일을 기필코 성사시켜야겠다고 다짐한다. 그리고 참의원, 중의원 의회를 비밀리에 소집하여 전체 의원 앞에서 '천황폐하를 알현하여 승인을 받은 작전 계획'이라 하여 간략하게 작전 계획을 보고하고, '천황폐하의 작전 계획'이라 칭하며 의원들의 어떠한 질문도 뒤로한 채 의회의 승인을 받은 것으로 확정해버린다.

한편, 한국의 정보당국에서는 일본 행정부의 움직임을 예의 주시하고 일본의 독도 침범에 대하여 그동안 해왔던 일들을 점검하여 보완하고 대비한다. 특히 지난번 일본의 각료회의가 예사롭지 않다는 것을 알게 된다. 그 이후 국방성 산하 각 군의 훈련 방법이 달라지고 종래보다 횟수가 많아진 점, 서해상에서의 시나리오에 의한 강도 높은 특수 침투 훈련을 수행한 점에 대하여 주목한다. 그리고 예산과 추경예산의 집행 규모를 보니 여느 해보다 여섯 배 이상이나 많아진 것이 특이점으로 보인다. 특히 정보원에게서 육해공군이 합동으로 일본 서해상에서 비밀 훈련을 하였다는 첩보가 들어온다. 이상과 같은 평시와 다른 국방성 산하 각 군의 동향은 곧 독도를 침범하려는 의도로 분석한다. 따라서 한국도 비밀리에 동해 사령부와 진해 사령부, 그리고 각 공군에 비축 탄약과 물자를 더 늘리고 실전과 같이 훈련을 수행한다.

한편, 일본의 정보국도 한국군에서 최근에 이상 징후를 발견한다. 진도와 흑산도에서 공격과 방어 시나리오에 의한 훈련을 수행하는가 하면, 울릉도에 여러 물자를 지원하는 선박이 빈번하게 오간다. 사실 한국군이 흑산도에서 훈련을 하는 것은 이례적인 일로, 이것을 분석하면 결국 도서 방호 훈련이다. 그러니까 흑산도처럼 고도(孤島)에서 훈련하는 것을 보면 서해 5개 도서 방어를 위한 훈련이 아니면 독도 방어 훈련이라는 것이다.

일본 정보국에서는 한국군의 훈련을 예의 주시하고 혹시나 있을 전력 배치에 관하여 파악하려고 감청하는 등 심혈을 기울인다. 훈련은 하고 있지만 전력의 이동 배치는 아직 없다. 하지만 울릉도에 물자가 집중되는 것은 울릉도에 배치된 병력에 어떠한 변화가 있어서 그런 것이니 군사 위성과 감청 등 온갖 수단을 통하여 울릉도를 감시한다. 군사위성에 잡힌 영상에 따르면 울릉도에 도착한 물자가 잠수함으로 실려 어디론가 사라진다. 도대체 어디로 가는 것인지 일본 정보국은 벌써 1년 반 전부터 이러한 징조를 탐지하고 계속 감시하고 있으나 바다 밑에서 비밀스럽게 유지되는 작전이라 도저히 탐지가 되지 않는다. 일본 정보국은 이것을 파악하기 위해 비밀리에 핵 추진 잠수함을 독도와 울릉도 사이에 파견한다.

잠수함으로 잠수함을 탐지해낸다는 것은 굉장히 어렵다. 몇 번을 시도하였으나 감쪽같이 사라졌다 나타나는 잠수함을 잡을 수 없다. 다만 추정에 의하여 독도에 갔다 오는 것으로 생각하지만, 독도 어디에서도 수면위로 떠오르는 잠수함은 없다. 분명히 부두 어딘가에 나타나야 하는데 파악할 수 없어 미스터리다. 그래서 정보국은 한국의 독도 수비대에 주목한다. 독도 수비대의 인원이나 장비 혹은 무기가 새롭게 배치되고 있지는 않은지 줄곧 확인하고 주시한다.

1년 반을 그렇게 집중적으로 감시하였으나 독도 수비대는 평상 태세를 유지하고 있다. 수비대의 인원이 증가하거나 장비 무장이 새롭게 배치되지 않으며 숙소도 새롭게 증축되지 않는다. 일본 정보국은 딜레마에 빠진다. 도대체 어디로 그 많은 물자가 흘러들어가고 있는가? 정보국장은 지금까지의 관찰과 추측으로 독도에 요새화가 진행되고 있지 않는지 독도 외관을 정밀하게 관찰해본다. 변화는 없다. 그렇지만 그는 심증을 굳게 가지고 수상에게 직보(直報)한다. 정보국장은 한국군의 훈련, 울릉도에 많은 물자 투입, 한국의 드론 전투기에 대하여 보고한다.

"정보국장의 의견은 내 충분히 감안하리다. 그런데 활시위를 떠났습니다. 천황폐하와 의회에 보고를 드리고 조만간 좋은 소식을 올리겠다고 이미 말씀드렸습니다. 이제 와서 취소할 수 없습니다. 그간 우리도 준비할 만큼 준비하였습니다. 독도 수비대 정도 제압할 수 없는 군은 존재하지 않아도 되는 군대입니다. 하지만 정보국장의 의견을 받아들여 공격 전력을 배가하고 한국군의 무인 스텔스 전투기의 성능과 독도의 경비 상황을 좀 더 구체적으로 파악하고 전투에 임하겠습니다."

수상은 요코스카 지방대에 배치된 동해 함대를 서해상에 추가 파견하기로 결심한다. 그리고 일본 동쪽에 있는 일부 공군 전투기 2개 비행단(6개 대대) 160대를 서쪽 공군 6개 비행단에 1개 대대씩 분산 배치하여 계획된 전력을 배가한다. 또한 국방성과 정보국 그리고 외무성에 긴급 훈령을 내려 한국군이 보유한 무인 드론 전투기의 실체와 성능을 파악하도록 지시하고, 독도의 경비 상황에 대하여 알아내도록 한국 내 모든 첩자들의 활동을 독려한다.

수상의 지시에 한국 내 첩자들의 맹활약에도 불구하고 한국군의 철통 같은 보안으로 두 가지 사안은 알쏭달쏭하고 애매하게 파악될 뿐이다. 그래서 일본은 미일안보조약을 근거로 미국 정보국에 한국의 군사화 상태와 무인 드론 전투기에 대하여 정보를 달라고 극비에 접촉한다. 일본의 정보 요청에 미국도 100퍼센트 확실한 정보는 가지고 있지 못하다는 답변이 온다. 그러면서 무인 드론 전투기가 현재 미국이 보유한 레이더나 첩보 위성에서도 탐지되지 않는다는 것이 최근에야 밝혀져 이것을 확인 중이라고 답변한다. 또한 독도의 요새화도 자국과는 일절 관련이 없기 때문에 일본보다 못한 정보를 가지고 있을 뿐이라는 회신이 온다. 일본에 100퍼센트 확신을 줄 수 없는 이러한 정보도 이미 전쟁의 카운트다운이 시작된 며칠 전에야 접수된다. 수상의 과욕에 따라 이미 방아쇠는 당겨졌기 때문에 쓸모가 없다.

독도의 아픔

역사의 재현 / 선전포고

외딴 고도, 태고의 신비를 머금고 있는 돌섬, 고요한 아침의 나라 한국을 제일 먼저 밝혀주는 해가 떠오르는 곳. 이곳에 강치(토종 물개)가 보금자리를 꾸미고 휴식하였던 두 개의 황막한 섬이 있다. 인간에게는 삭막하지만 강치에게는 꿈의 낙원이었다. 어느 날 이곳에 철부지 일본인이 나타나 강치를 무자비하게 포획하기 시작했다. 강치를 마구 때려잡아 살코기는 팔고 내장과 기름진 부분은 기름을 짜내고 가죽은 가방으로 만들어 팔았다. 독도 주변의 맑고 푸른 바닷물은 핏빛으로 변했다. 수만 마리의 강치를 30여 년 사냥하고 나니 1931년 결국 강치는 멸종되어버렸다. 그 뒤 백여 년, 일본은 아예 독도의 등골을 파먹으려 또다시 공작을 시작한다.

11월 어느 날

한국 정부는 그동안의 첩・정보를 종합한 결과 일본의 움직임이 심히 우려된다고 판단하여 일본대사를 불러, 만약 독도를 침범한다면 앞으로 발생되는 모든 사태에 대한 책임은 일본이 져야 한다고 강력히 경고한다. 하지만 한국의 경고를 무시하고 일본 외무성은 국제사법재판소에 다음과 같은 제소장을 제출한다.

〈한국이 일본 영토인 다케시마를 수백 년 동안 불법 점령하고 있다. 일본은 영토의 권리를 회복하기 위하여 한국이 다케시마에서 떠나갈 것을 요청한다. 국제사법재판소는 조속히 다케시마가 일본의 영토임을 확인해 주시기 바랍니다.〉

또한 한국대사를 불러 다음과 같은 외교문서를 전달한다.

〈한국은 일본 영토인 다케시마에서 24시간 안으로 수비대를 철수할 것을 강력히 요구한다. 다케시마는 역사 이래 일본의 영토이므로 오늘부로 일본이 다케시마를 접수한다.〉

이것은 선전포고다.

한국의 대통령은 전군에 전투명령을 내리고 그동안 준비해왔던 계획에 의거하여 시행하도록 지시한다. 그리고 일본 정부에는 독도 근해에 집결하고 있는 모든 군사력을 즉시 철수할 것을 또다시 강력히 경고한다. 그리고 한국 정부는 유엔 안전보장이사회의 소집을 요구하고 외교전에 돌입한다.

일본군의 오판/독도 침범

일본군은 한국의 경고와 유엔 안보리의 일차적인 유감 표명과 함께 '지구촌 평화를 저해하는 침략 행위이므로 즉각 중단하고 외교로 해결하라'는 권고에도 불구하고, 마지막 남은 강치를 사살한 후 고요하였던 독도의 아침을 다시 한 번 아수라장으로 만든다. 독도 밖 100킬로미터 일본의 배타적 경제수역에 2개의 항공모함 전단이 머물면서 항공모함에 탑재된 항공기를 독도에 출격시킨다. 육중한 폭탄을 장착한 함재기가 독도를 공격하고, 일본 본토에서 출격한 공군 전투기는 함재기를 엄호한다. 일부 전투기는 초계 임무를 담당하여 독도 반경 50킬로미터 동・남・북 방향에서 공중 대기한다. 조기 경보기 2대도 발진하여 독도와 일본 서해 본토 사이에 체공하면서 출격한 전투기를 진두지휘할 준비를 한다.

한국군의 대응

한국 공군은 울릉도에서 비교적 가까운 동쪽의 여러 공군기지에서 발진한다. 일출 전부터 기지별로 출격하여 울릉도에서 공중선회하며 대기한다. 출동한 전투기들이 연료가 부족할 경우에는 공중 급유기로부터 급유를 받고 장시간 체공할 수 있으며, 전투 행동반경을 연장시킬 수 있다. 그리고 항공모함 전단과 함정 잠수함을 출동시킨다.

일본군의 첫 공격이 시작되자 한국 공군은 일본 공격기를 요격하기 위하여 스텔스 기능이 있는 무인 스텔스 드론 전투기를 1차적으로 투입한다. 후속으로 유인 스텔스 전투기가 출동하여 공중대기 한다.

그동안 한국이 심혈을 기울여 만든 6차원 레이더 시스템이 결정적인 역할을 한다. 일본군도 4차원의 레이더를 개선하여 스텔스 항공기를 제한적으로 탐색할 수 있어 한국 공군의 전투기를 요격할 수 있는 능력을 보유하고 있다. 하지만 한국 공군의 무인 스텔스 드론 전투기는 전파 반사면적이 기존 전투기의 4분의 1밖에 되지 않아 일본군의 레이더에서는 아예 흔적조차 찾을 수 없는 완벽한 스텔스 기능을 보유하고 있다.

따라서 일본군은 한국 공군의 F-35나 A-55, F-55 스텔스 전투기를 탐지하여 행동을 감시하고는 있지만 무인 스텔스 드론 전투기는 탐지하지 못한다. 반면에 한국 공군은 일본군 전투기의 모든 공격 행태를 손바닥 들여다보듯이 알고 있다. 이에 따라 한국 공군은 무인 스텔스 드론 전투기를 독도를 공격하는 일본군 공격 전투기의 1차 요격기로 투입한다. 그리고 남해상에 초계 중인 남해 항공모함 전단을 동해로 긴급 전환시킨다.

무인 스텔스 드론 전투기의 활약

일본군의 함재 전투기가 독도 남동쪽에 머물고 있는 제1 항공모함에서 이륙하고 일본 본토에서 전투기가 이륙하자, 한국의 전쟁 지휘부는 울릉도 상공에서 선회 대기하고 있는 무인 스텔스 드론 전투기 72대를 1차로 독도 상공에 즉각 투입한다. 울릉도에서 독도까지의 거리는 90킬로미터밖에 되지 않아 드론 전투기의 속도를 감안하면 울릉도에서 6~10분이면 도달할 수 있다. 한국 공군은 이미 무인 스텔스 드론 전투기를 직접 원격 조종할 수 있는 원격 공중 통제기를 울릉도와 본토 사이에 체공시켜, 본토와 울릉도에 있는 지상 통제소와 합동으로 6차원 레이더와 연계하여 모든 스텔스 전투기를 작전 통제하고 있다.

무인 스텔스 드론 전투기는 각 8대씩 대형을 이루어 총 3개 방어벽을 쌓은 다음 독도로 향한다. 1차 투입된 무인 스텔스 드론 전투기가 일본의 1차 공격 전투기 요격을 담당한다. 그리고 무인 스텔스 드론 전투기 24대를 후속 전력으로 진입시키기 위하여 선회 대기 위치를 독도와 울릉도 사이로 이동시킨다. 이 드론 전투기 24대는 일본군의 제2차 공격을 무산시킬 것이다.

초기에 투입된 무인 스텔스 드론 전투기는 중고도에서 대기하다가 급

강하하면서 최대 속도로 증속시킨다. 원격 조종으로 6차원 레이더를 사용하여 스텔스 드론 전투기 한 대가 일본 전투기를 각 3대씩 잡는다. 일본 공격기가 독도를 막 공격하려는 순간, 한국 공군의 8대 무인 스텔스 드론 전투기에서 공대공 미사일이 발사된다. 이어서 후속 8대도 줄지어 들어오는 일본 전투기에 전방 미사일을 발사한다. 무인 스텔스 드론 전투기에 장착된 미사일은 항공기 위치에 관계없이 어떠한 방향에서도 발사가 가능하고 일본군은 발사 여부를 알 수 없다. 일본군의 선도 전투기 10여 대가 불꽃을 내면서 바닷속으로 사라져간다.

일본 전투기의 후속 편대와 전쟁 지휘소는 깜짝 놀란다. 한국의 전투기가 접근하여 요격하지 않았음에도 불구하고 몇 킬로미터 앞서가며 독도를 최초로 공격하려는 전투기가 불꽃을 내며 추락하고 있기 때문이다. 전쟁 지휘소의 영상에서 전투기 표시가 붉게 변하면서 폭발하며 사라진다. 격추당하였다는 의미이다.

일본군 전투기의 혼란

후속으로 계속 접근하는 일본군 전투기는 목표물에 거의 도착하였고 막 공격하려는 순간이기 때문에 중도에 회피 기동을 할 수 없다. 그렇다고 적기가 눈에 띄어서 이를 추적하여 공중 전투를 할 수 있는 상황도 아니고, 무장 발사 장면도 보이지 않아 적기의 위치를 도저히 찾을 수 없다. 그렇게 어물쩍거리고 있다가 후속으로 접근하여 공격하려던 일부 일본 항공기도 후속 무인 스텔스 드론 전투기의 원거리 공격에 사라진다. 하지만 한꺼번에 수십 대의 전투기가 몰려왔기 때문에 전부 다 막지는 못한다. 이내 일본 전투기 몇 대가 성공리에 독도를 공격한다. 공격에 성공하고 독도를 떠나려 하자 무인 스텔스 드론 전투기에 의하여 역시 격추된다. 일본군 엄호 전투기는 영문을 몰라 우왕좌왕하다가 일부도 격추당한다. 제1파에 의하여 제3파까지 얼마간의 시간을 두고 공격한 일본의 함재기도 같은 결과를 가져온다. 구사일생 살아남은 일본 전투기가 항공모함으로 귀환하면서 즉시 상황을 보고한다.

일본 초계기가 대응하기 위하여 독도 상공으로 이동한다. 마이즈루 지방대의 항공모함에서 발진한 공격 전투기가 상당수 격추되었기 때문에 이번에는 도쿄지역의 요코스카 지방대에서 뒤늦게 합류한 제2 항공모함에서 함재기가 이륙하여 독도로 다가간다. 항공모함의 위치는 독도 북쪽 100킬로미터 지역이다. 두 항공모함 전단의 함재기가 번갈아 독도를 공격하도록 계획이 수립되어 있다.

제2의 항공모함에서 발진한 전투기가 다가오니 이번에도 한국 공군은 후속 무인 스텔스 드론 전투기를 접근시킨다. 결과는 속수무책이다. 제1 항공모함에서 출격한 전투기의 결과와 유사하다.

일본 전쟁 지휘부는 제1, 제2 항공모함에서 함재기가 출격하여 독도를 공격하였으나 실패하자 일본의 모든 조기 경보기와 레이더를 독도 상공으로 집중시킨다. 그리고 함정에 탑재된 레이더도 같은 지역으로 안테나를 집중시킨다. 왜 공격에 실패하였는지 원인을 찾아내기 위해서다. 하지만 초도 공격이기 때문에 그 원인을 아직은 알 수 없다. 따라서 이번에는 그 원인을 파악하고 실패한 1, 2차 공격을 만회하기 위하여 일본 서해상에 위치한 공군기지에서 유인 스텔스 전투기를 출격시킨다. 비행단별로 시차 출격을 한다. 이번 출격에는 아예 공격기와 엄호기를 같은 조에 편승시켜 접근하도록 한다. 공격기 총 100여 기가 출동하고 60여 기가 엄호하며, 제 1·2 항공모함에서 발진한 엄호기도 계속 독도 지역에 머물면서 공격기를 보호하도록 전쟁 지휘부에서 특별히 지시한다.

한국 공군도 나머지 가용 무인 스텔스 드론을 전부 투입한다. 육지에서 발진한 총 100대의 무인 스텔스 드론 중에서 최초로 교전한 48대는 연료와 무장을 재장착하려 귀환하고 있어 50여 대만 공격에 참가한다. 중형 항공모함에 탑재된 60대도 발진하여 후속 긴급 투입을 위하여 대기한다. 110여 대의 무인 스텔스 드론 전투기가 처리할 수 있는 총 표적은 500여 개 이상이다. 이렇게 많은 무인 스텔스 드론 전투기를 원격 조종하여 멀리서 무장을 발사하기 때문에 일본군의 전투기는 적을 보지도 못하고 격추당한다. 출동한 일본 항공기의 40퍼센트가 격추되고 20퍼센트가 손상을 입으며, 40퍼센트만 공격 후 귀환한다.

한국 공군의 총공격

한편, 한국 공군은 일본의 항공모함과 전함을 공격하기 위하여 울릉도 상공에 대기시키고 있던 유인전투기 F-35, A-55, F-55 스텔스 전투기와 잔여 스텔스 드론 전투기를 모두 전장에 투입한다. 일본군의 항공모함에서 발진한 전투기와 싸울 필요 없이 아예 그 근본인 항공모함을 수장시켜버리려는 작전이다. 공격하기 전 한국 공군은 전자전을 수행한다. 일본군의 모든 레이더가 일시적으로 먹통이 된다. 이 틈새를 이용하여 유인 스텔스 전투기 210대, 무인 스텔스 전투기 100대, 총 310대의 항공기가 적함을 향하여 날아간다. 하지만 일본군은 신속히 대 전자전을 수행하여 한국 공군의 전투기를 금세 포착한다. 전장의 종심이 작기 때문에 항공모함과 주변에 항공모함을 엄호하는 전함에 대하여 한국 공군은 금세 공중공격을 수행한다. 물론 일본의 전투기가 이것을 그냥 보고만 있지는 않는다. 한국 공군의 항공기가 스텔스 기능이 있지만 스텔스 드론과 다르게 항공기의 단면적이 커서 이번에는 일본의 개량된 레이더에 잘 포착된다. 일본의 전함정이 무장 발사 준비에 들어간다. 독도에서 선회 대기 하던 일본의 엄호 전투기 전력이 항공모함으로 다시 급히 귀환하여 방호하라는 지시를 받고 되돌아간다.

한국 공군이 일본의 항공모함 전단을 공격하기 전에 한국의 무인 스텔스 드론 전투기가 먼저 일본의 스텔스 전투기를 요격하여 다수 격추시킨다. 하지만 스텔스 드론 전투기가 격추하지 못한 일부 일본 전투기와 한국의 유인 스텔스 전투기끼리 공중 전투를 벌이게 된다.

그런데 두 나라 전투기 모두 레이더상에 잡혔기 때문에 이미 스텔스 기능을 잃어버린다. 따라서 재래식 공중 전투가 될 가능성이 있으나, 이 항공기들은 전방 미사일이 장착되었기 때문에 보이지 않는 거리에서 BVR (=Beyond Visual Range) 전투가 가능하다. 적을 보지 않고도 격추시킬 수 있는 개념이다. 전투 결과 6차원의 보조적인 레이더 탐색을 지원받는 한국 공군이 조금이라도 우세하다. 스텔스 드론 전투기 수십 대가 보이지 않는 손으로 작용하여 전투 양상은 한국 65대 일본 35, 즉 30퍼센트 포인트로 한국의 우세가 이어진다. 이 30퍼센트 포인트라는 것은 대단히 큰 차이다. 30퍼센트의 전투기가 항공모함을 공격한다. 계속해서 일본군의 후속기가 접근함에 따라 무인 스텔스 드론 전투기는 유인 스텔스 전투기를 엄호하여 다가오는 일본 엄호기를 요격하니, 한국의 공격 전투기의 손실은 현저히 줄어들고, 적의 함정을 공격하는 대수는 증가한다.

일본군 항공모함과 이지스함에서 수없이 대공 미사일과 대공포가 발사된다. 주변에 호위하고 있는 순양함과 전함에서도 한국의 공격기를 향하여 비 오듯 대공 포화를 퍼붓는다. 그러나 아무리 항공모함에서 대공미사일을 발사한다고 하더라도 원거리에서 발사하는 한국 공군 전투기를 막아낼 수 없다. 일본의 제1 항공모함이 직격탄 몇 발을 맞는다. 다행히 항공모함의 두꺼운 철갑으로 만들어진 갑판에 명중하여 후속으로 폭발을 일으키거나 배 밑에 구멍이 나지는 않는다. 그렇지만 함재기의 이착륙이 이루어질 수 없는 상황에 이른다. 따라서 발진한 지 한 시간 이상 되는 항공기나 무장을 다 사용한 함재기는 일본의 서해 해변 가까이에 있는 공군기지에 착륙할 수밖에 없다. 그리고 거리가 멀기 때문에 아직 무장이 있더라도 연료 사정으로 조기에 전장을 이탈할 수밖에 없다. 물론 무장이 아직 남아 있는 일본 전투기는 급유기로부터 공중 급유를 받고 즉각 재출격한다. 항공모함이라는 것이 함재기가 마음 놓고 이착륙을 할 때나 위력이 발생하지만, 이제 자체 방어밖에 할 수 없는 상황이 되어버리니 무용지물이다.

서해 공군기지에서 발진한 일본의 엄호 전투기와 독도 공격 전투기 300여 대, 항공모함에서 발진한 100여 대, 총 400여 대가 반격한다. 한국군의 함정을 공격했던 스텔스 전투기가 전투에 앞서 후속으로 투입된 한국 공군의 무인 스텔스 드론 전투기와 교전을 벌인다. 스텔스가 완벽한 무인 스텔스 드론 전투기에서 먼저 발사된 미사일이 선두에 나선 일본의 공군 스텔스 전투기를 신이 나게 두들긴다.

초전에서와 마찬가지로 일본 공군의 스텔스 공격기들은 원인도 모른 채 절반 이상이 굉음을 내면서 물속으로 사라진다. 그러한 상황에서도 일부 일본 스텔스 전투기는 독도를 공격한다. 독도 수비대는 이미 지하 요새로 잠입하였기 때문에 전혀 피해가 없고, 일본 전투기가 투하하는 재래식 항공탄은 단지 독도의 바위를 맹렬하게 파편으로 만들고 있을 뿐이다. 물론 독도 수비대가 평시에 거주하고 있던 건물은 이미 산산조각이나 형체도 흔적도 없어져버린다.

3개 지역에서 한일 간 전투가 진행되고 있다. 독도를 중심으로 남동쪽

100킬로미터에 위치한 마이즈루 지방대에서 출동한 항공모함 전단(제1 전단)을 공격하는 한국 공군의 스텔스 공격기와 이것을 요격하는 일본군 전투기, 그리고 자체 방어하고 있는 군함 간의 공방이다. 또 하나는 독도 북동쪽 100킬로미터에서 머물며 독도를 공략하려는 요코스카에서 출동한 항공모함 전단(제2 전단)과의 교전이다. 그리고 마지막으로 독도를 공격하고 엄호하는 일본군에 대한 한국 공군의 요격전이다.

전투기 전투접근

사라져야 한다. 누구의 눈에 띄어서도 아니 된다.
하늘과 같은 색깔로 치장을 하고
뒤에 난 자국을 흔적 없이 없애야 한다.
어딘지 모르게 어둠속에 몸을 감추고
천리안을 좌우로 내두르며 다가오는 적기를 찾는다.
단 한방에 떨어뜨리고자 아무데서나 쏴버릴 수 있고
가까이 가면 터지는 최신 비밀 병기로 무장을 하고
저승사자처럼 회심의 미소를 지으며
두 눈을 부릅뜨고 적진을 쏘아 본다.
떼를 지어 나타나는 적기의 위치를 감지하였다
애기의 방향을 급히 돌리고 출력을 증가시켜 속도를 늘리며
편대원들을 협공에 좋도록
전투태세 대형으로 유지하도록 명한다.
수평선 밑 구름과 함께 가물가물 시야에 들어왔다.
다이빙 하듯 기수를 내리꽂고 최대 파워로 때려 넣는다.
음속을 돌파하는 애기는 한차례 부르르 몸을 떨면서
두 날개로 힘차게 구름을 밀어낸다.
독수리 들쥐 채듯 하리다.

바다 밑과 수상에서의 전투

바다 밑에서도 눈에 띄지 않게 잠수함끼리 전투가 벌어진다. 일본군은 핵잠수함 10척을 독도 근해에 투입하여 독도 반경 50킬로미터 안으로 들어오는 한국의 항공모함을 공격하려 호시탐탐 노렸으나, 어찌된 일인지 외곽에만 머물러 있다. 그렇지만 한국의 항공모함 전단에서도 핵잠수함이 해저를 호위한다는 사실을 예의 주시하고 있다. 정보망에 의하여 한국 잠수함의 위치를 파악하려 애쓰지만 해저에 숨어 다니는 상대의 잠수함을 찾아내기란 쉽지 않다. 그러나 한국 해군은 다르다.

해저에서 어떠한 물체도 탐지할 수 있는 6차원 레이더 테츠(TSCCS)의 일부인 해저 레이더가 독도를 반경으로 수백 개가 배치된다. 함정이 아무리 스텔스 기능이 있다고 하더라도 이를 탐지할 수 있고, 전적으로 수중에서 암약하는 잠수함도 해저 레이더망에 걸리지 않을 수 없다. 해저 레이더는 자체에서 여러 가지 주파수와 음파를 내보내고 되돌아오는 전파나 음파를 잡아 적의 위치를 파악하고, 송수신기끼리 서로 신호를 주고받기 때문에 송수신기 사이에 어떤 물체가 있다고 한다면, 사방에서 보내는 전파에 의하여 위치 파악이 가능하고, 탐색된 물체의 대략적인 형태를 알 수 있다.

한국 해군의 핵 잠수함은 독도를 중심으로 반경 20킬로미터와 배타적 경제 수역에서만 활동하고 있다. 그래서 일본 잠수함과 아직 조우하지 못하고 있으며, 일본 함정이 독도에 다가올 때 함정을 격침시키기 위하여 활동하게 될 것이다.

해 · 공군의 혼전

한편, 일본의 항공모함과 전함 등을 공격하기 위하여 출동한 한국의 유인 스텔스 전투기는 2개 방향으로 갈라져 일본 항공모함 전단을 향하여 돌진한다. 전투기 작전은 엄호기 편대와 공격기 편대로 나누어 엄호기가 공격기를 호위하면서 일본군 함정에 다가간다. 이때 가용한 모든 스텔스 드론 전투기도 투입된다. 일본군도 이미 한국 공군의 전투기가 접근하는 것을 레이더로 탐지한다. 일본도 한국의 유인 스텔스 전투기 성능을 어느 정도 무력화할 수 있는 시스템을 만들어, 전투기가 함정을 공격하러 몰려오는 것을 원거리에서 탐지한다. 일본은 먼저 요격기를 출동시킨다. 한국의 무인 스텔스 드론 전투기가 유인 스텔스 전투기보다 앞서 나간다. 이제는 무기체계의 싸움이다. 어느 전투기가 먼저 적기를 레이더로 포착하여 무장을 빨리 발사하느냐에 따라 전투의 승패가 갈린다.

한국 공군은 F-35 대열 앞에 무인 스텔스 드론 전투기를 앞세우고 공격하지만 일본 공군은 F-35만을 전방에 내세워 방어한다. 초기에는 무인 스텔스 드론 전투기와 유인 스텔스 전투기와의 싸움이다. 일본의 F-35 항공기는 한국 공군의 F-35만을 150마일 밖에서 탐지하여 이에 대응한다. 하지만 그 앞에 수십 대의 무인 스텔스 드론 전투기가 한국 공군의 유인 스텔스 전투기를 엄호하고 선두에 나서 일본 F-35 항공기를 공격한다. 일본 전투기들은 다가오는 무인 스텔스 전투기를 탐지하지도 못하고 전투에 돌입한다. 일본 F-35 전투기들은 조기 경보기의 조언에 따라 적이 사거리 밖에서 접근하는 것을 탐색하고 있는데 느닷없이 미사일이 수없이 날아든다.

최전방의 선두 대열 10여 기가 소리도 없이 동해의 풍랑에 휩쓸린다. 일본군 조기 경보기의 레이더에서 일본군의 식별부호를 지닌 항공기가 하나둘씩 순식간에 사라진다. 조기 경보기의 레이더 스코프 화면을 위성을 통하여 들여다보던 전쟁 지휘부는 기겁한다. 도대체 어찌된 연유인지 모두가 어안이 벙벙하다. 이어서 후속 10여 기도 같은 운명에 처한다. 세 번째 대열의 일부 전투기들도 원인 모르게 사라진다. 벌써 30여 기의 전투기가 수장된다. 그렇지만 전쟁 지휘부에서는 어느 누구도 공격 중단을 지시하지 않는다. 감히 누가 이 상황에서 그런 명령을 내릴 수 있을까? 제4의 대열이 드디어 한국군의 유인 스텔스 전투기와 조우한다. 이제 한국군의 무인 스텔스 전투기들이 무장 발사를 하기에는 일본군 전투기와 너무나 가깝게 접근하였기 때문에 모두 전장을 이탈한다.

유인 스텔스 전투기의 공중전

유인 스텔스 전투기인 F-35의 전투 기동 능력은 동일하므로 50대 50으로 승패 확률도 대등할 수밖에 없다. 그런데 한국 공군에는 F-55라는 스텔스 전투기가 있다. 한국이 자체 개발하여 배치한 최신식 전투기로, 레이더의 성능은 F-35보다 더 원거리에서 목표물을 획득하고 조준하여 무장 발사할 수 있다. 더군다나 무 방향 미사일은 초기에 레이더에서 탐색하여 획득한 목표물을 한번 잡으면 놓치거나 잃어버리지 않는다. 항공기에서 발사된 후 목표물이 어떠한 기동을 하더라도 명중할 때까지 끝까지 추적하는 질긴 무장이다. 최대로 선회 추적할 수 있는 중력 가속도가 기존 미사일보다 세 배나 더 되어 어떠한 상황에서도 계속 추격이 가능하여 닉네임이 '네오파드' 혹은 '치타'라 불린다.

원거리 목표물을 포착한 엄호기가 미사일을 서로 발사한다. 발사 후 전투기들은 급상승이나 급하강을 하여 날아오는 미사일을 회피한다. 그러면서 자체적으로 방호 전자 교란 장비를 가동하여 미사일의 전파 탐지를 교란시킨다. 일부 기동은 성공하고 일부는 실패한다. 특히 한국 공군의 F-55에서 발사하는 미사일은 일본 전투기가 아무리 회피 기동을 하더라도 어디로 가든지 따라간다. 이러한 공중 전투 교전의 결과, 일본군의 전투기는 한국군의 스텔스 드론 전투기에 의하여 초도에 격추당한 것을 포함하여 총 출격 전투기의 55퍼센트, 반면 한국은 20퍼센트가 격추된다. 고무적인 것은 한국 공군과 항공모함 전단의 무인 스텔스 드론 전투기는 한 대도 손상이 없다는 것이다.

공격기 중 공대함 미사일을 가진 전투기와 A-55 공격기가 일본군의 함정을 원거리에서 공격한다. 일본의 항공모함과 이지스함, 전함, 구축함 등이 다가오는 한국 공군 공격기에 일제히 대공 미사일을 발사한다. 이 전투에서는 서로 주고받는다. 전함이 전투기의 대함 미사일을 맞고 비틀거린다. 한국 공군 전투기도 원거리에서 대공 미사일에 격추당한다.

제1파, 제2파, 제3파, 제4파 공격으로 양쪽의 공군과 해군 함정은 상당한 피해를 입는다. 다만 65대 35로 한국군이 우세하다. 공군이 철수하고 나니 이번에는 울릉도 근처에 선단을 이루고 있는 모든 전함에서 함대 함 미사일이 발사된다. 수백 발의 미사일이 일본군의 두 군데 항모전단에 쏟아진다. 일부 미사일은 함정 갑판이나 함미에 떨어져 큰 폭발 구멍이 난다. 갑자기 내습한 방향도 모르는 미사일 세례에 일본군 전투 함정은 제각각 S자로 회피 기동을 한다.

한편, 일본의 전쟁 지휘부는 공중전과 함정 간의 전투에서 상당한 수의 전투기가 격추되고 함정이 격침되었음에도 불구하고, 본래 목적인 독도 점령을 위하여 독도의 남과 북에서 함재기를 출동시킨 2개의 항공모함 전단을 독도에 접근시킨다. 반경 20킬로미터까지 다가와 이번에는 독도에 함포 사격을 퍼붓는다. 독도는 그야말로 뜨거운 화염에 휩싸여 마치 바위에 불이 붙어 훨훨 타오르는 것처럼 보인다. 폭탄 세례를 받은 독도는 돌덩어리가 떨어져 튀어오르고, 파편이 우수수 쏟아지면서 모래바람이 일어난 듯, 안개에 싸인 듯 섬 꼭대기만 겨우 보인다.

일본군 전쟁 지휘부는 한국 공군의 강력한 저항으로 원래 계획대로 작전을 진행시키지 못하고 있다. 오후 중반이 된 이 시점에서는 독도가 이미 자기들의 수중에 있어야 한다. 따라서 그들은 서둘러 함포 사격에 이어 지상 상륙군을 투입한다. 항공모함 전단과 함정이 독도를 포격하자 항공모함 전단 수십 킬로미터 후방에 있던 상륙군 수송 선단이 독도를 향하여 진격한다. 총 1개 대대의 상륙군이 수십 척의 상륙정을 타고 동, 남, 북 세 방향에서 독도로 접근한다.

독도는 좁은 바위섬이고 경사가 심한 비탈진 돌산이라서 상륙할 장소가 마땅치 않아 많은 병력을 투입할 수도 없다. 또한 주둔하고 있는 한국 수비대의 인원이 1개 중대 인원이라서 많은 인원을 투입할 필요도 없다. 1개 대대 병력이면 한국 수비대의 서너 배 정도 되는 압도적인 인원이니 충분하다고 생각한다. 독도 수비대의 인원이 1개 대대로 증가한 줄 몰랐던 일본의 오판이다.

한국 해군 잠수함 여섯 척이 독도 반경 20킬로미터 안에서 진을 치고 있다가 일본 상륙군이 다가오고 있다는 정보에 교전 준비를 완료하고 대기한다. 그렇다고 일본 잠수함도 마냥 초계만하고 있는 것은 아니다. 일본의 잠수함 10척은 상륙정이 지나올 항로를 방호하기 위하여 독도로 향한다. 일본 잠수함은 상륙정이 지나갈 지점에 있을지도 모르는 한국군의 잠수함을 견제하기 위하여 독도까지의 경로를 세심히 살펴보기로 한다. 일본 해군의 잠수함이 독도 영역으로 들어오자 한국 해군의 잠수함이 즉각 탐지한다. 전파 송수신기에 의해 위치 파악이 된 것이다. 한국 해군의 잠수함은 일본군의 잠수함 근처로 다가간다. 한국군 잠수함 넉 대의 어뢰가 '쐐액' 하는 소리를 내며 잠수함 옆구리에서 발사되어 일본군 잠수함으로 돌진한다. 수중에서의 미사일 속도는 공중 미사일보다 저항이 심하여 빠르지 못하다. 일본 잠수함의 방어 레이더망에 수중 미사일이 다가오는 것이 탐지된다. 일본 잠수함은 기겁하며 회피 기동을 한다.

잠수함 공격은 통상적으로 함정이 공중에서 음파를 탐지하여 어뢰를 발사하는 것으로 이루어지곤 한다. 그렇지만 한국 해군 잠수함에 설치된 장비는 음파 탐지와 병행하여 고주파, 저주파 등 여러 복합적인 주파수를 잠수함에서 발사하여, 되돌아오는 전파나 주파수를 수신하고 분석할 수 있다. 독도를 중심으로 한 수백 개의 전파송수신기에서 발사한 주파수를 수신하고 분석하여 발사하기 때문에 회피 기동이 여간 어렵지 않다. 일본 잠수함은 초격에 열 대 중 두 대가 수중 미사일을 얻어맞고 기관실에 고장을 일으킨다. 고장 난 잠수함은 생존을 위하여 물 위로 떠오를 수밖에 없다. 물 위에 떠오른 잠수함은 생명을 잃은 것이나 다름없다.

일본군은 더욱 더 공세적인 작전을 수행한다. 잠수함을 찾아내는 해상 초계기가 독도 상공을 초 저공으로 돌면서 한국의 잠수함을 탐지한다. 그러고는 대잠 유도 어뢰(잠수함용 수중 미사일)를 사용하여 공격한다. 해상 초계기는 공중 전투를 벌이는 틈새를 이용하여 단독 작전을 감행한다. 일본군의 잠수함 탐지 항공기는 음파를 해저로 내보내 반향을 분석하여 탐지하기 때문에 한국군의 잠수함도 그들의 탐지망에 걸릴 수밖에 없다. 탐지되지 않으려면 엔진을 정지하고 수중 깊이 가만히 잠수해야만 한다. 이럴 경우 적군에 피격은 당하지 않겠지만 전투 능력이 완전히 떨어진다.

일본군 대잠 유도 어뢰가 한국 잠수함을 공격한다. 재빨리 회피 기동을 하였지만 한 척이 심각한 고장을 일으킨다. 두어 시간 엔진을 끄고, 대잠 유도 어뢰가 쏟아지지 않고 잠잠해질 때까지 기다린다. 다시 엔진을 켜고 울릉도로 귀환해서 수리하여야 한다. 탐지되지 않은 잠수함은 계속 작전을 수행한다. 수상에 떠 있는 상륙정을 향하여 수중에서 어뢰를 발사하여 몇 척의 상륙정이 더 이상 항해할 수 없도록 만든다. 이렇게 발목이 잡힌 일본군 상륙정은 30퍼센트 정도 줄어들어 독도에 접근한 일본 상륙군은 1개 대대에서 2개 중대로 감소한다.

독도 수비대의 반격

한편, 독도 수비대는 일본군 전투기가 공격하려고 이륙했다는 정보에 따라 모두 개인 무장하고, 지하로 연결된 통로를 통해 요새로 들어가 전투준비를 한다. 지하 요새로 막 들어간 1개 중대 병력과 이미 지하 요새에서 주둔하고 있는 2개 대대 병력은 각기 배정된 전투 지역으로 들어가 무장 발사할 준비를 마친다. 지하 요새에도 중앙 통제소가 있어 동도와 서도를 긴밀히 연결하고, 울릉도 작전 통제소와도 연결되어 현 상황에 따라 작전을 변경하고 병력을 이동할 수 있는 체제를 갖춘다.

일본 상륙군이 반경 10킬로미터 이내로 들어오자 마침내 요새화된 참호가 일제히 문을 열고 사격 개시한다. 적이 반경 10킬로미터 이내로 들어와야 수평선 아래에 있던 목표물이 수평선 위로 떠올라 명중률이 더 향상되는 것이다. 그동안 비밀리에 배치한 레이저건, 레일건이 맹위를 떨친다. 재래식 포는 포물선을 그리면서 정확한 목표물을 잡지 못하고 맹목적인 짐작으로 좌표에 의한 사격을 하지만, 이 두 종류의 건은 직사포이며 레이더로 잡아서 정밀 사격을 하기 때문에 명중률이 상당히 높다. 다만 미사일 같은 추적 능력이 없다는 것이 단점이어서 이동하는 표적에는 쓸 수 없다.

초기에 레일건이 시위를 당긴다. 레일건은 강력한 전자력을 이용하여 탄체를 발사하기 때문에 고압의 전기가 필요한 것이 단점이지만, 탄두는 소리 없이 나간다. 발사되었는지 여부는 단지 레일건의 작동 소리만으로 알 뿐이다. 이를 감안하여 요새의 한쪽 방에는 고압을 생산하는 대형 발전기 석 대가 마련된다. 레일건에 한두 척의 함정이 피격당한다. 강력한 레일건의 힘으로 호위하고 있던 한 구축함의 허리에 큰 구멍이 뻥 뚫린다. 다행히 함정의 윗부분에 맞아서 침몰되지 않았지, 밑부분이 관통당했다면 그대로 침몰됐을지 모른다. 레일건을 맞은 일본군 함정 몇 척이 허둥지둥 전투 지역을 떠난다.

독도에 조금 더 다가가자 이번에는 레이저건이 번쩍거린다. 강력한 고압 전기가 공급되어야 하는 포이기 때문에 레일건의 사격이 끝나자 교대로 사격을 시작한다. 일본군은 혼비백산한다. 상륙정이 왜, 어떻게 적탄에 맞았는지 알 수가 없다. 소리 없는 빛의 다발이 철판을 뚫어버리기 때문이다. 이렇게 레일건과 레이저건에 의하여 일본 상륙군의 전력은 다시 30퍼센트가 감소하고 만다. 결국 일본군은 피격된 함정들을 수리하기 위하여 군항에 귀환한다. 함정들을 점검하다가 레이저건과 레일건에 맞았다는 것을 알게 된다. 그러나 이미 전쟁이 거의 끝날 때 즈음이라 너무 늦었다. 이 두 가지 무기는 미국과 중국, 러시아 정도만이 가지고 있는 건데, 한국이 가지고 있을 줄은 꿈에도 몰랐던 것이다.

여러 불리한 상황에서도 일본 상륙군은 마침내 독도에 아주 가까이 접근한다. 투입한 병력의 50퍼센트이다.

일본군의 독도 상륙

일본군의 끈질김으로 드디어 1.5개 중대 병력만이 독도에 상륙한다. 하지만 상륙군이 돌섬에 내리자마자 한국 수비대의 기관총과 중화기가 작렬한다. 상륙한 일본군은 바위틈이나 바위를 방패삼아 숨을 수는 있다. 그런데 상륙 인원이 너무 많아 숨어 있을 공간이나 방패막이가 적어 일부는 그냥 엎드린다. 바위로 엄폐하였다 하더라도 한국군의 최신무기인 K-29 복합형 기관총에 의하여 많은 사상자가 발생한다. K-29 복합형기관총은 레이저 거리 측정기, 탄도 컴퓨터, 빛 변환 카메라 등을 장착하여, 공중 폭발, 접촉 폭발, 충격 지역, 자폭 등 네 가지 모드로 사용할 수 있다. '공중 폭발'은 직사화기로는 공격하기 어려운 엄폐물 뒤의 적을 3~4미터 상공에서 폭발할 수 있다. 즉 정면이 엄폐되어 있다 하더라도 전차나 장갑차처럼 공중이 장갑으로 차단되어 있지 않는 이상 살상이 가능한 것이다. 상륙군의 절반이 섬으로 올라가기에 좋은, 덜 경사진 동도와 서도 사이에 상륙한다. 방어하는 입장에서는 적 상륙 예정지에 병력을 집중하면 된다.

일본군 상륙 지휘관인 대대장은 매우 당황한다. 독도에 상륙하기 전 한국 독도 수비대의 저항을 어느 정도 예상하였지만 이처럼 강하게 나올 줄은 꿈에도 생각지 못하였다. 공중 공격으로 독도 수비대의 막사나 은폐 지점이 철저히 초토화되어 이미 전투력을 상실하였을 것으로 보아, 수비대의 저항을 무시하고 공격에 들어왔기 때문이다. 서도(西島)를 공략하는 상륙군 2개 소대 병력은 저항이 거의 없을 줄로 알고 있었는데 난데없이 포와 기관총이 작렬하였으니, 영문도 모른 채 죽어간 일본군 병사들로 작은 섬이 뒤덮인다. 분명히 바위에 엄폐하고 있는데도 공중에서 폭발하는 한국군의 기관총 때문에 많은 사상자가 발생한다.

서도에 상륙한 상륙군 중대장은 쏟아지는 총탄에 어찌할 바를 모르고 바위틈에 숨는다. 이러다가는 다 죽게 될 것이라 판단하고, 작전을 달리 구상해야겠다고 생각한다. 또한, 자신들은 한국군의 저항을 전혀 생각지 못하였고, 애초에 작전 계획도 무혈입성으로 입안하였으므로 어디에 적이 있고, 적이 어떠한 상태이며, 방어와 공격 능력 등 어느 것도 파악할 수 없기 때문에 이대로 가다간 전멸이라는 생각이 떠오른다. 중대장은 수하의 병사들에게 그의 직권으로 서도에서의 철수 명령을 내린다. 지휘 중대장은 대대장에게 무전으로 현 상황에 대하여 보고한다.

"지체하다간 한 명도 살아나갈 수 없는 상황이다."라고 말하며 철수를 하겠다고 일방적으로 통보해버린다.

동도(東島)에 상륙하고 있는 대대장도 대단히 당혹스럽다. 사전 예행연습 시나리오에는 언덕 위에 있는 수비대에서만 저항이 있을 것으로 예상하고, 절벽 아래에 상륙하여 몸을 숨기면 안전할 것이라고 판단했다. 하지만 지금은 어디에서 총탄이 날아오는 줄도 모르겠고, 한 발짝도 꼼짝 못하고 있으니 무엇이, 어떻게, 왜 잘못되었는지 파악할 수도 없다. 대대장은 수하의 병사들에게 진격 명령을 내려 일제히 언덕을 향하여 일본 특유의 돌격을 지시하지만, 워낙 가파른 절벽이나 다름없는 곳이고 한국 경비대에서 만든 계단을 올라가자니 한국군의 총탄만 날아든다. 몇 번을 시도하였으나 번번이 많은 병사들이 희생된다.

대대장은 날이 점점 어두워 오자 밤을 이용하여 적진지를 기습하기로 결심한다. 이때 서도에서 철수를 하겠다는 중대장의 목소리가 들려온다. 그는 가만히 듣고만 있다. 계속 싸우라는 명령을 내릴 입지가 못 된다. 하는 수 없이 대대장은 자기 수하에 있는 병사들에게만 공격 명령을 내린다. 전 상륙군이 절벽을 기어오르고 소리 없이 계단을 올라갈 때 갑자기 주변이 환해진다. 조명탄이 발사되어 대낮처럼 밝아온다. 이어서 한국군의 요새화 진지에서 총탄이 쏟아져 나와 수십 명이 일시에 목숨을 잃고 만다. 대대장은 "한국군이 독도 바위를 뚫어 요새화한 것으로 추정된다. 어딘지도 모르는 요새화된 진지에서 총알이 날아와 많은 병사들이 희생되고 있다."고 현 상황을 무전으로 상륙군 지휘부에 알린다. 지휘부에서는 묵묵부답이다.

이는, 후퇴는 일본군의 치욕이라는 가미카제(육탄 자살 공격) 정신으로, 자신의 목숨을 건지기 위하여 절대 후퇴하지 말라는 일종의 옥쇄를 의미한다는 것을 대대장은 잘 알고 있다. 대대장은 눈물을 머금고 부하들에게 제2, 제3의 공격명령을 내린다. 사실 지금까지 한국군의 그림자 하나 보지도 못하고 싸우고 있다. 그런데 가파른 절벽을 일부 병사가 올라갔을 때 그들은 거센 저항을 맞이하게 된다. 아이언맨이 출동한 것이다. 일본군 병사는 어둠 속에서 홀연히 나타난 한국군 병사에게 순간적으로 자동소총을 난사한다. 그러나 한국군 병사는 오히려 이것을 비웃듯 손으로 자신의 가슴을 치며 소총을 역으로 일본군에게 발사한다. 일본군 병사 여러 명이 아이언맨이 쏘아대는 소총 몇 방에 쓰러지며 절벽 아래로 굴러 떨어져버린다. 단 몇 명 되지도 않는 한국군에게 힘도 못 쓰고 당한다. 다른 부하들에게 책임을 전가할 수 없다고 생각한 대대장은 부하들을 향하여, "나를 따르라! 천황폐하 만세!" 고함을 지르며 돌진한다. 부하들 몇 명도 얼떨결에 함성을 지르며 그를 따른다. 하지만 어찌된 일인지 한국군에게 직격탄을 날려도 그들은 꿈쩍도 하지 않고 빗발치는 총탄을 그대로 맞받으며 응사한다. 첨단 병기를 사용하는 전투에서 무모한 돌격은 전멸을 의미한다. 대대장을 포함하여 돌진하던 병사 모두 아이언맨 탄생의 제물이 된다.

대대장은 총탄을 가슴에 맞고 절벽에서 굴러 때마침 선임 중대장 앞에 떨어진다. 몸을 숨기고 있던 선임 중대장은 깜짝 놀라 무엇이 떨어진 것인지 확인한다. 대대장이 가슴에 몇 발의 총탄을 맞고 유혈이 낭자한 채 쓰러져 있다. 선임 중대장은 이것은 재앙이며, 현대전에서 옥쇄란 있을 수 없다고 생각하며 철수할 것을 결심한다. 전쟁 지휘부에는 '우리를 사지에 집어 처넣은 무식한 전쟁 계획 입안자가 우리들 대신 와서 싸워보아야 할 것이다'라는 메시지를 남긴다. 그는 아직도 주변에서 웅크리고 있던 부하들에게 철수 명령을 내린다.

"작전상 후퇴다! 다음 기회를 노려보자. 우리는 이 섬을 떠난다. 모두 철수해라!"

일본군의 상륙 작전은 완전히 실패한다. 이로써 일본의 독도 점령 계획 수행은 다음날로 미루어진다.

해군의 쌍 낚시 공격 작전

동해의 아름다운 하얀 파도의 물결이 황혼에 물들어갈 때 한국 합동참모부 해군 작전 팀은 현재 상황과 시점에서 두 배로 우세한 일본 해군 항모전단에 일격을 가하여 전투력을 반감시킬 수 있는 좋은 기회라고 생각한다. 두 항공모함 전단으로 갈라진 일본 해군 전력 중 독도 북쪽 100킬로미터에서 전투 배회 중인 일본의 제2 항공모함 전단을 기습공격 한다는 계획을 수립한다. 이 계획은 합동참모부 작전회의에서 채택되어 공군 전력이 지원하기로 결정된다. 한국군은 울릉도 동쪽 근해에서 전투 참여 중인 전함과 구축함 30여 척, 그리고 잠수함 10여 척이 공격에 나선다. 여기에 항공모함 전단에서 발진한 무인 스텔스 드론 60대가 일본군 함대를 공격하고 공군 전투기가 초계하여 엄호하기로 한다.

해군 전단의 기습작전을 "쌍 낚시(Twin Hooks) 작전"이라고 명명하였다. 두 개의 선단을 이루어 적 선단의 중앙에 최대 속도로 돌파하여 2열로 포격하면서, 적 선단의 끝 부분에서 각기 좌우로 선회하여 계속적으로 적 함대에 포격을 가하며 이탈하는, 기습 돌파 폭격 작전의 형태이다. 이 작전을 수행하면 일본 함대는 기습을 당하여 3개 부분 선단으로 갈라지면서 우왕좌왕할 것이며, 근접하면서 함포를 발사하게 되면 더 많은 적함을 격파시킬 수 있을 것이다.

황혼이 물러가고 어둠이 별을 하나씩 하늘에 수놓으며 장식할 즈음에 마침내 해군 사령부는 합참 전투 지휘부에 작전 허락을 받고, 동해 함대에 전투 진격 명령을 내린다. 모든 함대가 최대 속도를 내어 제2 일본 항공모함 전단을 향하여 돌진한다.

제일 먼저 무인 스텔스 드론 전투기가 함대 전단보다 먼저 출격하여 항공모함 선단을 공격한다. 무인 스텔스 드론 전투기 20여 기가 항공모함을 공격하고 나머지 40대는 각기 2기씩 분리하여 일본군의 전함, 순양함, 구축함을 공격한다. 항모 선단 수가 워낙 많아서 일부 적함은 공격에서 제외된다. 아직도 무인 스텔스 드론 전투기를 제대로 탐지해내지 못하는 일본군 항모 전단은 갑작스러운 공중 공격에 크게 당황한다. 어디에서 무엇이 공격하는지도 모른다. 그런 상태로 항공모함에서는 함재기가 긴급히 발진한다. 하지만 이미 공중에서 이를 예상하고 기다리고 있는 무인 스텔스 드론 전투기에게는 맛 좋은 희생양이다. 육지에서 일본 공군 전투기가 이륙하여 엄호하려고 시도하지만 이미 때는 늦었다.

스텔스 드론 전투기 후속으로 잠수함이 함대보다 먼저 출발하여 일본의 함정을 공격한다. 일부는 일본 잠수함과 교전한다. 공중, 해상, 해저에서 3중 공격을 감행하니 일본군 함대는 그야말로 공황상태에 빠진다. 하지만 일본군의 강점은 끈질김이다. 한때 아수라판이 되어 지리멸렬할 것 같은 함대가 대열을 수습하고 역공에 나선다. 그러나 이때는 한국 함대가 최종 Hook 선회할 때이며, 잠시 후면 또다시 역공격을 수행하여 막대한 피해를 입히고 전장을 이탈할 것이다. 이 작전으로 인하여 일본군 순양함과 전함, 구축함 등 다수의 함정이 파괴되어 40퍼센트의 전투력이 감소한다. 그리고 다수의 스텔스 함재기가 격추되거나 항공모함 갑판 위에서 파손되어, 역시 제대로 전투력을 회복하려면 상당한 시간이 필요해진다.

유엔 안전보장이사회

전투가 벌어지기 전날 일본의 선전포고에 이어 한국은 유엔에 안전보장이사회를 지급으로 소집할 것을 요청한다. 한국 시간으로 아침, 미국 시간으로 저녁에 소집 요구가 이루어져, 미국 시간으로 다음날 아침에야 안전보장이사회가 소집된다. 유엔 안보리 이사국인 한국에 의하여 소집되었기 때문에 사회자의 진행 발언 이후에 유엔에 파견된 한국대사가 먼저 발언한다.

"일본군은 한국의 영토인 독도 침범을 즉각 멈추고, 모든 병력을 독도와 독도 근해에서 철수할 것을 강력히 요구한다. 또한 지금까지 독도에서 발생한 손해 및 한국군의 장비나 군사적인 손상을 배상할 것을 일본에 강력히 요구한다."

이에 대하여 일본의 유엔 파견 대사는 변명한다.

"우리는 한국이 불법 점거하고 있는 우리의 영토를 회복하고자 할 따름이다. 한국군은 즉각 다케시마에서 경비대를 철수하고, 다케시마를 일본령으로 인정하라."

두 대사의 평행선 긋는 발언으로 유엔 안전보장이사회는 투표로 결정하기로 한다. 투표 결과는 52대 48, 한국을 지지하는 국가가 간신히 과반을 차지하게 된다. 그만큼 세계에서 한국의 위상이 높아졌다는 것을 의미한다. 한편으로는 거의 반수의 국가가 아직도 침략적인 일본을 지지하고 있다는 것을 의미하기도 한다.

한국 정부는 결과에 대하여 환호하면서도 대오각성을 해야겠다고 생각한다. 아직도 국제사회에서는 힘의 논리만이 작용하고 있다는 증거이기 때문이다. 불과 십수 년 전에 이런 사태가 벌어졌다면 아마도 일본의 침략 정당성이 이루어졌을 것이라고 생각하게 만드는 대목이다. 아직 외교면에서 멀었다는 것을 의미한다.

유엔의 결의에 따라 일본은 독도 침공을 중단하고 독도를 원상태로 돌려놓아야만 한다. 하지만 일본은 유엔 결의를 믿을 수 없는 조작극이라고 비난하면서, 자신들은 구토 회복을 위하여 끝까지 싸울 것을 역설한다.

이날은 국제사법재판소에서 일본의 독도 영토 제소에 따라 어떻게 이 문제를 판결하고 해결할 것인지에 대하여 최초로 방향을 설정하는 날이다.

주변국과 한반도

한편, 한국의 외교부는 일본이 독도를 침략하던 날 아침 일찍, 서울에 상주하고 있는 중국과 러시아의 대사를 불러 현 사태에 대하여 의논하고 한국의 입장을 전달한다. 양국 대사는 지급으로 상황을 본토 정부에 보고한다. 이에 따라 중국과 러시아는 일본이 독도를 침범하여 일본 영토로 편입하면 자국의 이익에 반하는지 혹은 이익이 되는지, 문제점과 향후 국제적 판례는 어떻게 될 것인지 분석한다.

먼저 중국은 아직도 진행형인 댜오위다오(釣魚島=조어도=센카쿠)와 독도의 영토 문제는 성격이 한결같이 똑같다고 단정 짓는다. 다음과 같은 점이 동일하기 때문이다.

1) 역사적인 영토설 불인정.
2) 1800년도 말과 1900년대 초 일본인이 최초로 발견한 무인도였다고 주장.
3) 아무도 돌보지 않는 무인도이기 때문에 자신들의 의회에서 자국의 영토로 편입하여 일방적으로 자국의 영토라고 표방.
4) 무인도를 중심으로 한 어장과 막대한 새로운 자원의 발견.
5) 제2차 세계대전 이후 국제사회의 혼란한 틈을 타 미국과의 일방적 협약 결과 적용, 공산주의 팽창에 대비한 미국의 일본에 대한 고려.

따라서 중국 정부는 만약 일본이 한국의 독도를 침략하고 점령하여 그 정당성을 인정받게 되면 조어도에 일본군이 들어와 군사기지화 할 것이다. 이를 바탕으로 일본은 본격적으로 조어도 부근의 대륙붕을 개발할 것이고, 어장도 배타적 경제수역으로 바뀔 가능성이 있기 때문에 이를 방지해야 한다고 판단한다. 또한 일본이 얼마 전 제안한 협상 조건은 단지 한국의 독도를 침략하는 데 중국을 회유하려는 목적이 있다는 것이 확연해진다.

결국, 이번 독도 사건이 선례가 되면 조어도에 영향을 미쳐 일본이 군사기지를 설치할 가능성이 있다. 그렇다면 무력 사용은 안 된다는 것을 보여주어야 한다. 자국의 정보에 의하면 한국은 일본의 국지적 도발을 방어할 능력이 있다. 그러나 만약 독도에서 전면전이 일어나면 즉 일본이 모든 병력을 독도에 투입하면 상황은 역전될 것이다. 따라서 일본 서쪽을 담당하고 있는 전력을 독도에 투입하지 못하도록 견제하면 된다고 판단한다. 이를 위하여 조어도 부근에 함정을 초계시키고 항공기를 출동시키면 간단히 해결될 것이라고 생각한다.

그리하여 중국은 한국의 독도가 점령되어서는 안 된다고 판단한다. 전쟁이 발발한 오후에 전투기 수기를 이륙시키어 조어도 주변을 선회하게 하고, 군함을 투입하여 조어도 부근에 가까이 접근하게 한다. 일본 전쟁 지휘부는 사세보 서해에 이미 출동해 머물러 있던 항공모함 전단을 긴급 투입한다. 이로써 일본 전쟁 지휘부는 독도를 점령하기 위하여 일본 서부에 주둔하고 있는 전력을 독도 해역에 추가로 보낼 수 없게 된다.

한편, 러시아도 이번 일본의 독도 도발을 긴급으로 접하고, 자국의 이익을 가져오는 방향이 어떠할 것인가 분석한다. 몇 주 전, 일본이 협상을 청해온 '북방 4개 섬 부근의 공동 탐사와 개발'의 저의를 비로소 알게 된다. 아직도 일본은 북방 4개 도서 반환을 강력히 요청하고 있다. 일본 홋카이도 바로 북쪽에 인접하여 있는 네 개 섬을 일본은 100여 년째 줄곧 반환하라고 주장해왔다. 하지만 경제·정치적인 문제가 남아 있고, 러시아의 이익을 지키기 위하여 함정과 군대를 주둔시키면서 아직 반환하지 않았다. 아니, 아예 반환할 생각이 없다. 역사적으로는 2차 대전 직후 일본이 패전하면서, 미래에 일본이 또다시 인류를 위협할 전쟁 능력을 말살하기 위하여 조치한 일종의 견제였기 때문이다. 러시아도 결국 한국의 독도가 일본에 점령당할 경우 자국의 이익에 반한다고 생각한다. 블라디보스토크에 주둔하는 극동 함대 일부를 북방 네 개 섬을 순찰한다는 명목으로 항해를 수행한다. 러시아의 이러한 움직임에 일본은 홋카이도 남방 혼슈 북쪽에 있는 오미나토 지방대 항공모함 전단의 전력, 혼슈 북쪽지역과 홋카이도에 주둔하고 있는 공군의 전력을 이동하여 독도에 배치할 수 없게 된다. 이로써 일본의 대 중국, 러시아 외교는 실패한다.

미국 정부는 어떠한 입장도 내놓지 못하고 어정쩡한 태도를 취한다. 이번 공격으로 한미일 상호방위조약이 깨질 것인데도 일본의 행동을 제재하는 성명을 발표하지도 않는다. 대신 중국, 러시아에 신중하게 행동하기를 주문하고 일본을 감싸는 것 같은 태도를 보인다. 미국의 입장은 일본이 약해져서 중국과 러시아에 대한 견제를 할 수 없을 때, 일본을 대신하여 막대한 자금을 들여 군사력을 유지하여야 하기 때문이다.

북한은 전적으로 남한을 지지하며, 일본은 즉각 독도에서 물러가라고 성명을 낸다. 왜냐하면 남한은 북한과 동일한 민족 국가로, 만약 독도가 일본의 수중으로 들어간다면 더욱 강력해진 일본이 북한을 공격할 수 있고, 북한도 일본과의 관계가 제3국으로 계속 남아 있을 수 없는 상황이 올 것이라 예측하기 때문이다. 그리고 남한의 도움으로 최근 눈부신 경제 발전을 이루어 국민의 생활수준이 엄청나게 향상되었다. 그러한 은혜로운 동족 국가가 과거 남북으로 갈라지는 직접적인 빌미를 던졌던 일본에 또 다시 침략당하는 것을 용납할 수 없다는 논리다.

한국 정부는 일본의 공격을 멈추게 해달라고 미국에 요청할 만도 하지만 그대로 전투를 계속 벌일 요량이다. 왜냐하면 독도 방어에 자신이 있고, 이번 기회에 독도 문제를 완전히 매듭짓고자 일본과 사생결단을 겨루어보겠다는 의지가 있기 때문이다.

미친 정부와 군부

일본의 첫째 날 독도 공격은 완전히 실패로 끝난다. 일본의 전쟁 지휘부는 이날의 전투가 패전으로 끝나자 아연실색하고 밤새워 대책을 논의한다. 일본 수상은 하루 종일 전쟁 지휘부 지휘소에 앉아 전투 진행 상황을 주시한다. 독도에 상륙한 일본군이 많은 사상자를 내고 철수할 수밖에 없었던 충격이 아직 가시지 않았다. 수상을 비롯한 각료와 주요 군 지휘관이 머리를 맞대고 열띤 토론을 벌인다.

전쟁 지휘부는 첫날 전투의 패배 원인을 다음과 같이 분석한다.

한국군은 일본이 알고 있지 않은 신무기를 배치하여 우리 군의 작전양상을 모두 알고 있으며, 다케시마에 요새를 새롭게 만들고 강력하게 저항하고 있다.

토론 결과 패전의 원인이 한국군을 너무 몰랐다는 것으로 귀결된다. 수상은 정보국장의 조언이 얼른 머리에 스쳐 지나간다. 하지만 문제는 지금 이 시간 이후라 생각하고, 어떻게 하면 다케시마를 공략하여 점령할 수 있을지, 현 상황을 어떤 방법으로 뒤집을 수 있을지 깊은 시름에 잠긴다. 격론 끝에 나온 결론은 '지금 이 상태에서 물러설 수 없고, 가용한 모든 무기를 동원하여 다케시마에 상륙하며, 한국의 독도 수비대를 정밀 공격하여 요새에서 총을 발사하지 못하게 막는 방법을 사용해야 한다'는 것이다. 그래서 인해 전술과 정밀 유도 무기를 사용하여 풀기로 한다.

만약 해군 함정이 가까이서 독도를 포격하면 독도의 요새 문은 열릴 것이다. 이때 정밀 유도 무기로 공격하여 무력화하거나, 상륙군에 정밀 유도 무기를 주고 돌진하여 요새 문이 열리면 정밀 유도 무기를 발사하여 한국군의 대응 능력을 반감시키는 방안이다. 이러한 작전을 수행하고 성공하기 위해서는 전투기가 초전에 정밀 유도 무기를 발사하여 요새를 어느 정도 폐쇄하고, 후속으로 함정을 가까이 접근시켜서 요새 문에 집중적으로 화망을 구성하여 상륙군에 대한 대응 사격을 못하게 한다는 복안이다.

이를 위하여 일본 전쟁 지휘부는 혼슈에 있는 모든 전투기를 동원하기로 한다. 또한 피격되어 기능을 상실한 제1 항공모함을 귀환시키고, 아오모리현의 오미나토 지방대와 히로시마현의 구레 지방대에 있는 항공모함과 예비 항공모함을 총출동시킨다. 그리고 그동안 출격하지 않았던 드론 전투기를 출동시키고, 사세보에 있는 항공 전력을 일부 이즈미루 지방대로 전개시키기로 한다. 하지만 일본이 개발한 드론 전투기는 한국 공군의 성능보다 못하다. 미사일은 탑재되지 않고 기관총과 로켓포만 장착되어 있다. 지상 작전을 수행하는 근접 전투용으로 개발되었기 때문이다. 따라서 전쟁 지휘부는 가용한 모든 드론 공격기를 동원하여 요새 문을 두드리는 용도로만 투입하기로 한다.

또 한편으로 초전에서 밀린 이유를 파악하기 위하여 모든 정보 조직을 동원하기로 하고, 미국에 한국군에 대한 정확한 정보를 요구한다.

드디어 날이 밝아온다. 어제와 다른 양상으로 일본군은 독도를 공격한다. 그러나 독도는 끄떡도 하지 않는다. 여기에 육지에서 출격한 한국 공군 스텔스 전투기가 일본 전투기를 완벽하게 견제한다. 게다가 독도 근해의 수중에서 밀약하는 잠수함, 그리고 독도 자체의 방어력으로 일본군의 재공격은 완전히 실패한다. 한국 공군의 대함 공격 미사일과 이지스함·순양함·전함·구축함에서 발사되는 공대함·함대함 미사일이 오히려 일본이 자랑하는 항공모함·이지스함·전함·구축함을 처참하게 때린다. 새로 투입된 항공모함을 포함하여 일본의 항공모함 3척은 완전히 폐기해야 할 정도로 맹폭을 당한다. 그리고 무인 스텔스 드론 전투기의 맹활약으로 일본 전투기의 50퍼센트가 격추된다.

이러한 상황에서도 일본군은 어제와 마찬가지로 집요하게 2개 대대의 상륙군을 투입하여 빼곡히 독도 해안을 메운다. 일본의 독도 상륙군은 정밀 유도 무기와 드론 항공기를 이용하여 독도 수비대의 요새 문을 공략하지만 생각했던 만큼 큰 충격을 주지 못한다. 결국 막대한 사상자를 내고 결국 어제에 이어 또다시 철수한다. 게다가 전날보다 더 많은 희생자가 나온다. 한국 해군 잠수함은 퇴각하는 일본군을 공격하여 일부 생존자마저 수장시켜버린다.

한국 공군의 전투기는 공중 급유를 받으면서 일본 전투기를 뒤쫓아 일본 본토에 있는 군 비행장을 폭격한다. 일본의 요격기 수십 대가 발진하여 대응하지만 중과부적이고, 전세는 이미 기울었다. 일본 서해상에 몇 개의 비행장과 격납고, 지휘 본부가 공격당하여 파괴된다. 한국 합참본부 수뇌부는 일본의 시가지에 있는 주요 보급소를 공격하여 일본인들을 공포에 떨게 만들어야 한다는 일부 의견을 받아들여 대통령에게 재가를 요청하지만 대통령은 허가하지 않는다. 대신 일본에 최후통첩을 하겠다는 것이다. 만약 항복하지 않으면 서해상의 한 도시를 폭격하여 쑥대밭을 만들 것이고, 수도 도쿄를 공격하여 잿더미를 만들 예정이니, 독도 침범 재발 방지와 함께 독도를 항구적으로 한국 영토로 완전히 인정하는 조치와 한국이 요구하는 내용을 받아들이도록 강력히 주문한다.

미국 대통령은 일본의 패전을 보면서 한국군이 일본 본토를 폭격하지 말 것을 한국 대통령에게 강력하게 경고하고 조언한다. 일본 수상에게는 한국의 어떠한 요구조건이라도 받아들일 것을 조언한다.

일본 전쟁 지휘부는 남은 모든 군사력을 다시 통합하여 대응하기에는 너무 늦었다고 판단한다. 더군다나 한국 공군이 일본의 수도와 시가지를 즉각 폭격하겠다고 하니, 놀란 일본 수상은 한국과 협상을 하자고 제안한다. 미국도 일본 수상에게 한국과 빨리 종전에 관한 협정을 맺으라고 여러 번 재촉한다. 중국과 러시아는 미국과는 반대로 이번 기회에 일본 본토를 폭격하여 일본에 항복을 받아낼 좋은 기회라고 부추긴다. 눈엣가시인 일본을 이이제이(以夷制夷)할 최적의 기회라고 생각한 것이다.

한국 대통령은 여러 가지 변수를 종합하고 고민한 끝에 일본 수상의 제의를 받아들여 일본에 대한 주요 도시의 공중 폭격 계획을 단념하고 한일조약을 새로 맺기로 한다. 이에 일본 수상은 전 각료를 소집하여 회의한다. 그는 각료회의에서 패전의 책임을 자신이 지겠으며, 패전에 따른 새로운 한일조약을 부수상이 맺도록 하는 유언을 남긴다. 그리고 여러 내각 수반 앞에서 할복자살을 기도한다. 하지만 주변에 있던 여러 각료들은 수상이 주머니에서 꺼낸 칼을 뺏어버리고 제어한다. 할복자살 소동은 즉흥극으로 끝나버린다. 대부분의 일본 국민은 꼭 여러 사람이 보는 데서 수상이 정치 쇼를 하였다고 극렬히 비판을 가한다. 수상은 사임하고 부수상이 역할을 대신하게 된다. 이로써 일본인의 허망하고 뿌리 깊은 야욕과 대를 이어 근본적인 반성이 없는 침탈 근성, 그리고 못나고 속된 지도자를 두었던 국민성이 합작하여 열도를 더욱 태평양 바닷속에 침몰하도록 만든다.

강치의 설욕(신 한일조약)

한국의 외무부장관과 일본의 외무상이 시모노세키에서 새로운 협약을 맺는다. 이 조약은 기존의 모든 조약이나 협약을 무효화한다는 전제 조건이 붙는다.

일본은 패전을 인정하며 아래 10개 항의 한일 간의 기본 조약 사항을 준수할 것을 일본왕의 이름을 걸고 맹세한다.

1. 본 한일 간의 조약은 기존의 모든 조약과 협약 그리고 상호방위조약 혹은 부칙 등을 무효화하며, 한국과 일본 간의 향후 발전을 위한 아래의 새로운 조약을 체결한다.
2. 일본은 조약 체결 이후로 독도를 한국의 영토로 영구히 인정하고 더 이상 영토 주장이나 침략, 그리고 독도에 관한 어떠한 문제와 이의를 제기하지 않는다. 모든 역사교과서를 한국사에서 증명된 역사로 서술하고, 외교문서와 다케시마 행사 등 독도를 왜곡한 모든 문서와 선전 매체 등을 한국 정부가 제공하는 자료로 대체한다.
3. 일본은 이번 전쟁의 결과로 전 내각과 군부 수뇌부를 교체하고, 전쟁을 사주한 전 각료는 전범으로서 국제사법재판소에서 전범재판을 받는다.
4. 일본은 전쟁 배상금으로 1,000억 달러를 한국에 5년에 걸쳐 현금으로 배상한다.

5. 일본은 혼슈의 나라현을 중심으로 10개 현을 한국에 200년 동안 조차지*로 제공한다. 또한 대마도를 한국 영토로 영구히 복귀시킨다.
6. 대화퇴 어장을 한국의 조업 구역으로 한다. 또한 한일 간의 수역을 독도와 대마도를 중심으로 재설정한다.
7. 일본은 독도에서 획득한 자원 이용에 관한 과학기술을 제공한다.
8. 일본은 제2차 세계대전 당시의 위안부 존재를 인정하고, 모든 관련 문서를 공개하며, 위안부 후손에 대하여 일본 왕이 직접 공개 사과하고 배상금을 지불한다.
9. 일본은 일제 강점 기간 징용, 징병자들에 대한 모든 관련문서를 공개하고, 일본 왕이 공개 사과하고 배상금을 지불한다.
10. 일본은 군사력 증강 시 한국과 상의하고 자위수단 이외의 군사력을 보유하지 않으며, 새롭게 확정된 국경에 따라 경제수역 등을 재조정한다. 또한 자위력을 군사력 보유로 바꾼 헌법을 다시 원상으로 회복시킨다.

부칙: 이 조약은 상호 국가 최고기관의 협의와 동의하에, 그리고 유엔 안보리의 중재가 있을 때만이 파기할 수 있다.

조약은 외무부장관과 외무상이 주무장관으로서 담당하였고, 최종 서명은 승전국 한국 대통령과 패전국 일본 왕이 하였다. 이 조약을 3부로 원본을 작성하여 2부는 한일 정부가 각각 보유하고 유엔 안전보장이사회에 나머지 1부를 보내어, 추후에 일본이 한국을 다시는 절대 침략하지 못하게 국제사회에서 제동을 거는 근거 문서로 활용하도록 한다.

조약을 체결한 시모노세키는 1894년 발발한 청일전쟁의 결과로 청나라와 일본이 이듬해 조약을 맺은 역사적인 장소이다. 또한 일본이 청일전쟁을 승리로 이끈 후 그 결과로 대만을 조차하여 국부를 팽창시키고 여세를 몰아 군사력을 대폭 증강하여 대한제국을 침범, 강탈하는 침략의 교두

---

* 특별한 합의에 따라 어떤 나라가 다른 나라에 일시적으로 빌려준 일부분의 영토.

보로 삼았던 곳이기도 하다.

청일전쟁 이후 기고만장해진 일본은 이번에는 러일전쟁을 일으켜 극동 함대와 발틱 함대를 격침시켰다. 그리하여 만주 찬탈을 위한 교두보인 요동성의 여순을 점령하여 만주 침략의 근거를 마련하였을 뿐만 아니라, 열강들의 힘의 공백이 생긴 틈을 이용하여 대한제국을 강제로 병합해버렸다.

러일전쟁 발발 직전 독도에 전탐대를 운영했던 일본은 이를 활용하여 러시아 함대의 행방을 파악하고 기습공격을 감행하였다. 그 결과 러시아 함대를 격멸함과 동시에 한반도, 만주와 여순항에서 벌어진 러일전쟁에서 승리하는 결정적인 역할을 하였다.

이제 한국은 그 독도를 일본의 그릇된 욕망을 충족하려던 노예의 섬에서 영원히 해방시키어, 동해 한가운데 있어 갈매기만 넘나드는 외로운 섬이 아니라, 다시 강치와 여러 동식물이 노니는 낙원인 동시에 보물섬으로 만들게 될 것이다.

후에 한국 정부는 독도 수비를 위하여 만든 여러 부대시설을 완전히 철수하고, 강치와 사촌격인 바다사자를 독도에 수백 마리를 방사하여 독도를 물개의 천국으로 만든다. 또한 독도와 울릉도에 매장된 새롭게 발견한 자원을 개발하여 전 인류의 염원인 청정에너지의 꿈을 실현한다.

그리고 신 조약에 의거 한국은 일본을 앞으로 200년 이상 전쟁을 할 수 없는 나라로 만들고, 주체할 수 없는 섬나라 민족의 근성을 정화시키고 억제하기 위하여 일본을 두 지역으로 나누어버린다. 이로서 유사 이래 대부분 동북아시아의 평화를 깨어버렸던 주범 일본의 힘을 평준화시키어 주변국의 항구적 평화와 번영의 틀을 마련한다.

더불어 한국은 동북아의 균형자가 되어 미국의 불안도 씻어준다.

– 끝 –

지은이 **송기준**

공군사관학교 졸업
전투기 조종사
전투비행 대대장
합동참모본부/공군본부 근무
대한항공 근무

현재 에어부산 항공사 근무
보잉/에어버스 항공기 기장
문학지『월더니스』고문
수필가, 시인

『민간항공조종사 운항입문지침서』
『A-320/321 Simulator 지침서』
장편소설『검은 개나리』(전 4권) 외 수필, 시 다수 지음.

독도를 사수하라 -강치의 설욕-

초판 1쇄 발행일 2019년 4월 15일
송기준 지음

발행인 이성모
발행처 도서출판 동인
주　소 서울특별시 종로구 혜화로3길 5, 118호
등　록 제1-1599호
TEL (02) 765-7145 / FAX (02) 765-7165
E-mail dongin60@chol.com
ISBN 978-89-5506-803-0 03810
정　가 18,000원